D0784005

LES JEUDIS D'ANTOINE ET DE LÉO

ROMAN

RECTO-VERSO, éditeur
2050, rue De Bleury, bureau 500
Montréal (Québec) H3A 2J5

Directeur-général des éditions : Pierre Bourdon
Directrice des éditions : Annie Tonneau
Directrice artistique : Lyne Préfontaine
Coordonnateur aux éditions : Jean-François Gosselin
Maquette de la couverture : Ann-Sophie Caouette
Infographiste : Marylène Gingras
Scanneristes : Éric Lépine
Réviseures-correctrices : Andrée Laganière, Monique Lepage, Marie-Hélène Cardinal

L'Éditeur bénéficie du soutien de la Société de développement des entreprises culturelles du Québec pour son programme d'édition.

Nous reconnaissons l'aide financière du gouvernement du Canada par l'entremise du Fonds du livre du Canada pour nos activités d'édition.

Remerciements
Gouvernement du Québec — Programme du crédit d'impôt
pour l'édition de livres — Gestion SODEC

Dépôt légal : deuxième trimestre 2013
Bibliothèque et Archives nationales du Québec
Bibliothèque et Archives Canada
ISBN (version imprimée) : 978-2-924259-06-1
ISBN (version électronique) : 978-2-924259-07-8

PAUL
VILLENEUVE

LES JEUDIS D'ANTOINE ET DE LÉO

ROMAN

À Nicole

À Lina

À Jean-Paul

1

Le jeudi 25 novembre 1999

La tire Sainte-Catherine de Marguerite Bourgeoys était périmée. Le 25 novembre, on ne fêtait plus les « vieilles filles » depuis belle lurette. Si bien que Léo, l'air renfrogné et marchant à petits pas rapides en frôlant les vitrines de la rue Sainte-Catherine, n'associa aucunement ce jour-là à la coutume d'antan. Lunettes de myope à mi-nez, tête inclinée, il pensait encore à son passé.

Venant du sens opposé de la grande artère commerciale, Antoine, regard fureteur, se dirigeait vers le même endroit que Léo mais, lui, à grands pas lents. Ce frileux jour d'automne ne l'empêcherait quand même pas de reluquer les belles catherinettes des temps modernes. À deux rues de sa destination, Antoine, les mains dans les poches de son jean, se mit à anticiper son avenir prochain.

***

Depuis le 23 septembre précédent, les deux hommes se retrouvaient chaque jeudi au bar *L'Attrait*.

Quelques jours auparavant, Léo avait proposé à Antoine de fixer une date de rendez-vous afin de concrétiser la rencontre qu'ils se promettaient depuis un certain temps déjà.

— Alors disons jeudi, à ton bureau, vers 17 heures. Ça te convient, Léo ?

— Parfaitement ! À 17 heures 05 précises dans le hall de l'immeuble.

Fidèle à lui-même, Antoine s'y présenta avec une quinzaine de minutes de retard.

Surpris par une averse alors qu'ils déambulaient au centre-ville, à la recherche de la trattoria qu'un collègue de Léo lui avait recommandée, ils se réfugièrent dans ce bar exigu. Désert à l'heure de l'apéro, *L'Attrait* n'en exerçait manifestement aucun. Éprouvant une certaine méfiance envers les établissements qui lui étaient inconnus et, de surcroît, peu invitants, Léo fut décontenancé lorsque l'imprévisible Antoine, trouvant le barman sympathique, décida d'en faire leur « bureau chef ». Il serait « génial » après tout de profiter d'un lieu de rendez-vous convenu.

Cinéphile averti, Léo avait pour sa part été fasciné par la ressemblance du barman avec le jeune Jean-Paul Belmondo du film *À bout de souffle* : nez long et large, fossette au menton et même sourire gouailleur que l'acteur. Ce qui ne lui rendait pas *L'Attrait* plus attrayant pour autant.

— Tu veux rire ! Ce bar est totalement déprimant. C'est lugubre et ça sent la moisissure, murmura-t-il.

— Ce n'est que pour l'apéro.

Léo se sentit encore une fois pris au piège.

— Soit ! On s'y retrouvera donc occasionnellement pour un apéro, vite fait.

— Marché conclu. Tous les jeudis…

Comme toujours, Léo plia.

— À bien y penser, il me semble que la trattoria est plutôt située du côté nord de Sainte-Catherine.

— Ouais, on verra ça plus tard, après la pluie.

Le temps se faisant orageux, Antoine enleva sa veste de cuir brune aux coudes élimés. Léo comprit alors que son projet de dîner paisiblement en compagnie de son ami s'en allait à vau-l'eau.

***

Muet depuis quelques minutes, Léo esquissa un sourire de dépit – une expression récurrente chez lui – avant de recouvrer la parole.

— Distancé par le temps, tout passe. Parfois lentement, parfois rapidement, mais tout finit par finir.

Dans la profonde pensée philosophique de son ami, Antoine flaira un prologue à l'annonce d'une nouvelle rupture amoureuse.

— Elle est partie ?

— Qui ça ?

Avant de reconnaître les faits, Léo feignait souvent l'ignorance.

— Marie ?

— …

— Oui, elle m'a quitté.

Dans ces occasions-là, Antoine feignait toujours la surprise.

— Non !

— Oui, hier…

Comme pour se donner du courage face aux imminentes jérémiades de Léo, Antoine fit un signe de tête entendu à Alain. Le barman déposa deux autres bouteilles de bière devant ses fidèles clients, puis, mine de rien, inséra une cassette audio de Viktor Lazlo dans le lecteur. Antoine sourit en entendant les paroles : *Tu peux me pleurer des rivières...*

— Ah ! Marie...

Antoine ne l'avait jamais rencontrée et il n'avait plus envie d'entendre parler de ses nombreuses qualités, maintes fois énumérées au cours des trois jeudis précédents. Il coupa donc court aux lamentations de Léo.

— Dis donc, c'est pas ton anniversaire, toi, ces jours-ci ?

— Avant-hier.

Antoine leva les bras, presque en signe de victoire, puis il tendit la main à Léo.

— Alors bonne fête, mon vieux quinquagénaire... et demi. Je m'excuse mais moi, les dates... Je ne me souviens d'ailleurs jamais de celle de mon propre anniversaire.

— Et plus tu vieillis, moins tu te souviens, non ? Ton anniversaire, note-le bien, a toujours été et sera toujours le 6 avril.

Ce ne fut pas la boutade de Léo qui fit sourire Antoine, mais plutôt l'espoir que, suite à ce trait d'humour, l'impénitent romantique qu'il était ne s'épancherait plus.

— Elle me manque déjà...

Faute de ciel, Antoine leva les yeux vers le plafond tarabiscoté de *L'Attrait*.

— Je suis convaincu que ta Sylvie...

— Marie...

— Oui... Marie... te reviendra.

Antoine, qui n'en croyait rien, résista ainsi à la tentation d'évoquer toutes les autres femmes « exceptionnelles » dont Léo s'était dit amoureux au cours de sa vie postmaritale. Il savait déjà l'apologie qu'un tel rappel lui infligerait.

— Oui, mais avec elle, ce n'était pas pareil !

Alors que Léo semblait jauger ses chances de ranimer la flamme de Marie, Antoine décida de l'entraîner ailleurs, avec l'intention de finalement lui annoncer la nouvelle dont il hésitait à lui faire part depuis trois semaines.

— Qu'est-ce tu fais à Noël ?

La question surprit Léo.

— Je... Comme tous les ans, ma sœur m'invitera probablement à réveillonner chez elle. Et, comme c'est le cas chaque année depuis que ma mère vit en résidence, un soudain malaise me permettra de me décommander. Bref, comme d'habitude, je ne ferai rien.

— Comment va-t-elle, la belle Louise ?

— Bien ! Et toi ?

— Je vais bien aussi, répondit Antoine, l'air espiègle, en faisant pivoter son siège pour étendre ses longues jambes.

Le regard perplexe de Léo l'amusa.

— Non... Je veux dire... Et toi, que feras-tu à Noël ?

Antoine ajusta le col roulé de son pull de coton noir qui lui collait à la peau pendant au moins la moitié de l'année.

— Ha ! Oui, je voulais justement t'en parler. Le 25 décembre prochain, je trinquerai à ta santé dans un bistro de Montparnasse.

Léo exprima son scepticisme d'un mouvement du menton.

— Voyons donc ! À Paris ?...

Antoine ne broncha pas. Léo se ravisa.

— C'est vrai ? demanda-t-il, la mine déconfite.

Alain tendait immanquablement l'oreille lorsque ses deux abonnés du jeudi, qu'il avait amicalement surnommés

Guignol et Barbarin[1], s'accoudaient à son comptoir de faux marbre. Le Français d'origine les trouvait marrants. Il avait parfois l'impression qu'ils faisaient un numéro et que Léo était le faire-valoir d'Antoine.

— C'est vrai, Antoine ? demanda-t-il à son tour.

— Bon sang ! Finissez-en avec vos « C'est vrai ? C'est vrai ? » vous deux !

Amusé, le barman se dirigea vers une dame qui venait de prendre place à une table ronde, près d'une étroite fenêtre à carreaux givrés.

Un ancien tic lui revenant, Léo, du bout des doigts, tenta de repousser une mèche de cheveux qui lui tombait jadis sur le front, depuis longtemps disparue.

— Seras-tu de retour pour le jour de l'An ?

— Non.

— Mais c'est celui de l'an 2000, lui signala Léo, quasi indigné.

— Dans le mille ! La nouvelle année arrivera aussi à Paris tu sais, même six heures plus tôt qu'ici.

— Et alors ?

— Simple constatation.

Antoine avait prévu que l'annonce de son départ ferait tiquer Léo et que celui-ci se sentirait esseulé après son départ. Par contre, il n'avait pu imaginer que la réaction de son ami lui fasse soudain éprouver l'étrange sentiment de le trahir.

1. Personnages d'une émission télévisée pour enfants des années 1950 mettant en vedette deux marionnettes.

Léo dénoua sa cravate marron, semblable à toutes celles qu'il avait portées pendant ses huit années d'études classiques.

— Ce sera quand même une fin de siècle... de celui qui nous a vus naître, ici, chez nous.

Le désarroi de Léo attristait Antoine, mais son insistance l'irrita.

— Et ce sera aussi le début du siècle qui nous verra mourir... où que nous soyons, répliqua-t-il.

Les regards des deux hommes se croisèrent dans le miroir terne suspendu derrière le comptoir. Léo baissa les yeux. Antoine y aperçut deux p'tits gars qui avaient vu trop d'années passer... parfois lentement, parfois rapidement.

Léo se replongea dans son mutisme.

— Tu penses à quoi ? lui demanda Antoine.

— C'est fou ! Je pensais à toutes les personnes qui se connaissaient en 1899 et qui n'existent plus. Ça fait quand même beaucoup de familles et d'amis disparus. Tout un monde !

— Des centenaires, il y en a de plus en plus...

Antoine regretta aussitôt son commentaire qui risquait de l'engager dans un autre de ces échanges futiles ou absurdes dont Léo se délectait.

— Bien sûr, mais les chances que ces centenaires d'aujourd'hui se soient connus les uns les autres en 1899 sont plutôt minces, tu ne penses pas ? Puis, s'ils se « connaissaient » déjà cette année-là, ça implique qu'ils auraient aujourd'hui plus de cent ans.

Antoine coupa court encore une fois.

— Et tout ça pour dire que... ?

— Que je ne veux pas vivre jusqu'à cent ans pour me retrouver tout seul avec mes souvenirs.

Antoine était habitué aux raisonnements complexes et aux théories farfelues de Léo et cette conclusion le fit sourire. Il décida néanmoins de poursuivre sur le thème du vieillissement.

— Quand t'es-tu rendu compte que tu commençais à vieillir ?

— Hein ? Je ne sais pas. Probablement lorsque le médecin accoucheur de ma mère m'a donné une claque sur les fesses en guise de bienvenue. Et toi ?

— Moi, je n'ai pas encore commencé à vieillir, répondit Antoine, l'air désinvolte.

— Il serait temps, non ? fit Léo, convaincu que l'illustrateur croyait vraiment s'être baigné dans la fontaine de jouvence.

Comme chaque fois qu'il réussissait à énerver son crédule ami, Antoine rigola.

— Bon, puisque tu insistes… C'est peut-être lorsque j'ai pour la première fois constaté que j'étais plus âgé que les joueurs du Canadien, vétérans compris.

— Preuve incontestable ! persifla Léo. Mais il est vrai que tu es plus beau, pas mal plus mince, plus chevelu et plus jeune que moi… d'apparence.

Antoine ne le nia pas, mais il sentit qu'un acte d'humilité s'imposait tout de même.

— Pas si beau que ça ! J'ai les oreilles décollées…

— Gainsbourg aussi ! Avec un nez busqué en plus. Ce qui ne l'a pas empêché de vivre, Dieu ait son âme, avec Birkin et de folâtrer avec la Bardot, sans parler des autres…

— Maudit chanceux !

— Jaloux ! fit Alain, qui venait de servir un verre de vin blanc à sa cliente. Le barman pince-sans-rire avait baptisé sa piquette, provenant d'un vinier, *Château de la poche d'argent*.

Se pourléchant les lèvres, Léo fit soudain un lien entre une certaine époque de la vie d'Antoine et sa décision de séjourner dans la Ville Lumière durant la période des Fêtes.

— Paris... Je ne me rappelle plus dans quelles circonstances tu t'étais retrouvé là-bas après tes études à l'École des beaux-arts. Tu ne m'en as d'ailleurs jamais beaucoup parlé. Raconte!

Antoine, qui n'aimait pas se raconter, même à son ami, sourcilla.

— C'est de l'histoire ancienne tout ça!

— Quand même!

En soupirant, Antoine commanda deux autres *Black Label.*

— Un soir, mon ami Gilbert, qui avait fait honneur à une bouteille de vin aussi toxique que celui d'Alain, me soûla avec une tirade sur le marché de l'art, pour finalement conclure que ce ne serait pas à Montréal que nous arriverions à vivre de notre peinture. Bref, il était convaincu que notre seule chance d'« éclore » se trouvait à Paris. Me bidonnant, je me souviens d'avoir alors poussé un puissant « Cocorico! » Mais Bébert était formel: l'un de ses oncles connaissait des gens là-bas qui fréquentaient le milieu des arts et qui pourraient nous pistonner.

Inlassable amateur d'histoires vécues, Léo semblait captivé par celle d'Antoine qui, un matin pluvieux du mois de mai, s'était donc retrouvé à Montmartre avec Bébert. Un ex-collègue de son oncle leur avait déniché une piaule dont la superficie était de beaucoup inférieure à celle du petit bar d'Alain.

— Nous étions jeunes, pleins d'espoir et nous vivions enfin notre bohème parisienne tant désirée, enchantés de marcher rue Saint-Vincent, dans les pas de Renoir et de Picasso.

Léo ne s'était jamais senti aussi près de Montmartre et de ses peintres légendaires.

— Et là-bas, comment as-tu fait pour vivre ?

— Pour vivoter tu veux dire...

Comme dans le Vieux-Montréal avant son départ, Antoine vendait des aquarelles aux touristes qui déambulaient autour de la place du Tertre. Par ailleurs, son art personnel, qui n'avait rien de mercantile, progressait. Du moins, il l'avait cru.

— Aujourd'hui, en embellissant un peu la réalité, je pense que j'y étais heureux.

D'un vif hochement de tête, Antoine sembla agréer sa nouvelle perception de son séjour de jeune artiste à Paris.

— Mais pourquoi es-tu revenu alors ?

— Bof ! Je ne sais trop... Le mal du pays, le manque d'argent, la désillusion...

— Dommage ! Tu avais pourtant bien amorcé ta carrière là-bas.

Antoine regarda Léo puis éclata de rire.

— J'ai dit quelque chose de drôle ?

— Un peu, oui. Je vais te raconter une anecdote qui l'est aussi... un peu.

Déjà conquis, Léo eut alors droit à un récit qui semblait réellement émouvoir son conteur.

— Un après-midi, Bébert, tout excité, fait irruption à la piaule. « Antoine, Antoine... Tu ne devineras jamais ce qui m'arrive. » J'ai à peine le temps de faire « Euh ! » qu'il m'annonce de but en blanc qu'un galeriste de Saint-Germain-des-Prés a consenti à accrocher quelques-uns de ses petits formats, à l'essai.

Ce marchand d'art contemporain avait de plus accepté de voir deux des plus récents tableaux d'Antoine. Enthousiaste, le jeune artiste, qui ne peignait que de grands formats, était par contre devenu soucieux lorsqu'il avait pris conscience que se rendre sur la rue des Saints-Pères, en métro, sans abîmer ses tableaux, relèverait de l'exploit. Avec l'aide de Bébert, il s'était toutefois présenté à la galerie avec ses œuvres, intactes. Exténué, transpirant à grosses gouttes, fébrile, Antoine avait alors éprouvé la conviction d'être sur le point d'« éclore ».

Mi-figue, mi-raisin, Antoine décrivit alors la scène qui s'ensuivit.

— Engueulant quelqu'un au téléphone, le galeriste nous ignore totalement. J'appuie mes deux tableaux contre une colonne. Soudain, d'un geste impatient, il me fait signe qu'ils gênent là où je les ai déposés. Je déplace mes tableaux. J'en tiens un à la verticale et je confie l'autre à Bébert qui en fait autant. Quelques minutes plus tard, le gros bonhomme raccroche, se lève et, le souffle court, les yeux exorbités, s'avance vers nous. Il s'énerve. « Mais qu'est-ce que cette merde ? » me crie-t-il. Je vois rouge et je lui réponds du tac au tac : « Cette merde ?... Eh bien c'est une merde bien spéciale, monsieur. Elle est même unique au monde puisque c'est la mienne... tocard !

Léo s'esclaffa. Il riait à s'en tenir les côtes. Revenant derrière son comptoir, Alain se mit aussitôt à rigoler lui aussi, sans même savoir ce qui avait provoqué le fou rire de Barbarin.

— Si tu avais vu la tête du mec... Je croyais qu'il venait d'être frappé d'apoplexie.

Les larmes aux yeux, Léo cherchait à retrouver son souffle.

— Et voilà pour ma « carrière » bien amorcée à Paris, conclut Antoine sur un ton d'autodérision.

Chaque fois que Léo tentait de dire un mot, il se remettait à siffler comme une vieille bouilloire. Alain lui apporta un verre d'eau.

— Sers-lui plutôt un de tes grands crus. Ça lui donnera au moins une raison de s'étouffer.

Léo s'épongea les yeux en enchaînant quelques « Fiou ! » puis il réussit, d'une voix éraillée, à articuler quelques mots.

— C'est bien toi ça ! Maudit qu't'es fou ! Il y a longtemps que je n'ai pas autant ri.

Antoine le regarda, l'air attristé.

— Je sais, je sais…

Un long silence suivit.

— Bon, je crois que je vais rentrer maintenant, balbutia Léo.

— Il est encore tôt...

— Tôt ou tard, il faut rentrer.

— Pour faire quoi ? Regarder un téléroman de bonne femme trompée par son mari et qui boit tasse après tasse de café instantané ?

— Je travaille demain…

— Tu travailles toujours… demain.

Antoine gratta sa barbe hirsute. Désirant prolonger la soirée en compagnie de Léo, il s'empressa de trouver un sujet de conversation susceptible de l'intéresser. Il tenta sa chance avec le premier détail anecdotique qui, à son grand étonnement, lui vint à l'esprit.

— Te souviens-tu du béret rouge de ta poétesse ?

— Quelle poétesse ? demanda Léo, sans émoi.

— Celle qui voulait constamment mettre fin à ses jours d'artiste incomprise.

La précision permit aussitôt à Léo d'identifier la plume tourmentée.

— Béa ! C'est bizarre que tu me parles d'elle...

Léo sourit. Antoine s'en réjouit.

— D'abord, « ma » poétesse, c'est beaucoup dire. Celle-là, j'avais vraiment hâte de la voir tirer sa révérence. Ce qu'elle pouvait être lourde !

— Mais belle !

Si Isabelle Adjani avait été connue à l'époque où Béa avait abordé Léo dans un café « existentialiste » du nord de la ville, il aurait été stupéfait de sa ressemblance avec l'actrice française.

— As-tu déjà remarqué que les plus belles filles peuvent devenir presque laides quand on découvre leur véritable personnalité et tous leurs petits travers ?

Antoine écarquilla les yeux.

— Euh ! Non.

— Évidemment ! Tu n'as jamais fréquenté une fille assez longtemps pour faire ce genre de découverte. Bref, j'ai appris, l'été dernier, que Béa ne poétisait plus depuis longtemps. Elle aurait, je ne sais trop quand, épousé un veuf multimillionnaire beaucoup plus âgé qu'elle.

Antoine esquissa un sourire sarcastique.

— Le caviar, le champagne et les villas à Saint-Jean-Cap-Ferrat, c'est bien connu, n'ont jamais favorisé le spleen.

Ce retour au passé inspira le nostalgique Léo.

— Et toi, ton auguste ?

— Mon quoi ?

La réplique d'Antoine amusa Léo.

— En fait, j'aurais dû dire « ta ».

Antoine fit la moue.

— Alain ! s'exclama-t-il, j'ai besoin d'un interprète.

Intrigué, le barman se rapprocha.

— Pas la peine, Alain. Je parlais tout simplement de la clownesse que monsieur ici présent a jadis fréquentée.

— Non, non, s'insurgea Antoine, tu as dit... « auguste » !

Rieur, Alain intervint.

— Si je ne m'abuse, le mot « auguste » est un synonyme de « clown ».

— Ben moi, éclata Antoine, je préfère les vrais mots, ceux qu'on comprend. Pourquoi l'autre là ne dit pas « clown » quand il veut dire « clown » ? Vous me faites chier avec vos synonymes.

Constatant qu'il avait vexé son client, Alain décida de s'éloigner.

— Voyons ! Ne te fâche pas pour si peu, souffla Léo.

— Je n'apprécie pas d'être ridiculisé. Je n'ai pas terminé mon cours classique chez les « Supliciens », moi ! Je ne suis pas allé à l'université, moi !

— On plaisantait, reprit Léo, sincèrement chagriné.

Antoine n'était pas inculte, mais il avait horreur de tout ce qui, à son sens, « puait » la culture, l'académisme et l'intellectualisme. Il ne considérait pas Léo comme un pédant, mais, ce soir-là, il éprouvait une anxiété inhabituelle qui le prédisposait à de tels emportements.

Il retrouva peu à peu son calme.

— Alors... De quelle « auguste » voulais-tu parler ?

Léo hésita avant de répondre à la question posée sans intérêt apparent.

— De la fille que tu fréquentais à ton époque beaux-arts...

— Choco Latcho ?

— Oui, elle.

— C'était pas une clownesse. Elle était mime, mais elle ne l'est plus.

— Pas étonnant ! Elle a dû se fatiguer de monter et descendre des escaliers imaginaires. C'était quoi son vrai nom ?

Antoine haussa lentement les épaules.

— Merde ! J'ai oublié. Elle insistait tellement pour qu'on l'appelle Choco...

Antoine s'efforçait encore de se souvenir du nom véritable de cette Choco Latcho lorsque Léo lui demanda s'il savait ce qu'elle était devenue.

— Mon ami Alexandre Forest, qui fréquentait l'École des beaux-arts avec nous et que je revois occasionnellement, l'a croisée un jour dans la rue. Si je me rappelle bien, elle occupait alors un poste au sein d'un quelconque organisme culturel. Elle lui avait demandé de mes nouvelles...

La conversation resta suspendue, le temps, présuma Léo, d'un accès de mélancolie dont Antoine n'avait pourtant pas l'habitude.

— Je l'aimais bien, Choco, murmura-t-il finalement.

Même si Antoine avait mis un bémol à sa déclaration d'amour à l'endroit de son ex-copine, Léo considéra que c'était déjà une grande première de la part de son ami qui ne révélait jamais ses sentiments.

— Les personnes qu'on aime disparaissent toujours trop tôt de nos vies, enchaîna Léo.

— Et celles qui nous emmerdent, jamais assez vite. Drôle de vie !

Antoine venait inopinément d'appuyer sur le bouton de démarrage de la mise en mode loquacité, occasionnelle mais irrépressible, de Léo.

— Tu veux que je te dise comment je vois ça, moi, la drôle de vie ?

— ...

— Je vais te le dire quand même. La vie est un long métrage de courte durée.

— Ben...

— Ne m'interromps pas. Je suis sur une lancée.

« *Shit* ! » marmonna Antoine, conscient qu'il aurait à subir le papotage de son ami.

— Chacun de nous est la vedette de son propre film. Au générique, on peut lire les noms de centaines de personnages. Tous ceux qu'on a coudoyés, mais dont on a oublié jusqu'à l'existence, n'y apparaissent évidemment pas, puisqu'ils n'ont finalement été que des figurants dans notre vie. Ces films passent généralement de la comédie noire au drame ou vice-versa. Tu me suis ?

Comme pour rester éveillé, Antoine écarquilla les yeux.

— Disons que je t'écoute.

— La vedette de chaque film doit réagir aux événements qui surviennent au fil du temps. Et la star a intérêt à briller si elle ne veut pas se faire éclipser par les tenants des rôles dits de soutien.

Alain, qui écoutait discrètement les élucubrations de Léo, fut, à sa grande déception, rappelé en salle.

Pour tenter de dérouter son ami dans le développement de sa lubie, Antoine lui demanda alors malicieusement qui étaient les réalisateurs de tous ces films.

— Bonne question !

Les lèvres d'Antoine esquissèrent l'ombre d'un sourire avorté.

— Toujours le même ! Appelons-le Jos Destin. Il en est aussi le scénariste. Un cinéaste, quoi ! Mais Jos ne permet jamais à ses vedettes de lire le scénario. C'est la raison pour laquelle elles doivent improviser. Et cet énergumène se bidonne en les observant se débattre comme des...

— Diables dans l'eau bénite ? l'interrompit Antoine en haussant les épaules.

— Oui... Puis quand Jos, après avoir bien rigolé, en a marre, le mot FIN apparaît...

Le sourire d'Antoine fut cette fois pleinement goguenard.

— Je te signale que le mot FIN n'apparaît plus à la fin des films.

— Ben dans ceux-là, oui, et il devient même très explicite lorsque la photo plus ou moins récente de la star filante est publiée dans les chroniques nécrologiques. Et voilà ! C'est ça, la drôle de vie, selon Léo.

Conscient que Léo ne badinait pas avec la mort et que ses propos les plus extravagants reflétaient souvent ses préoccupations ou ses états d'âme, Antoine évita tout autre commentaire qui aurait pu le blesser ou même le froisser.

— Avant que tu me fasses ton cinéma, on parlait de qui déjà ?

— De nos actrices de soutien... passagères.

Alain réapparut.

— J'ai manqué quelque chose ?

— Juste un petit bout de film, dans lequel tu ne figurais même pas, répondit Antoine.

Sa réplique amusa Léo.

— Allez, Alain... on fait le plein...

Comme chaque jeudi soir, Léo oublia bientôt de regarder la montre Omega qu'il portait au poignet depuis la mort de son père. Comme chaque jeudi soir, Antoine demanda à Alain de commander de la pizza en lui servant son grief habituel.

— Ton troquet, mon cher Alain, est vraiment minable. Aucune ambiance et, surtout, pas de cuisine. Tes pinottes, c'est bon pour les écureuils.

Le tenancier connaissait déjà bien son Guignol et il ne se formalisait jamais de ses moqueries, dépourvues, il le savait, de méchanceté.

— Des cachous, Antoine, c'est des cachous... Et mes clients, mon cher Antoine, ne viennent pas ici pour bouffer.

— C'est clair ! Et tu sais pourquoi ? Parce qu'il n'y a rien de consistant à se mettre sous la dent ici. De toute façon, Léo et moi sommes tes seuls vrais clients. Tes « touristes » ne sont que des âmes en peine qui viennent poser leur cul, quelques instants, en attente de je ne sais trop qui ou quoi.

La protestation d'Antoine créa, curieusement, un effet d'entraînement chez Léo.

— C'est vrai ça, Alain. Tu ne sais vraiment pas attirer la clientèle, renchérit-il. Et tes murs de couleur saumon, si tu me permets cette observation, sont franchement affreux. Tu devrais repeindre tout ça en blanc et accrocher des œuvres d'Antoine à tes murs.

— Quelles œuvres ? Tu peins encore, Antoine ?

— Bien sûr qu'il peint encore... un peu, répondit Léo.

La sortie inattendue de Léo agaça Antoine.

— Laisse tomber...

Faisant la sourde oreille, Léo poursuivit son plaidoyer.

— Un resto-bar-galerie... *L'Attrait Bistro B'Art...* épela-t-il. Voilà qui serait bien !

Antoine s'impatienta.

— Laisse tomber, j'te dis !

Léo se résigna. Antoine écrasa sa Craven A.

— Donc, une pizza végétarienne pour Léo et une sicilienne pour Antoine ?

— Comme d'hab ! acquiesça Antoine.

Depuis plus de trois heures, *L'Attrait* ne comptait plus que ses deux piliers. À la porte d'entrée du bar, Alain avait déjà tourné l'écriteau du côté FERMÉ.

Antoine et Léo ne parlaient plus. Le premier souriait bêtement. L'autre semblait encore une fois perdu dans de complexes pensées.

— Messieurs, il faudrait y aller maintenant...

— Ho ! La soirée est encore jeune, objecta Antoine qui avait consommé plus qu'à l'accoutumée.

— Pas vraiment ! Il est 23 heures et je dois fermer boutique.

— Ben merde !

— Antoine, Alain a raison...

— Quoi ? On paye ici, non ?

— Suffit ! trancha Léo.

Alain se dirigea vers son cagibi.

Antoine s'enfila une dernière gorgée de bière puis se tourna vers son ami.

— Léo... Je pense qu'on devrait espacer nos rendez-vous. Au début c'était bien, mais maintenant...

— Quoi, maintenant ?

— On déconne. On perd notre temps. On s'obstine souvent. Tu me rappelles constamment nos vieilles histoires. On dirait que tu essayes de te sécuriser en les évoquant. On ne vit plus chez nos parents à Ahuntsic et on n'a plus vingt ans, Léo. Tu vois, je me demande même si on a encore des choses à se dire.

Léo se leva brusquement. D'un coup sec, il saisit sa canadienne, qu'il avait déposée sur le dossier d'une chaise, et se dirigea prestement vers la sortie.

— Léo…

2

Le jeudi 25 novembre 1954

Comme il le faisait tous les matins de la semaine depuis le début de l'année scolaire, Léo traversa la rue Marquette à 7 heures 45 précises, puis il frappa à la porte arrière du logement des Filion.

— Entre, Léo, cria la mère d'Antoine, affairée devant sa cuisinière.

— T'es trop d'bonne heure, lui signala encore une fois son camarade.

Debout sur la carpette, Léo enleva sa tuque puis ses lunettes pour les désembuer.

— As-tu regardé *La famille Plouffe* hier soir ?

— Ouin... Pis la lutte au Forum aussi, répondit Antoine, enthousiaste.

— Pas moi. Pas la lutte...

— Hein ! Comment ça ?

— J'ai révisé mes devoirs avant d'aller me coucher.

— Révisé ? Quécé ça ? En tout cas, t'as manqué Little Beaver. Y sont ben comiques les p'tits nains.

Monsieur Filion referma *La Presse* de la veille, la plia, la déposa devant lui sur la table de cuisine puis, regardant son fils, lui demanda s'il avait aussi fait ses devoirs.

Antoine s'empressa d'avaler son dernier morceau de toast au beurre de pinottes.

— Ben oui ! Bon, on y va !

Madame Filion, encore debout devant sa cuisinière, se tourna vers les deux écoliers.

— Les p'tits gars, attendez, je vous ai fait de la bonne tire Sainte-Catherine.

— Merci, m'man…

Empochant le sac de friandises, Antoine poussa Léo vers la porte.

* * *

Antoine et Léo étaient inséparables depuis ce jour de mai 1953 où ils s'étaient retrouvés face à face, chacun de son côté de la rue Marquette qui n'était alors qu'un chemin de chantier de construction. Leurs parents avaient emménagé, la semaine précédente, dans les deux premiers duplex habitables. Propriétaires, les Filion occupaient un rez-de-chaussée. Locataires, les Provencher habitaient à l'étage.

Après s'être regardés en chiens de faïence pendant un long moment, le plus grand des deux garçons s'était avancé vers l'autre.

— Comment tu t'appelles ?

— Léo. Toi ?

— Antoine. T'as quel âge ?

— Neuf ans au mois de novembre prochain. Toi ?

— Moé j'ai déjà neuf ans. Veux-tu aller voir les trains passer là-bas, à l'autre bout du champ ? Quand on met une cenne sur la *track*, le train l'aplatit.

L'assise de leur amitié venait d'être posée.

***

Les deux écoliers se dirigeaient lentement vers la rue Fleury lorsque Léo aperçut la silhouette de John Krimbell à travers les rideaux translucides de l'une des deux fenêtres de son salon.

— Antoine, il est encore là…

— Qui ça ? Où ça ?

— Le vieux ! Je l'ai vu dans sa fenêtre.

— Pis après ? Y reste là ! On joue contre Detroit samedi. Viens-tu voir le hockey chez nous ?

— Si tu veux. Penses-tu que Guillaume Plouffe va jouer pour le Canadien un jour ?

S'arrêtant net, Antoine saisit le bras de Léo qui faillit tomber à la renverse.

— T'es-tu fou toé ? C'est pas vrai ça, les Plouffe. C'est juste une vue. Guillaume joue pas au hockey pour vrai, t'sais !

Offusqué, les joues déjà rougies par le vent, Léo répliqua aussitôt.

— Pis la lutte à c't'heure ? Mon père dit que c'est arrangé.

— Pantoute ! As-tu déjà vu Yvon Robert pis sa clé d'bras japonaise ? C'est pas du *fake* la lutte, OK là ?

Antoine et Léo descendirent la pente douce de l'avenue Papineau sans mot dire. En entrant dans la cour grillagée de l'école de la Visitation, Antoine se tourna vers Léo.

— J'y pense… Ton père, là…

Léo se raidit.

— Quoi, mon père ?

— Y sait-tu jouer *Shake Rattle and Roll* sur sa guitare ?

Léo soupira d'aise.

— J'connais pas, mais c'est sûr ! Mon père sait tout jouer.

Dans la grande cour des garçons, les premiers spécimens de la génération des baby-boomers criaient, couraient, jouaient au ballon-chasseur et se chamaillaient. Tous avaient leurs héros, leurs idoles, dont ils « ramassaient » les photos provenant de paquets de *gomme balloune* à cinq sous. Les images saintes devaient faire place aux précieuses cartes de collection.

— J't'échange mon Bill Mosienko contre ton Maurice Richard… C't'un bon *deal*. Y'é ben rare Mosienko. Donne ! ordonna Antoine à un camarade qui, conscient de se faire arnaquer, obtempéra tout de même.

Dès que sa nouvelle victime se fut éloignée, tête inclinée, Antoine se tourna vers Léo et lui tendit la carte du célèbre numéro 9.

— Tiens ! Moé je l'avais déjà.

Le professeur de septième année fit retentir la cloche d'appel. Les élèves prirent leurs rangs puis s'engouffrèrent dans l'école de briques de trois étages.

En se dirigeant nonchalamment vers son pupitre à l'arrière de la salle de classe, Antoine asséna une pichenotte sur l'oreille de Ti-Rouge, aussi dit le porte-panier.

— Ayoye !

— T'en veux-tu une autre ?

À la petite école de quartier, on dénombrait les élèves en trois catégories : les timides, les farceurs et les « fesseurs ». Antoine détenait la palme dans les deux dernières catégories. Léo, lui, figurait bien dans la première. Antoine n'avait qu'une seule fois fait preuve de ses aptitudes de pugiliste, mais sa réputation était faite. Sa taille et son regard perçant suffisaient d'ailleurs à intimider. Tous les élèves, même les plus âgés, craignaient « le grand Filion ».

Les élèves de la cinquième année B respectaient leur professeur. Malgré sa voix éteinte, Gérard Dionne n'avait qu'à dire « Suffit ! » pour que le chahut cesse. Dans le cas contraire, les plus turbulents savaient qu'ils auraient affaire à Antoine. L'enseignant avait reconnu son talent en dessin et il l'encourageait à le développer... mais ailleurs qu'en classe. Antoine lui en était néanmoins reconnaissant.

— Avez-vous tous déposé vos cahiers de devoirs sur mon bureau ?

— Oui, monsieur Dionne, répondirent en chœur les marmots.

Antoine leva la main.

— Je l'ai oublié chez nous.

— Alors tu me l'apporteras à ton retour du dîner.

Assis au premier rang, Léo, contrarié, referma durement son livre d'histoire du Canada sur une illustration de Marguerite Bourgeoys. Le premier de classe venait de comprendre que l'amateur de lutte avait encore une fois décoché une ruade à ses devoirs et qu'il devrait, sur l'heure du midi, l'aider à les faire ou plutôt, faute de temps, les faire pour lui.

— Ça ne va pas, Léo ? lui demanda l'enseignant, étonné par la saute d'humeur de son élève le plus docile.

— Oui, oui... J'ai pas fait exprès... Excusez-moi.

Pressentant que le regard de M. Dionne chercherait le sien, Antoine inclina la tête. Descendant de la tribune, l'homme s'avança vers le pupitre de Léo.

— Antoine et toi êtes voisins, n'est-ce pas ?

Perspicace, Léo flaira un piège.

— Oui, monsieur…

— Bien ! Alors assure-toi qu'Antoine n'oublie pas encore son cahier à la maison, dit l'enseignant, sourire en coin.

Confus, Léo se sentit rougir.

À pas plus rapides qu'à l'aller, Antoine et Léo remontèrent la pente de l'avenue Papineau.

— Viens-tu dîner chez nous ? demanda Antoine, l'air désinvolte.

— C'est la dernière fois. J'veux plus faire tes devoirs.

— T'es mon ami, non ?

— Oui, mais toi es-tu le mien ?

— Qui te défend quand Ti-Rouge et les autres te niaisent ?

— J'vais quand même mettre des fautes dans ton devoir.

— C'est ben correct.

Quarante-cinq minutes plus tard, Antoine et Léo se dirigeaient encore une fois vers la rue Fleury.

— Moi, j'ai bien hâte d'être en septième année, dit Léo.

— Pourquoi ?

— Pour ensuite aller au collège.

— Quécé qu'tu veux aller faire là ?

— Louise m'a dit que j'apprendrai des choses « extraordinaires » et que je pourrai bien gagner ma vie plus tard.

— Ta sœur ! Elle pis ses grands mots !

De quatre ans l'aînée de Léo, Louise étudiait chez les religieuses. Elle voulait devenir enseignante. Antoine la trouvait d'ailleurs déjà très « maîtresse d'école ».

— Tu veux pas aller au collège, toi ?

— Si tu y vas, j'irai moé aussi. Ça m'fait rien.

— Qu'est-ce que tu veux faire quand tu s'ras grand ?

— J'suis déjà grand, rétorqua Antoine en roulant son cahier de devoirs.

— J'veux dire quand tu s'ras un homme.

— J'va's m'acheter un beau convertible comme celui du propriétaire d'la station d'gaz Fina.

— Faut avoir de l'argent pour ça. Qu'est-ce que tu vas faire pour en gagner ?

— J'vendrai du gaz Fina c't'affaire !

— Et le dessin ?

— Qui, tu penses, va m'payer pour dessiner ?

— J'sais pas... *Le Petit Journal*, *La Patrie*...

— Pis toé, tu vas faire quoi avec ton collège ?

— Ma sœur dit que j'aurai une profession.

— C'est payant, ça ?

— Ça doit !

Dans la classe de cinquième année B, cet après-midi nuageux de novembre se déroula sans histoire. Léo s'appliqua à ses exercices de grammaire, alors qu'Antoine dessina, à la sauvette, de méchants Apaches attaquant un campement de cow-boys.

3

Le jeudi 2 décembre 1999

Le son strident d'une sirène tira Antoine de son rêve érotique et des étreintes d'une vahiné qui l'appelait monsieur Bauguin. L'odeur fétide des mégots débordant du cendrier de porcelaine, piqué au Château Champlain, lui donna un haut-le-cœur. L'afficheur de son radio-réveil, dont il avait depuis longtemps désactivé la fonction « réveil », indiquait onze heures cinquante-huit.

— Calvaire !

Antoine n'avait aucun rendez-vous ce matin-là. Le juron n'avait d'autre but que celui de se donner bonne conscience. Posant ses pieds nus sur le plancher de bois franc, il sursauta de froid puis sautilla jusqu'à la salle de bain. Sous la douche, il ne chantonna pas comme il aimait habituellement le faire. Ni Elvis, ni Nougaro. Devant le miroir, il évita de se regarder. Il n'avait pas envie de voir ses yeux bouffis de fêtard sur son déclin. « Haaa… Pis merde ! » grommela-t-il en renonçant à tailler sa barbe poivre et sel.

Antoine prit place à sa table à dessin. En maugréant, il mit la dernière touche à une illustration destinée aux publicités d'un chic restaurant grec. Le personnage en costume folklorique qu'il avait créé lui rappela alors un certain jour de mars du début des années 1960.

— Filion, vous ne ferez rien de mieux dans la vie que de dessiner des p'tits bonshommes, lui avait prédit, de sa voix hargneuse, le méprisant préfet de discipline de son collège.

— Ce sera déjà ça de mieux que vous, avait riposté l'impudent adolescent, blessé dans son orgueil.

Écarlate, le religieux l'avait sur-le-champ expulsé de la vénérable maison d'enseignement.

Son travail terminé, Antoine prit aussitôt congé de ses plumes et de ses pinceaux pour aller se délier les jambes et les pensées.

* * *

Dans son impersonnel bureau vitré, Léo, incommodé par des maux d'estomac, arrangeait distraitement des dossiers. Dans le bureau plus spacieux faisant face au sien, Luc Tremblay, qu'il appelait son « p'tit boss », était en réunion avec le Blake et le Blain de la firme Walker, Johnson, Blake et Blain. L'employé modèle se sentit bientôt la cible de leurs regards furtifs. Il regarda sa montre : 16 heures 10. Léo transpirait. Tête inclinée, comme s'il avait été concentré sur ses paperasseries comptables, il ferma les yeux. Il se retrouva aussitôt au lac où son père l'avait emmené à la pêche, un dimanche ensoleillé de juin.

Chef d'un *big band* qui se produisait dans un cabaret réputé de l'ouest de la ville, il était rare que Raymond Provencher puisse consacrer à son fils une journée entière de son temps. Pour Léo, cette excursion de pêche, entre « hommes », au lac Champlain, avait donc été marquante.

Ouvrant les yeux, Léo s'y voyait encore, coiffé de sa casquette rouge, serrant très fort le manche de sa canne courbée. Il aurait voulu s'y retrouver, même un instant, juste pour apercevoir le sourire de son père lorsqu'il avait réussi à prendre un petit brochet qui lui avait semblé aussi énorme qu'un requin.

Léo leva la tête. Tremblay et les patrons avaient quitté le bureau d'en face.

***

Précis comme un métronome, Léo se présenta à *L'Attrait* à 17 heures 15. De bonne humeur comme d'habitude, Alain l'accueillit d'un « Toujours aussi ponctuel le Léo ! » Sans façon, « le » Léo enleva sa canadienne puis il la déposa sur le tabouret d'Antoine.

— Ça va, mon pote ? lui demanda le barman en décapsulant une bouteille de bière.

— Ça va, mais toi, mon « pote », on dirait que tu n'as pas fermé l'œil de la nuit.

— Et devine pourquoi ! fit Alain, bombant le torse comme un gladiateur victorieux.

— Je ne veux pas savoir. Et… c'était bien ?

— Tu ne peux pas savoir ! répondit le Marseillais, sourire béat.

— Maudit Français !

À l'extrême gauche du bar, qui ne comptait que quatre tabourets, Léo prit place sur son siège de cuirette rouge usée. Alain lui versa sa bière dans un verre commandité.

— Autre grande surprise, Antoine, lui, est encore en retard.

Léo poussa un soupir de frustration.

— Antoine ne viendra pas ce soir.

L'expression de Léo fut trop solennelle pour qu'Alain puisse croire à une plaisanterie de sa part.

— Il est malade, le grand « A » ?

— Je n'en sais rien.

Alain observa la physionomie de Léo puis, se penchant lentement au-dessus du comptoir, il y plaqua les mains, doigts écartés.

— Que se passe-t-il ?

— On fait une pause.

Perplexe, Alain attendit une explication. Léo but une gorgée de bière puis il grimaça.

— Ta bière est *flat*... Sers-moi plutôt un carafon de rouge.

Alain se redressa lentement.

— Alors, qu'est-ce qui ne va pas, Léo ?

— Rien. On a décidé... En fait, Antoine a décidé qu'il serait préférable que nous nous voyions moins souvent.

L'imperturbable barman parut pour la première fois déconcerté.

Depuis le jeudi précédent, Antoine n'avait pas donné signe de vie à Léo. Et c'était bien ce qui l'attristait le plus. Alain contourna son comptoir, déplaça le manteau de Léo et prit place à ses côtés.

— Ça ne sent pas bon.

— Ton bar n'a jamais senti bon, commenta Léo.

— Laisse ce genre d'humour à Antoine. Ça ne te convient pas.

Léo en était conscient, mais c'était sa façon à lui de tenter de combler l'absence de son facétieux ami.

— Écoute, ce n'est pas un drame. Antoine croit que nous n'avons peut-être plus grand-chose à nous dire.

— Ha ! Bien sûr ! Et c'est la raison pour laquelle vous causez pendant des heures. Deux vrais pipelets !

Comme un enfant réprimandé, Léo inclina la tête.

— Justement ! Antoine considère qu'on ne dit que des bêtises.

— Mais ça m'amuse, moi. Et ce ne sont pas que des bêtises.

— Antoine a sans doute raison. On ne parle, surtout moi, que du passé. Nous avons changé depuis notre jeunesse, nous avons chacun notre vie…

— Conneries tout ça ! Les lieux changent, les occupations changent, les préoccupations changent, les modes de vie changent, mais les gens, eux, demeurent foncièrement les mêmes. Le temps n'altère pas des amitiés comme la vôtre. Bien au contraire !

Alain posa une main sur l'épaule de Léo et se leva pour retourner derrière son bar. Il s'appuya sur la porte d'un frigo, les bras croisés.

— Léo, tu ne peux pas savoir ce que je donnerais pour revoir les potes avec qui j'ai grandi, avec qui j'ai dragué les gonzesses et fait les quatre cents coups dans le quartier de l'Estaque. Mais, aujourd'hui, ils sont probablement en taule ou...

Alain venait de piquer la curiosité de Léo.

— Tu étais mauvais garçon ?

— Ma balafre au menton, tu crois que c'est le résultat d'un accident de ski dans les calanques ? Mais, à bien y penser, j'étais un bon garçon qui avait tout simplement de mauvaises fréquentations.

Les premières confidences d'Alain, qui n'avait jamais parlé de son passé, suscitèrent aussitôt l'intérêt de Léo.

— Pourquoi es-tu parti ?

— De Marseille ? Ça fait déjà dix-sept ans. J'en avais vingt-deux. Les flics m'avaient à l'œil et certains truands aussi. Puisque j'étais allergique aux cellules et encore plus aux couteaux à crans d'arrêt, j'avais conclu que voyager serait bénéfique à ma santé.

Léo, à qui Antoine avait déjà prêté, à la blague, un esprit inquisiteur, poursuivit son « enquête ».

— Où es-tu allé ?

La question permettait au Marseillais de se remémorer et de partager d'agréables souvenirs.

Avec sa Citroën déglinguée, Alain s'était dirigé vers la capitale, tout en visitant certaines des villes qui jalonnaient son parcours irrégulier. Il s'y arrêtait un jour ou deux. Toulouse, Bordeaux, La Rochelle, Nantes... Il n'avait encore jamais quitté sa ville natale. Pour lui, c'était une espèce de voyage initiatique qui lui avait donné l'impression que le monde entier s'offrait à lui. Au bout d'une dizaine de jours, il s'était finalement niché à Paris. Il y avait travaillé comme garçon dans un bistro du quartier Latin. Son patron, un homme bien, était en quelque sorte devenu son mentor. Compagnon de la Libération, Henri était féru d'histoire de France. Grâce à lui, Alain avait commencé à lire autre chose que les pages sportives des journaux. Le petit voyou qu'il avait été s'était peu à peu réformé. Un an plus tard, la mer avait commencé à lui manquer.

— Je me suis donc retrouvé en Normandie. Trouville-sur-Mer. Garçon à la plage privée d'un chic hôtel. Et c'est là que j'ai rencontré mon deuxième ange gardien.

Le regard de Léo s'illumina comme celui d'un bambin à qui on lit un conte de fées.

— Mais qui donc ?

Alain raconta à Léo sa rencontre avec l'un des clients de l'hôtel, un certain monsieur D'Amato, avec qui il avait, au fil des jours, développé une relation de sympathie. Un après-midi, cet homme d'un certain âge l'avait questionné au sujet de sa vie : d'où il venait, ce qui l'avait amené à travailler à Trouville, et cetera. Alain lui avait expliqué ce que Léo savait maintenant. Quelques jours plus tard, alors qu'il était en compagnie de sa femme à la plage, M. D'Amato avait cette fois questionné Alain au sujet de ses projets, de ses ambitions, de ses rêves. En pointant la mer du doigt, le jeune homme lui avait révélé qu'il rêvait de découvrir ce qu'il y avait de l'autre côté de cet océan Atlantique qu'il contemplait tous les jours. Monsieur D'Amato avait tout simplement reconnu que c'était un beau rêve mais, le lendemain, il avait demandé à Alain s'il était prêt à le concrétiser, tout en travaillant.

— J'appris alors que monsieur D'Amato était membre de la direction d'une société italienne dont les paquebots transatlantiques effectuaient des croisières. Dix jours plus tard, je me suis retrouvé marmiton dans les cuisines d'un navire qui a levé l'ancre à Nice. Après quelques escales, notamment à New York, mon beau bateau blanc s'est amarré à Québec. Et me voici ! conclut Alain, pas peu fier de son récit et ravi d'avoir distrait Léo.

— Allez, un vrai p'tit coup de rouge pour monsieur Léo, dit le barman en écartant le pichet de son auditeur pour lui servir un verre d'un bon bordeaux.

— Dis-moi, regrettes-tu parfois de t'être établi ici, loin de la mer ?

Alain fit mine d'y songer.

— Finalement... uniquement lorsque je rencontre des zigotos comme Antoine et toi, répondit-il, hilare.

Léo força un sourire. La plaisanterie d'Alain ne l'avait pas vexé. Elle le fit plutôt réfléchir. L'imprévisible conclusion de sa rencontre du jeudi précédent avec Antoine le tracassait. Léo craignait que n'en résulte la fin de leur grande et longue amitié.

— Au fait, Léo... Sachant qu'Antoine ne viendrait pas ce soir, quel diable t'a poussé à m'honorer de ta présence ?

— Le diable de l'habitude. À mon âge, tout n'est qu'habitudes.

— Tu veux dire à « votre » âge, précisa Alain en apercevant Antoine discrètement pousser la porte d'entrée.

Léo n'eut pas connaissance de l'arrivée d'Antoine avant d'avoir entendu le son de sa voix.

— Alain, qui est ce mec assis à la place de Léo ? Monsieur, je vous préviens, on ne sert que de la piquette dans cette buvette !

Prenant une pose de boxeur, Antoine, souriant, décocha un léger crochet de gauche à l'épaule de Léo. Alain se dirigea vers son cagibi.

— Tu n'avais rien d'autre à faire ce soir ? demanda Léo d'un ton placide.

— Oui, mais l'habitude... répondit le grand échevelé en posant une fesse sur son tabouret.

— Je connais...

Agité, Antoine s'impatienta bientôt de ne pas voir Alain revenir derrière son bar.

— Ho ! Le Marseillais, où es-tu quand on a besoin de toi ?

— J'arrive !

Léo savait que les paroles de son ami dépassaient souvent ses pensées et qu'il était enclin à dramatiser lorsqu'il éprouvait de l'anxiété. Il n'arrivait par contre pas à déceler ce qui avait pu le troubler au point de vouloir transgresser le pacte de leur rendez-vous hebdomadaire. Léo ne croyait d'ailleurs plus que les raisons évoquées par Antoine justifiaient son choix de s'éloigner.

Ravi de voir ses Guignol et Barbarin réunis, Alain remplit le verre de Léo, servit une bière à Antoine puis retourna à ses affaires.

— Léo, je suis venu te dire que j'ai encore des choses à te dire.

— L'antithèse de Gainsbourg…

Antoine regarda Léo l'air stupéfait.

— Qu'est-ce que ton chanteur vient encore faire dans tout ça ?

— Lui, il chantait « Je suis venu te dire que je m'en vais… »

— Oui, mais toi tu sais déjà que je m'en vais…

Puis Antoine ne dit plus un mot. Les secondes s'égrenaient lentement. Espérant une parole, Léo tourna la tête vers son ami à quelques reprises.

— Euh… Et ces choses que tu as à me dire, je dois les deviner ou quoi ?

— Léo, je veux d'abord te dire que je crois te connaître mieux que tu ne te connais toi-même.

— Crois-tu ?

— Je viens de le dire ! Léo, es-tu vraiment un comptable ?

Léo fit les yeux ronds.

— À ma connaissance, je le suis depuis la lointaine époque où j'avais encore tous mes cheveux. Où veux-tu en venir, Antoine ?

— La profession que tu exerces ne fait pas de toi un comptable dans l'âme. D'ailleurs, les comptables ont-ils vraiment une âme ?

— Très drôle !

— Tu as toujours eu la bosse des maths, c'est vrai...

— Et toi, tu auras toujours la bosse qu'une matraque t'a laissée sur la tête en souvenir d'un certain soir de la Saint-Jean, lui rappela Léo, souriant, de crainte que l'atmosphère ne s'alourdisse encore une fois.

— Tu te souviens de cette galère ! s'étonna Antoine en riant. Ouais... Bon, je voulais donc dire que tu es encore, malgré ta bosse à toi, un touriste égaré dans la jungle de la finance.

— Je ne comprends rien de rien à ce que tu racontes.

Antoine se leva, enleva sa veste de cuir, se rassit et alluma une cigarette.

— C'est mauvais pour ta santé. Tu devrais arrêter.

Le conseil de Léo s'envola dans une volute de fumée.

— Léo, qui, en plus d'avoir de la facilité avec les chiffres, avait le culot de toujours décrocher les meilleures notes en composition française à l'école puis en dissertation au collège ?

— Ben...

— Ben oui, toi ! Et qui prenait toujours des notes dans un calepin dès que l'inspiration lui venait, surtout avachi à une terrasse à regarder passer les filles ? Comme moi, tu faisais des esquisses, mais toi, c'était avec des mots.

L'attention de Léo semblait à mille lieues du discours d'Antoine. Il enleva ses lunettes pour se frotter les yeux puis il se tourna vers Antoine en les remettant.

— Et alors ? lui demanda-t-il d'un ton quasi exaspéré.

— Et qui a transformé son salon en bibliothèque ? Tu ne viendras quand même pas me dire que tous tes livres sont des traités de comptabilité !

Léo soupira.

— Est-ce un péché d'aimer lire des romans, des biographies, de la poésie et des essais ?

— Ton seul péché, mon Léo, consiste en ton reniement de ton véritable talent, de ton unique passion.

— Bon, ça va, Freud, répliqua Léo en décollant méticuleusement un poil de chat d'une manche de son blazer.

— Je n'ai pas besoin d'être un psy pour savoir que tu as toujours eu envie d'écrire, de gagner ta vie avec ta plume.

Pensif, Léo, du pouce droit, effleurait le pied de son verre de vin. Antoine se tut.

La dame qu'Alain avait servie la semaine précédente fit son entrée, puis elle prit place à la même table près des fenêtres. Il la reconnut. Comment aurait-il pu l'oublier ? Elle était encore coiffée de ce chapeau informe de couleur lime. Portant sur le bout du nez des lunettes à monture tigrée, elle semblait sortir du tournage d'*Une histoire inventée* de Forcier.

— Quel personnage ! se dit Alain en se dirigeant vers elle.

— Tout va bien, Madame ?

— Tout ? C'est relatif, mon brave.

— Oui… sans doute ! Je vous sers un petit vin blanc ?

— Je vous en saurais gré, jeune homme.

Passant derrière Antoine et Léo, immobiles comme les mannequins des vitrines de la rue Sainte-Catherine et éclairés par les faisceaux bleuâtres des lampes suspendues au-dessus d'eux, Alain éprouva la curieuse impression de se retrouver dans une quelconque pièce de théâtre d'avant-garde.

Léo releva la tête puis laissa échapper un long soupir.

— J'écris.

Antoine cligna des yeux puis se tourna lentement vers lui.

— Enfoiré ! Tu me laisses parler comme un demeuré et c'est maintenant que tu me dis tout bonnement : « J'écris » ?

Léo regarda son ami, l'air innocent.

— Mais attends, je n'ai pas dit que je suis en train d'écrire *Les Frères Karamazov*.

— Heureusement ! Avec un titre pareil, ça ne marcherait pas !

— Crétin !

— Alors parle...

Pour une rare fois qu'il avait l'opportunité d'asticoter Antoine, Léo résolut de faire durer son plaisir.

— Rien de spécial à dire. J'écris des mots, des phrases, des paragraphes...

— C'est un roman ?

— Actuellement, ce n'est rien de plus que des mots, des phrases, des...

— Oui, oui, j'ai compris. Mais tu écris quand même. Et ça parle de quoi, ton histoire ?

— De quoi tu penses ? De la vie et de tout ce qui vient ou ne vient pas avec.

— De ta vie, de la mienne, de la nôtre ?

— Ce n'est pas une biographie, Antoine. Mais il est vrai que je m'y transpose un peu...

Léo se préparait déjà à répondre à la prochaine question anticipée de son ami, mais Antoine, se rendant compte qu'il était en train de se faire tourner en bourrique, ne lui demanda pas de préciser en quoi consistait cette transposition.

— Bref, tu as donc très bien compris ce que je te disais à propos de ton envie d'écrire.

— Bien sûr, mais je ne voulais pas te renvoyer la balle.

— La balle ? Quelle balle ?

— Celle qui serait tombée dans tes pots de peinture desséchée.

Antoine se cabra.

— Ha bon ! Tu m'aurais reproché de ne plus peindre ? Mais je peins encore, figure-toi !

— Un ou deux tableaux inachevés par année, tu appelles ça peindre, toi ?

— Ça vaut bien une page ou deux de phrases…

— Touché !

Antoine ne se sentit pas pour autant victorieux. Les activités littéraires de Léo restaient pour lui nébuleuses.

— Ton histoire, tu me la feras lire ?

— Quand elle sera terminée.

— Je vois. Alors j'imagine que ça ne sera pas demain la veille !

— Non, mais si je termine cette histoire, contrairement à celles qui dorment dans mes tiroirs depuis des années à attendre leur point final, ce sera sûrement au cours de l'an 2000.

Antoine reçut comme une décharge d'adrénaline.

— Tu viens de me donner une bonne idée…

— Tu me fais peur, reconnut Léo, toujours méfiant face aux « bonnes idées » d'Antoine.

— Partons !

— Là ? Maintenant ?

— Mais non, en l'an 2000. Allons nous installer à Paris, toi avec ton ordinateur et ton dictionnaire et moi avec mes toiles et mes pinceaux.

Léo se dit que son ami divaguait.

— T'es cinglé ! D'abord, je n'ai pas d'ordinateur. J'écris dans des cahiers avec un magnifique stylo plume que j'ai acheté au Salon des métiers d'art.

Déconcerté, Antoine clappa de la langue.

— Hé ! le moine... Pas étonnant que tu mettes des années à écrire des histoires sans fin.

Lorsqu'Antoine le rabrouait ainsi avec son humour particulier, Léo, amusé, restait de marbre.

— Et pour quelle raison irais-je au bout du monde pour faire ce que je peux très bien faire ici ? Tu oublies de plus un petit détail... Je gagne encore ma vie, à trois rues d'ici. Puis c'est quoi, cette soudaine obsession de Paris ? On pourrait croire qu'une envie folle d'y retrouver quelqu'un ou quelque chose te dévore.

Antoine frappa ses jointures contre le comptoir, puis il se tourna lentement vers Léo, presque transfiguré.

— Voilà ! On y est ! Quelqu'un... reconnut-il.

Léo ricana.

— Laisse-moi deviner. Une femme...

— Oui.

Content d'avoir deviné la nature de l'attrait exercé sur son ami, Léo eut un large sourire.

— Je l'savais...

— Non, tu ne sais pas. Une très jeune femme...

— Quelle surprise ! fit Léo, enjoué.

— Ma fille...

Léo resta bouche bée.

— C'est tout l'effet que ça te fait ?

Confus, Léo demanda à Antoine s'il avait bien dit « ma fille ».

— Tu as bien entendu.

— Ma fille comme dans... « mon enfant » ? Antoine, tu me charries...

— Est-ce que j'ai l'air de te charrier ?

Léo dévisagea Antoine comme un inspecteur de police cherchant à confondre un prévenu.

— Merde !

— Bon, c'est déjà ça. Tu vois bien que j'avais encore des choses à te dire.

— Quand même ! Toi, Antoine Filion, père d'une fille... J'hallucine ! Dis-moi encore que ce n'est pas une mauvaise blague.

— Combien de fois dois-je te le dire ?

Léo se leva, fit lentement le tour de son tabouret, en ajustant la ceinture de son pantalon, puis se rassit.

— Ça va mieux ?

Léo n'aurait pas été plus déboussolé si Antoine lui avait annoncé son ordination prochaine.

— Une fille ! Mais quel âge a-t-elle ?

— Elle a eu dix-huit ans, le 6 avril dernier.

— Non ! Mais c'est aussi ta date d'anniversaire...

— Je sais, tu me l'as rappelé il n'y a pas si longtemps.

Léo, dont les neurones mathématiques s'empêtraient, se sentit aussi dépourvu que devant un bilan financier incomplet.

— Tu as bien dit dix-huit ans ?

— Léo. Le chiffre un et le chiffre huit. Oui, dix-huit ans.

Léo enleva ses lunettes, les essuya avec le bout de sa cravate, les remit puis regarda Antoine avec un demi-sourire.

— Mais qu'est-ce que tu m'inventes encore ? Après tout, c'est moi qui me dépêtre dans la jungle de la finance, par conséquent je sais compter.

Antoine anticipa la suite.

— Tu as vécu à Paris en 1966 ou 1967...

— De mai à septembre 1966, précisa Antoine, le sourire goguenard.

— Donc, si tu étais devenu père en 1967, tu aurais une fille âgée de trente-deux ans.

La confusion de Léo amusa Antoine.

— Je te crois sur parole. Mais ai-je dit, moi, que Prudence a été conçue à cette époque-là ?

— Quand alors ?

— À l'été 1980.

C'était l'été où Léo avait commencé à travailler chez Walker. C'était aussi en juillet de cette année-là qu'Antoine avait rendu visite à son ami Gilbert à Paris. Léo ne se souvenait pas qu'Antoine y ait séjourné en 1980, mais les deux amis se voyaient rarement à l'époque et Antoine avait négligé de l'en informer.

Léo gonfla lentement les joues, retint son souffle puis expira lentement. Antoine venait de lui révéler qu'il n'avait jamais vu sa fille autrement qu'en photos.

— Quelle histoire ! Comment s'appelle-t-elle ?

— Je te l'ai dit... Prudence.

Léo gloussa malgré lui.

— Excuse-moi, Antoine, mais...

— Je sais, je sais... Dans les circonstances, ce n'était peut-être pas le prénom le plus approprié.

— Et je peux te demander qui est sa mère ?

— Elle était modèle pour Gilbert.

— Je n'ose même pas te demander son nom.

— Chasteté.

Cette fois, Léo pouffa franchement de rire.

— Mais non, tarte... Emmanuelle…

— Ha ! Moins drôle, mais plus joli.

— Elle l'était aussi… jolie.

— Et quel âge avait-elle ?

— Vingt-six ans.

Encore abasourdi par la révélation de son ami, Léo se rendit compte que plusieurs chapitres de la vie d'Antoine lui avaient certainement échappé. Cependant, malgré l'assurance d'Antoine, il demeurait suspicieux.

— Ton histoire me semble encore un peu abracadabrante. Mes questions n'ont probablement pas suivi un ordre logique. La surprise, tu comprends ! Alors pour quelle raison n'es-tu pas retourné à Paris lorsque tu as appris que tu serais ou étais père ?

— Parce que je ne l'ai appris qu'à la fin de l'année dernière.

— Ouf ! Moi, je ne te pose plus de questions. Raconte-moi les faits dans l'ordre chronologique… si possible.

Antoine avait rencontré Emmanuelle chez Gilbert, après une séance de pose. Il l'avait trouvée mignonne avec sa longue chevelure châtain flottant au milieu du dos, ses yeux noisette, sa voix douce et sa façon gracieuse de bouger.

— Nous nous sommes revus le lendemain. Pour te simplifier le déroulement des choses, disons que nous avons, dès ce soir-là, commencé à baiser chez elle.

Léo hocha la tête.

— Antoine, tu as vraiment le chic pour parler des choses de l'amour avec finesse. Continue !

— Lorsqu'elle a appris qu'elle était enceinte, j'étais évidemment déjà de retour à Montréal. Gilbert n'a plus entendu parler d'elle. Donc, moi non plus.

— Elle ne t'a pas appelé, écrit pour t'annoncer que... ?

— Non.

— Et toi, tu n'as plus jamais communiqué avec elle après ton séjour là-bas ?

— Non.

— Tu l'aimais ?

— Merde ! Tu veux savoir ou pas ?

— Go !

— Je dois d'abord aller au p'tit coin.

Alain servit un troisième verre de vin à la drôle de dame. Elle referma son livre. Un roman de Stephen King : *Rêves et cauchemars*.

— Ce qu'il peut s'en passer des choses ! lui dit-elle.

Ignorant à quoi elle faisait allusion et ne s'en souciant guère, Alain émit tout simplement un marmonnement.

Sortant des toilettes, Antoine le croisa.

— Il y a un nouveau graffiti dans tes chiottes, lui annonça-t-il de sa voix de stentor.

— Tu veux un micro peut-être ? Et ça dit quoi ?

— « L'attrait ou la vie », murmura Antoine.

— Un autre philosophe ! jugea Alain du même ton.

L'esprit cartésien du comptable tentait encore de mettre de l'ordre dans les révélations d'Antoine.

— Bon, où en étions-nous, Léo ?

— Emmanuelle s'était évaporée.

Quelques années plus tard, Gilbert l'avait rencontrée par hasard. Elle lui avait alors annoncé qu'elle avait épousé un industriel et qu'elle était mère d'une petite fille. Rien de plus. Gilbert en avait d'ailleurs fait part à son ami dans l'une de ses lettres, mais Antoine ne pouvait pas savoir… Pour sa part, Gilbert ignorait même qu'Antoine avait connu Emmanuelle… au sens biblique.

— Bébert l'a donc revue en novembre de l'année dernière, soit une quinzaine d'années plus tard. Mais cette fois-là, ce ne fut pas par hasard. À sa grande surprise, Emmanuelle avait communiqué avec lui pour lui proposer un rendez-vous. Présumant qu'elle voulait tout simplement renouer, Gilbert a consenti à la rencontrer dans un café de Montparnasse. Elle lui a annoncé le décès de son mari, survenu quelques mois plus tôt, puis elle lui a révélé son secret.

Léo fit la moue.

— Mais qu'est-ce qui l'a incitée à fixer un rendez-vous à Gilbert pour lui raconter tout ça, tant d'années plus tard ?

— J'y arrive. Elle lui a demandé s'il entretenait encore des liens avec moi, puis elle l'a questionné à mon sujet.

— Elle voulait savoir si tu étais marié, si tu avais des enfants…

— Voilà ! Puis, elle a finalement demandé à Gilbert s'il accepterait de m'annoncer la « nouvelle ». Pauvre Bébert ! Il a dû en suer un bon coup. Emmanuelle avait précisé que son défunt mari l'avait bien avantagée et qu'elle n'attendait rien de moi. Mais c'est finalement Prudence qui a convaincu Gilbert de donner suite à la demande de sa mère. Après la mort de son mari, Emmanuelle a cru, si j'ai bien compris, qu'elle avait l'obligation morale de révéler la vérité à sa fille.

Prudence n'avait pas accompagné sa mère à ce rendez-vous mais, à la demande d'Emmanuelle, Gilbert l'avait rencontrée le lendemain à son atelier. L'adolescente l'avait alors assuré qu'elle ne voulait pas importuner Antoine, qu'elle désirait simplement lui faire parvenir un courriel et quelques photos de ses œuvres. Gilbert avait craqué.

— Depuis septembre dernier, ma fille, mon cher Léo, étudie à l'École des beaux-arts de Paris.

Léo avala sa salive, puis trempa les lèvres dans son verre de vin.

— Ben dis donc ! La digne fille de son père...

— Sûrement plus digne que son vieux...

Comme chaque fois qu'il était dans le doute, Léo pinça les lèvres.

— Quoi ? Ha ! Je sais. Tu te demandes ce qui me permet de croire que Prudence est vraiment « ma » fille ?

— Ben...

— Selon toi, quel intérêt Emmanuelle aurait-elle à mentir ?

— C'est vrai... Non, je ne vois pas.

— Et Gilbert a été ébahi lorsque Prudence s'est présentée, comme convenu, à son atelier. Et je l'ai aussi été lorsque j'ai vu les photos qu'elle m'a fait parvenir. Elle me ressemble, Léo. Prudence me ressemble... avec le charme de sa mère en plus.

L'inébranlable Antoine paraissait subjugué.

— Bon Dieu ! Jamais je ne t'ai vu aussi ému...

— Tu ne le serais pas, toi ?

Léo blêmit.

— Ho ! Excuse-moi, Léo. Je...

— Ce n'est rien. Comment Gilbert t'a-t-il annoncé la nouvelle ?

Fermant les yeux et tambourinant du bout des doigts sur le comptoir, Antoine tentait de se rappeler les détails de l'événement survenu un dimanche matin.

— La sonnerie du téléphone m'a réveillé. C'était lui. Je l'écoutais distraitement, les yeux mi-clos. J'avais un marteau-pilon dans le cerveau.

— Oups ! Gros lendemain de veille...

— Plutôt petit lendemain de grosse veillée. Je crois qu'il s'est d'abord informé au sujet de ma santé, puis il m'a finalement demandé si je me souvenais de son modèle, Emmanuelle. Et ce zigue de Bébert m'a dit d'un seul trait : « Écoute, énerve-toi pas, mais je dois t'annoncer que tu es le père d'une fille âgée de dix-sept ans qui s'appelle Prudence et qu'elle aimerait bien te connaître. » En même temps que j'essayais d'assimiler cette déclaration surréaliste, je m'évertuais à me rappeler qui était la fille nue qui roupillait à côté de moi, la tête sous l'oreiller, et dans quelles circonstances elle s'était retrouvée dans mon lit. Je me croyais en plein cauchemar. C'était trop à la fois. J'ai raccroché.

Léo se mit à rire. Antoine le regarda, l'air contrarié.

— Moi, je n'avais pas du tout envie de rire. Je te jure, je n'exagère rien. C'est vraiment de cette façon que j'ai appris que j'étais père. Gilbert rappliqua aussitôt. J'ai alors dû me rendre à l'évidence. Je ne me rappelle plus très bien le reste de ma journée.

Antoine but une gorgée de bière en tentant de se souvenir de la continuité de ce jour de novembre 1998 qui chamboula sa vie.

— Et qui était-elle ?

— Quoi ? Qui ?

— Ben la fille dans ton lit...

Antoine resta estomaqué ou fit du moins semblant de l'être.

— C'est bien toi, ça. Je te parle de l'événement le plus dramatique de ma vie et tu te préoccupes de l'identité de cette fille dont j'ai même oublié le nom. Mes histoires de couchette t'ont toujours fasciné, pas vrai ?

Du bout des lèvres, Léo émit un son résonnant comme « prouttt... ».

— Pas vraiment, mais comme je ne me suis jamais éveillé, moi, avec une inconnue dans mon lit, reconnais que ça puisse m'intriguer.

Cette mystérieuse fille avait été stagiaire auprès de magazines pour lesquels Antoine avait jadis travaillé. La veille, elle l'avait reconnu dans un bar puis, d'une réminiscence à une autre, d'un verre à un autre, elle s'était retrouvée chez lui, plus dégourdie qu'à l'époque où il l'avait rencontrée pour la première fois.

À la connaissance de Léo, Antoine n'avait jamais été amoureux. Il avait bien sûr connu des amourettes de jeunesse: la petite Pauline de la rue Cartier; la cousine Gisèle de son voisin Réal, qu'il allait courtiser à vélo à Laval-des-Rapides; puis Victoire, la Lyonnaise qui, âgée de dix-sept ans, était d'un an et demi son aînée et qui l'avait initié à la bagatelle. Antoine avait dès lors conclu qu'une relation exclusive était une aberration. À son sens, il y avait trop de jolies filles disponibles pour le libertinage. Au fil des ans, cette précoce prise de position l'avait entraîné d'aventure en aventure.

— Mais revenons aux choses sérieuses. Tu n'as pas eu envie de te rendre à Paris lorsque tu as appris que tu étais père ?

— Ho ! Je venais d'être foudroyé. J'ai mis beaucoup de temps à m'en remettre.

Quelques jours après avoir appris la nouvelle, Antoine commença à correspondre avec Gilbert via Internet. Il voulait tout savoir... la couleur des yeux et des cheveux de Prudence; chaque parole qu'elle lui avait dite; comment elle était vêtue lors de leur rencontre à l'atelier de Gilbert; ce qu'elle pensait de lui ou plutôt de la situation. Puis, y consentant, il reçut finalement un premier courriel de Prudence. Elle y avait joint des photos d'elle bébé, enfant, adolescente, ainsi qu'une photo récente d'elle sur une plage, en compagnie d'Emmanuelle. Cette dernière photo avait chaviré Antoine. Sa fille... avec Emmanuelle qui était encore aussi belle que dans ses souvenirs.

— Par la suite, Prudence m'a fait parvenir des photos de ses tableaux. Elle a vraiment beaucoup de talent.

— Tu lui as répondu, j'espère...

— Qu'est-ce que tu crois ! Si seulement j'avais eu tes mots...

— Je suis persuadé que les tiens étaient bien sentis et que tu lui as fait énormément plaisir.

Le commentaire de Léo réconforta Antoine.

— Te souviens-tu de ce que disait notre prof de français, en classe de syntaxe ? lui demanda Léo.

— Parfaitement ! « Taisez-vous, monsieur Filion. »

Amusé, Léo donna un léger coup de coude à son voisin.

— Ouais... Mais aussi... « Ce que l'on conçoit bien s'énonce clairement... »

— « ... et les mots pour le dire arrivent aisément. »

Étonné qu'Antoine s'en souvienne, Léo éclata de rire.

— Bravo ! Tu m'impressionnes ! Donc, Prudence et toi avez continué à correspondre...

— Sporadiquement. Elle est drôle, ma Prudence. Elle m'appelle Antoine...

Léo sentit un léger agacement dans l'inflexion finale de son ton.

— Tu préférerais qu'elle t'appelle « papa » ?

Antoine grimaça.

— Je ne mérite pas ce titre. Je suis un étranger pour elle.

Depuis l'instant où Léo avait commencé à croire à l'histoire d'Antoine, une question le taraudait.

— Antoine, pourquoi ne pas m'en avoir parlé avant aujourd'hui ?

— Pour dire vrai, c'est probablement parce que j'ai la chienne pour la première fois de ma vie. J'ai peur. J'angoisse.

Léo associa aussitôt cet aveu à ce qui était survenu le jeudi précédent, mais avant même qu'il puisse tenter d'analyser son hypothèse, Antoine éclaircit la situation.

— Léo, je veux m'excuser pour la semaine dernière. Après t'avoir annoncé que je partais pour Paris, je suis venu très près de tout te révéler. Ce que je ne voulais pas faire. Plus ou moins consciemment, j'ai alors voulu prendre mes distances par crainte de te raconter mon histoire avant mon départ pour Paris. Mais j'avoue que je m'y suis pris de façon très malhabile, pour ne pas dire insensible et stupide.

Pour Léo, c'était là un manque de confiance de la part de son ami de toujours. Il ne comprenait pas pour quelle raison Antoine n'avait pas voulu lui révéler ce qu'il venait tout de même de lui apprendre.

— Léo, tu me connais, je suis un grand orgueilleux. J'ignore ce qui arrivera là-bas et dans quel état je reviendrai de Paris. Je ne voulais pas te mêler, encore une fois, à mes éventuels déboires. Tu en as déjà assez fait pour moi. Je suis finalement comme un vieux chat qui s'isole pour lécher ses plaies.

Léo réfléchit un instant.

— Si je comprends bien, tu avais prévu que si le pire se produisait là-bas, je ne me ferais pas de soucis pour toi puisque je n'aurais rien su au sujet de ta paternité et de ta rencontre avec Prudence. Et toi, à ton retour, tu aurais fait le matou. C'est bien ça ?

— Voilà ! Tu m'as déjà ramassé à la petite cuillère et je ne voulais pas risquer que ça se reproduise.

Léo fut touché par cette marque de déférence d'Antoine à son endroit.

— Alors, qu'est-ce qui t'a fait changer d'avis ?

— Cet après-midi, j'ai réfléchi et je me suis dit que j'avais, par respect pour notre amitié, notre complicité, l'obligation de tout te raconter.

Léo posa la main sur le bras d'Antoine.

— Tu n'as aucune obligation envers moi. Mais si nous ne pouvons plus nous confier l'un à l'autre, après tout ce que nous avons partagé depuis notre enfance…

Antoine cogna son verre contre celui de Léo.

— Santé !

— Santé !

Les deux amis firent une pause, comme pour apprécier le moment. Interruption qui permit par ailleurs à Léo de repenser aux propos d'Antoine. Il en retint un.

— Mais, j'y pense, puisque tu corresponds avec Prudence et que vos rapports sont cordiaux, pour quelle raison présumes-tu que les choses pourraient mal tourner lors de votre rencontre ?

— Quelques courriels, quelques photos… Rien de vraiment concluant. J'ai même senti une certaine retenue de sa part.

— Antoine, elle ne te connaît pas. Je suis convaincu qu'elle est de bonne foi et qu'elle a très hâte de te rencontrer.

— De mon côté, comme j'ai plus de facilité avec la parole qu'avec l'écrit… J'ignore où elle se situe vraiment dans tout ça. Je suis quand même, pour elle, l'homme qui a engrossé Emmanuelle avant de disparaître. Je ne peux pas savoir ce qu'elle ressent, ce qui se passe dans sa tête.

— Tu dramatises, Antoine. Tu ne crois quand même pas qu'elle ait établi le contact avec toi pour t'entraîner dans un guet-apens ?

Antoine regarda Léo en penchant la tête de côté.

— Merci de me signaler cette possibilité... Arrête ! J'en ai la chair de poule, dit-il en claquant des dents à la blague.

— Trouillard ! C'est quand même extraordinaire. Tu verras ta fille pour la première fois, en personne. Une jeune femme qui a « du Antoine » en elle.

— Pas trop, j'espère !

— Emmanuelle assistera-t-elle à votre rencontre ?

— Non. Elle a dit à Gilbert qu'elle ne voulait pas porter ombrage à ce moment magique que Prudence anticipe, mais qu'elle accepterait de me voir par la suite, si je le souhaitais.

— Tu vois bien que tu t'inquiètes inutilement. Et Emmanuelle, tu as envie de la revoir ?

— Bien sûr ! Léo, elle est quand même la mère de ma fille et une femme que...

— Que tu as aimée ?

Antoine porta la main gauche à son menton.

— Faudra bien que je rase cette barbe de fer barbelé... Léo, tu sais fort bien que nous n'avons jamais vibré, les sentiments amoureux et moi, au même diapason. Mais je n'ai jamais oublié Emmanuelle et je reconnais même qu'elle m'a souvent manqué. Est-ce de l'amour ?

Léo aurait pu difficilement en juger puisque, pour sa part, il voyait même souvent l'amour là où il n'existait pas.

Ayant saisi quelques bribes de la conversation, Alain avait eu la délicatesse de se tenir à l'écart. Avec l'accord d'Antoine, Léo l'invita à se joindre à eux.

— Alain, Antoine a une nouvelle à t'annoncer...

— Je devine un peu... J'ai entendu les mots « père », « fille » et quelques autres qui me permettent de croire qu'il est de mon privilège d'offrir le champagne à l'heureux père et à... l'oncle.

Se tournant vers Léo, Antoine remarqua son émoi.

— Ça va, tonton Léo ?

Les yeux brillants, Léo sourit.

Alain sabra le champagne. Les trois hommes trinquèrent à la santé de Prudence. Puis Antoine, se sentant libéré du secret qu'il couvait depuis un an, en remit.

— Puisque nous en sommes aux confidences...

— Ha ! Encore ? s'écria Léo, amusé.

— Une toute dernière. J'irai donc là-bas pour rencontrer ma fille. À mon retour, si tout s'y déroule bien, je liquiderai le peu que je possède pour m'installer en permanence à Paris.

Léo but sa coupe de champagne d'un trait.

4

Le jeudi 3 décembre 1964

Antoine rangea son matériel sérigraphique puis il quitta l'atelier de gravure vers les 15 heures. Dans le corridor du rez-de-chaussée, il croisa deux confrères qui s'obstinaient au sujet des rôles social et politique des artistes.

— Un duel aux pinceaux, les p'tits gars ? leur lança-t-il, moqueur, avant de dévaler l'escalier de marbre de l'entrée principale de l'École des beaux-arts de Montréal.

De son côté, Léo, profitant de son congé de cours du jeudi après-midi, était allé visionner un film de Bergman (il était après tout président du ciné-club collégial) avant de se rendre à La Chapelle. La jeune faune artistique avait ainsi baptisé la vieille taverne située rue Sherbrooke, tout près de l'École.

Un verre de bière en fût devant lui, Léo, distrait par les allées et venues du serveur taciturne, interrompit sa lecture du *Journal d'un séducteur*. L'homme maigrichon, vêtu d'un pantalon noir et d'une chemise blanche, évoquait un personnage de film policier… en noir et blanc. Léo retira subrepticement un calepin de sa serviette et s'empressa d'écrire une phrase improvisée.

« Le 19 août 1942, le jour où les Alliés rataient leur débarquement sur le port de Dieppe, Jos Ladouceur, un jeune pêcheur de Paspébiac, débarquait au port de Montréal. »

— Hé ! Mon philosophe préféré…

L'exubérant Antoine venait de faire son entrée. Il donna une amicale taloche à Léo, puis retira son long manteau noir qui semblait provenir de la garde-robe de Lamartine. Avec ses cheveux en bataille, le rapin ressemblait d'ailleurs, selon Léo, au poète romantique.

— Lucien, quatre fois s'il te plaît…

— Tu connais le serveur ?

— Évidemment ! Je fais la navette entre l'École – dite le bahut des barbus – et La Chapelle depuis déjà trois ans, répondit Antoine en prenant place devant Léo.

— Comment est-il ?

Antoine déroula son cache-nez.

— C'est-à-dire ?

— Connais-tu son histoire ? D'où il vient ? Ce qu'il faisait avant de travailler ici ?

Antoine regarda son ami en fronçant les sourcils.

— Sapré Léo ! J'aurais dû deviner. Notre bon vieux Lucien t'inspire un mystérieux personnage ?

— Je suis simplement curieux.

— Bien sûr ! fit Antoine en tapant du doigt sur le calepin refermé qui contenait un fouillis de phrases hors contexte.

— Ouais… Ça me fait plaisir de te voir, Antoine. Tu as maigri, non ?

— Possible !

Titubant jusqu'à eux, un bonhomme interrompit leur conversation pour quémander une petite contribution afin de pouvoir continuer à étancher sa soif. Léo lui tendit une pièce de vingt-cinq cents.

— Merci, mon garçon. Dieu… Dieu te le rendra.

— J'en doute ! murmura Antoine.

Lucien déposa quatre verres de bière au centre de la table carrée puis s'éloigna aussitôt. Léo le suivit du regard.

— Et toi, mon vieux, quoi de neuf ?

La question d'Antoine rappela le fantasque Léo à l'ordre.

— Euh !… Rien. Toujours les études…

— Et après ?

— Classe de Philo II.

— Je sais, mais après ?

— Je n'ai encore rien décidé. Ça m'angoisse un peu.

Antoine cala la moitié de son premier verre.

— Je ne suis pas inquiet pour toi. Tu as l'embarras du choix. Et comment vont mes amis les soutanes ?

— Le père Laframboise est décédé en novembre.

— Le prof d'anglais ? Dommage ! Il était le seul avec qui je m'entendais plutôt bien. Lui, au moins, il ne se prenait pas pour la quatrième personne en Dieu.

— Il s'est étouffé avec une arête au réfectoire du collège.

— Quelle apothéose ! *Vade in pace* ! Et ta blonde ? demanda Antoine en déposant son paquet de « rouleuses » sur la table.

— Je ne vois plus Béa, si c'est d'elle dont tu veux parler.

— *Good* ! Au fait, j'ai invité trois amis de l'École à se joindre à nous. J'avais envie de te les présenter.

Léo ne se sentait pas à l'aise dans cette taverne malodorante qu'il aurait sans doute qualifiée de « lugubre » s'il avait développé l'histoire de Jos Ladouceur, alias Lucien. Avant l'arrivée d'Antoine, il avait aussi épié deux hommes courbés, tremblotants, qui discutaient à voix haute.

— Non, mais comprends-tu que je l'ai r'placé vite le p'tit jeune. J'sais encore brasser ça, moé, un homme. N'importe quelle grandeur, n'importe quelle grosseur, ça m'fait pas peur. En 1939, j'ai été champion boxeur, moé, monsieur.

— Moé, c'est pareil. Je r'tiens ça d'mon père. Dans son jeune temps, y'était le seul homme à Montréal qui pouvait battre Jos Beef, le gars fort qui avait la taverne dans l'port.

La scène avait troublé Léo. Comment ces deux hommes en étaient-ils arrivés à s'inventer des vies, un jeudi après-midi, dans un sombre débit de houblon ? Leur mythomanie l'avait affligé.

— Les voici ! s'exclama joyeusement Antoine.

Léo aperçut deux garçons, suivis d'un curieux personnage au teint blafard, portant chapeau melon, qui s'avançaient vers eux en rigolant.

— Léo, je te présente les trois plus illustres barbouilleurs de l'État du Québec. Et j'ai nommé Alex, Bébert et Choco Latcho.

Avant même qu'ils puissent prendre place à la table que Bébert déplaçait pour la juxtaposer à celle d'Antoine et de Léo, Lucien se précipita vers eux.

— Les gars, pas d'fille icitte. Vous êtes dans une taverne…

— Quelle fille ? demanda innocemment Antoine.

— Ben, elle là avec le chapeau.

— Moi ? Je ne suis pas une fille. Je suis le mime androgyne Choco Latcho que tous les peuples de la planète applaudiront à Expo 67.

— Non, non, ça marche pas, t'es une fille. Ça paraît. Je l'sais. Antoine, dis-y d'sortir. J'veux pas de problème avec mon boss.

Antoine et les trois arrivants échangèrent regards et sourires complices. Léo se renfrogna.

— Lapointe n'arrive jamais avant cinq heures. Choco boit un verre et elle... il s'en va, trancha Antoine.

— Cinq minutes, pas plus.

Grâce à leur bonhomie et à leur humour, les amis d'Antoine gagnèrent rapidement la sympathie de Léo, à qui ils s'adressaient comme s'ils le connaissaient depuis toujours. La fille au drôle de nom retenait plus particulièrement son attention. Son regard le captivait. Il y décelait de la bonté et, à la fois, un mystérieux trouble. Quinze minutes plus tard, le serveur rappliqua, mais Alex prit les devants.

— Merci, Lucien. Nous partons, dit-il, en réglant sa tournée.

Choco Latcho embrassa Antoine, fit la bise à Léo et exécuta quelques mouvements de son numéro de mime à son intention. Le trio se dirigea vers la sortie, encore en rigolant.

Charmé, Léo souriait. Ce qui plut à Antoine.

— Alors ?

— Tu as de la chance d'avoir des amis aussi, aussi...

— Fous ?

— C'est de la belle folie. Mais qui sont-ils au juste ?

— Des apprentis peintres, graveurs, sculpteurs qui ignorent, tout comme moi, ce qu'ils deviendront lorsqu'ils quitteront l'École.

— Il faut vraiment avoir la foi…

— Faut croire que l'art est notre religion à nous.

Comme pour considérer la portée du commentaire d'Antoine, Léo pencha la tête de côté.

— En tout cas, ils ont l'air heureux…

— Ils le sont. Moi aussi, Léo, même si mon père m'a coupé un peu les vivres depuis que ses affaires vont moins bien. Nous formons une espèce de confrérie. On s'entraide et on s'amuse. Nous faisons ce qui nous plaît quand ça nous plaît.

Léo hocha lentement la tête. Il découvrait un univers situé très loin du sien.

— Mais d'où viennent-ils ?

Antoine détourna la tête en souriant.

— Tu es incroyable ! Tu me fais encore le coup du calepin, là ?

Léo se raidit.

— Pas du tout. Simple curiosité. Ils sont… sans parler de la fille, quand même différents des gars du collège…

— Léo, s'il y avait des Choco Latcho dans ta manufacture de moines, tes camarades seraient peut-être moins guindés et frustrés. Mais c'est sans doute le prix à payer pour joindre les rangs de l'élite de notre belle société.

— Alors, tu racontes ou non ?

— Raconter quoi ? Mes amis de l'École ne sont quand même pas des curiosités du parc Belmont !

— Loin de moi cette idée…

Antoine n'en douta pas. Il savait que Léo ne les jugeait pas, qu'il était plutôt intrigué par ces jeunes artistes qui semblaient avoir une vision bien particulière de la vie.

— Alexandre Forest, dit Alex, est un petit-fils de juge et un fils d'avocat qui n'a pas eu envie de perpétuer la tradition familiale. Les deux autres partagent une piaule avec moi sur la rue Sainte-Famille. La mère de Choco était comédienne, mais la pauvre femme joue maintenant dans sa tête à Saint-Jean-de-Dieu. Gilbert, dit Bébert, est le fils d'un haut fonctionnaire déchu de Québec, qui a rompu les liens avec sa famille. Et il y a toi, mon Léo, futur bachelier qui s'inquiète pour son avenir.

Antoine fit signe au serveur en levant la main.

— Lucien, quatre autres...

— Non, non, je dois partir...

— Whoa ! On se voit si rarement. Rien ne presse. Et je veux savoir ce qui te tracasse tant.

Le regard de Léo erra un instant.

Épuisé par ses années de nuits blanches dans les cabarets, son père ne travaillait presque plus. Sa mère, qui avait toujours fait de la suppléance, était malade.

— Mes parents, malgré leurs modestes revenus, ont toujours défrayé mes études et celles de ma sœur. Je pense que c'est maintenant à notre tour de les aider.

— Bien sûr, mais tu seras bientôt un professionnel. Alors où est le problème ?

— Tu ne comprends pas. Avant d'exercer une profession, je dois d'abord terminer mes études collégiales et entreprendre de trois à quatre années d'études universitaires. Je n'y arriverai pas. Je manquerai de temps et d'argent. Je devrai travailler le plus tôt possible, et non seulement l'été.

Lucien, qui avait tout entendu, déposa les quatre verres sur la table et regarda Léo.

— *Waiter*, ça t'intéresserait pas ? C'est un beau métier. On sert des ivrognes toute la journée, on gagne deux fois rien et on a aussi le plaisir d'entendre des jeunes qui ont la chance de faire des grandes études se d'mander ce qu'y vont faire quand y s'ront... des hommes.

Lucien fit volte-face. Léo rougit. Antoine pouffa.

— Excuse-moi, Léo.

— Ouais… Qui sait ! Ton ami Lucien vient peut-être de faire une prédiction qui s'avérera juste plus tôt qu'on pourrait le croire…

En attendant l'autobus, à l'intersection de la rue Sherbrooke et du boulevard Saint-Laurent, Léo se dit, regardant Antoine se diriger nonchalamment vers sa piaule, qu'ils en étaient finalement tous deux rendus à peu près au même point. Antoine, dans l'insouciance, mais lui, dans l'inquiétude.

5

Le jeudi 9 décembre 1999

Ce midi-là, Léo ne mangea pas son lunch au bureau. Perturbé, il rentra chez lui.

Affalé dans le fauteuil faisant face à sa bibliothèque, son chat Bumby ronronnant sur ses genoux, il ferma les yeux puis il se réfugia dans l'espace mental de sa tanière littéraire. L'auteur du dimanche ne voyait que des maladresses dans sa plus récente création. Ses mots, ses phrases, ses paragraphes lui paraissaient sans intérêt.

« Tout ça n'est qu'un long monologue qui a fourmillé durant mes insomnies. Antoine a finalement tort de croire que je suis un écrivain. Je ne suis qu'un petit comptable à cravate. »

Bumby vint lécher le menton de son maître. Léo, encore somnolent, jeta un coup d'œil à sa montre, puis se leva péniblement. Ce qu'il aurait donné pour se rendre n'importe où ailleurs que chez Walker !

* * *

Avec son retard habituel, Antoine fit son entrée à *L'Attrait*.

— Où est Léo ? demanda-t-il à Alain, avant même de prendre place sur son siège pivotant.

— Tu as gagné la course aujourd'hui. Il ne devrait pas tarder.

— Sûrement pas. Bon…

Le regard d'Antoine fit rapidement le tour de la salle déserte.

— Je vois qu'il y a encore foule. Je me demande comment tu réussis à garder cette boîte ouverte. Tu ne couvres sûrement pas tes frais…

— J'y arrive. Il y a des clients le midi. Je leur permets d'apporter leur lunch.

— Ici, plutôt qu'un « Apportez votre vin », on innove avec un « Apportez votre lunch ». Original ! Il y a toujours eu un bar à cette adresse ?

— Aucune idée ! Le local était vide quand j'ai loué, il y a quatre ans.

Alain ne pouvait pas savoir qu'un chic *night club* y avait eu pignon sur rue au début des années 1950. Le père de Léo y avait d'ailleurs dirigé le *big band* maison. Une quinzaine d'années plus tard, ce local, diminué des trois quarts de sa superficie, avait été transformé en *bar and grill* malfamé. Par la suite, différents types de commerces s'y étaient succédé.

— Mais que fait donc Léo ?

— Un surplus de travail sans doute. Ha ! Le voici justement…

Antoine se tourna vers la porte d'entrée.

— Il était temps ! Alain s'apprêtait à me servir son réputé bœuf au jus.

Livide, Léo ne réagit pas. Il prit place en ignorant totalement Antoine.

— Alain, un scotch sur glace... Un double.

Le barman fit une mimique d'étonnement.

— Oups ! Tu as avalé des chiffres de travers ? lui demanda Antoine.

Le silence de Léo témoignait davantage de son trouble. Alain le servit puis il s'éloigna.

— Que se passe-t-il, mon vieux ?

Léo inspira profondément.

— Il se passe que l'on vient de m'annoncer que je suis justement trop « vieux » pour m'adapter à la nouvelle procédure informatique récemment instaurée chez Walker et que mon poste, devenu désuet, est aboli. Mes patrons ont donc décidé de me rayer de leur nouveau plan d'affaires. Pour tout dire, ils m'ont proposé un job de « junior » pour m'humilier et m'inciter à quitter la firme.

Antoine bondit de son siège.

— Ils ne peuvent pas faire ça !

— Détrompe-toi ! J'ai maintenant une décision à prendre. Ou bien j'accepte ce job minable ou bien je quitte avec une prime de séparation qui sera sans doute tout aussi minable.

Antoine sentit la rage l'envahir.

— Calvaire ! Bande d'ingrats...

— Oh ! la gratitude, tu sais... Ça ne fait pas partie des mœurs du monde des affaires. On presse le citron puis on le jette.

Les mains de Léo tremblaient. Antoine fit un effort pour se ressaisir.

— Léo, tu es un comptable compétent. Je suis persuadé que tu trouveras un poste à ta hauteur dans une autre entreprise.

— À mon âge ? Certainement pas ! Et ne te fais pas d'illusions. Dans le merveilleux domaine de la finance, ma « hauteur » est, par les temps qui courent, au ras des pâquerettes. Les chasseurs de têtes ne se bousculeront pas au portillon. Je ne suis... ou plutôt n'étais que l'adjoint d'un petit directeur de secteur arriviste et foireux.

La sonnerie musicale du portable d'Antoine interrompit la conversation, alors que Léo s'apprêtait à lui révéler ou du moins à lui rappeler dans quelles circonstances il s'était engagé dans ce dédale professionnel.

Malgré ses contraintes financières, Léo avait terminé ses études classiques au premier rang de sa promotion. Il avait par la suite complété une première année d'études en administration des affaires, tout en travaillant dans une librairie les fins de semaine. Au début de ses vacances estivales, il avait déniché un emploi temporaire dans une firme de courtiers en valeurs mobilières.

Septembre venu, le patron de Léo, très satisfait de ses services, lui avait proposé de conserver son emploi, avec augmentation de salaire, tout en poursuivant ses études en cours du soir. Léo y avait vu la solution idéale à ses problèmes financiers.

Et puis, à la sortie d'un cours, un soir de février, en pleine tempête, Léo s'était rendu compte qu'il ne pouvait plus soutenir le rythme fou auquel son travail de jour et ses études du soir le contraignaient. Il savait déjà, en montant dans l'autobus, qu'il effectuait son dernier trajet entre le Vieux-Montréal et Ahuntsic.

— Excuse-moi, Léo. Mon agent de voyages...

— Tu pars quand finalement ?

— Le 23 décembre. On disait donc ?

— Je ne sais plus... Le 23 décembre ?

— Oui.

— Quelque chose se trame.

Antoine regarda Léo, l'air hébété.

— Lorsque tu es parti pour Paris, en mai 1966, je m'embarquais, moi, pour un voyage dans, comme tu dis, la « jungle » de la finance. Et lorsque tu y es retourné en 1980, j'ai débuté chez Walker. Et voici que tu te prépares à repartir pour Paris.

— Et alors ?

— Tout ça doit signifier quelque chose... Qu'est-ce qui m'attend maintenant ?

« Qu'est-ce qui nous attend maintenant ? » pensa Antoine.

— Trente-trois années ou presque à regretter ce périple...

— Tu ne voulais pas faire comptable ?

Léo esquissa un sourire.

— Quoi ?

— Je viens de me rendre compte que tu t'exprimes souvent comme un Français. Non, Antoine, je ne voulais pas « faire » comptable ou administrateur. Je voulais étudier en lettres, mais je me suis finalement rabattu sur des études en administration afin de pouvoir gagner ma vie le plus tôt possible.

Antoine se souvint alors de cet après-midi de décembre où Léo, à *La Chapelle*, lui avait confié ses inquiétudes face à son choix de carrière.

— Que comptes-tu faire maintenant ?

— Quelle question ! Antoine, je viens tout juste de me faire jeter d'un train roulant à trop grande vitesse pour moi. Laisse-moi le temps de me relever, de constater la gravité de mes blessures.

— Désolé ! Mais, puisque tu regrettes ce long voyage dont tu parles, ce qui t'arrive aujourd'hui te donne l'occasion de monter dans un autre train qui te conviendrait mieux.

Léo ne voyait aucun autre train venir.

— Vraiment ? Lequel ?

— En voiture… pour la littérature ! répondit Antoine avec un franc sourire.

Son enthousiasme ne fut pas contagieux. Léo lui adressa un regard vide.

— Et à quel titre ? lui demanda-t-il.

— D'écrivain bien sûr !

Léo souffla un « Pffft… ».

— La belle affaire ! J'écris un roman aujourd'hui, un éditeur le publie demain et, le surlendemain, je remporte le prix Nobel de littérature. C'est bien ça, Antoine ?

— Ben, je t'accorde quand même six mois de plus pour y arriver.

Léo sourit malgré lui.

— Pauvre Antoine ! Je ne suis pas Hemingway. Je ne fais pas partie de ce monde-là. J'ai cinquante-cinq ans, Antoine… Tu veux savoir ce que je vais faire ? Demain, je profiterai d'abord du congé qu'on m'a si magnanimement offert pour réfléchir. Puis…

Léo s'interrompit pour soupirer, puis pour faire cul sec.

— Ah ! Non, non et non. Je n'ai plus de temps à perdre. C'est tout réfléchi. Je remets ma démission dès demain.

Antoine sursauta. Il n'avait jamais vu son ami réagir aussi rapidement en situation de crise.

— Ben, dis donc, tu en as mis du temps à te relever ! Tu es bien certain de prendre la bonne décision ?

— Bonne ou mauvaise, c'est ma décision finale. Tu sais quoi ? Je me sens déjà un homme libre, confirma Léo, tout sourire. Alain... Il te reste du champagne ?

— On fête quoi cette fois-ci, Léo ?

— Ma liberté...

Sur ces entrefaites, l'excentrique cliente d'Alain, accoutrée, de pied en cap, de fourrures disparates, retrouva sa place habituelle. Alain s'excusa puis se dirigea vers elle.

— Bonsoir, Madame...

— Bonsoir, jeune homme. Un verre de vin blanc, je vous prie.

— Bien, Madame... Euh ! Je suis désolé, j'ai oublié votre nom...

— Ne vous affolez pas. Votre mémoire ne vous fait pas défaut puisque je ne vous ai jamais dit mon nom. « Madame » me sied très bien.

Bredouille, Alain se dirigea vers le comptoir, sourire aux lèvres. Il commençait à trouver cette singulière cliente plutôt rigolote avec son langage recherché.

La soudaine exubérance de Léo décontenançait un peu Antoine qui craignait d'avoir influencé sa décision.

— Léo, la liberté, tu sais... Tu n'en as pas l'habitude. Il faut savoir l'apprivoiser. Comment feras-tu ?

Léo devint songeur.

— Rien de plus simple. Je relirai l'œuvre de Molière. C'est amusant, Molière. J'irai au cinéma le mardi. Et il y a les téléromans...

Dite calmement, sans ironie, la réponse de Léo inquiéta cette fois Antoine. Il se retrouvait maintenant en compagnie d'un homme troublé qui avait un long historique de psychose maniaco-dépressive.

— Et si l'on parlait d'autre chose maintenant ? poursuivit Léo, coupe de champagne à la main.

Antoine éprouva un mauvais pressentiment.

— Tu n'as pas envie de rentrer chez toi pour aller te reposer un peu ? On pourra se voir demain, si tu veux.

— Je veux... Je veux du champagne. Ce soir, on fête. *Viva la libertad* ! rétorqua Léo.

Alain adressa un regard interrogateur à Antoine, qui répondit d'un simple haussement d'épaules.

— J'y pense... Je t'ai apporté la photo...

— Ha ! Oui, la photo... Quelle photo ?

Antoine s'en voulut aussitôt d'avoir peut-être choisi le mauvais moment.

— Une photo de Prudence.

— Oui, fais voir...

Antoine retira une enveloppe blanche de son sac de cuir, l'ouvrit, puis tendit la photographie à son ami. Léo l'examina longuement avant de se tourner vers Antoine.

— Elle est magnifique, ta fille. Elle a tes yeux, elle est toi. Ne perds pas ton temps à discuter ici avec moi. Va vite la retrouver.

— Allons-y ensemble, proposa Antoine.

— Impossible ! J'ai trop de choses à faire ici.

Léo n'ironisait toujours pas. Antoine n'insista pas.

— Je t'ai aussi apporté d'autres photos, mais...

— Oui ? Alors montre...

Antoine se leva et déposa une douzaine de clichés sur le comptoir. Léo ne bougea pas. Son apathie stupéfia Antoine qui réagit quelques secondes plus tard.

— Te souviens-tu de ceci ? lui demanda-t-il en lui présentant une première photo.

— Nous deux...

— Oui, mais l'endroit… Tu le reconnais ?

— …

— C'est dans le grand champ de la rue Sauriol, avant la construction du collège Regina Assumpta. Regarde, derrière nous, la cabane que mon père nous avait aidés à construire.

— Notre cabane… Bon Dieu !

En entendant Léo ainsi s'exclamer, d'une voix chevrotante, Antoine angoissa. Il eut l'impression d'être penché au-dessus de l'épaule d'un vieillard et d'être en train de lui décrire, d'un ton infantilisant, des photographies datant d'une époque lointaine. Il se rassit aussitôt.

— Tu n'es pas obligé de regarder tout ça maintenant, Léo.

— Au contraire ! Plus que jamais…

Les mots de Léo résonnèrent à l'oreille d'Antoine comme un cri de détresse qu'il tenta aussitôt d'interpréter. Puis il se ravisa. « Plus que jamais… » Ça ne voulait probablement rien dire, rien d'intentionnel, rien d'alarmant en tout cas.

Léo se mit à rire en regardant la deuxième photo.

— Tiens ! Toi et moi avec nos vélos. Ton CCM orange et mon Raleigh bleu.

— La photo est en noir et blanc…

— Oui, mais mon souvenir est en couleur. Et ici… Toi et moi au parc Belmont…

— …

— Regarde ! Toi, moi et le pauvre André. Il n'avait que douze ans lorsqu'il…

Léo regarda quelques autres photos puis il commenta la dernière.

— Juste toi et moi. La date est écrite au verso... Le 6 avril 1964... À l'occasion de ton vingtième anniversaire.

— C'est ta sœur qui nous avait immortalisés. Notre dernière photo... Léo, je ne me sens pas très bien. Je crois que je vais rentrer.

— Es-tu malade? Je veux dire... physiquement.

— Non, ce n'est pas ça.

— Alors je sais ce dont tu as besoin. Alain, c'est l'heure de la pizza.

Le barman regarda Antoine qui, la mine déconfite, consentit d'un signe de tête.

Comme s'il avait peur qu'on l'entende, Léo regarda soudain par-dessus son épaule gauche, puis son épaule droite.

— Béatrice est revenue, dit-il à voix basse.

— Qui?

— Béa...

— Tu l'as revue?

Léo leva les mains à la manière d'un prédicateur sur le point de faire une grande révélation.

— Est-ce que je t'ai déjà raconté le cauchemar qui m'a longtemps hanté au cours de mon enfance?

Dans la bouche de Léo, le mot « cauchemar » ne pouvait être qu'un mauvais présage. Antoine se crispa.

— Je ne crois pas...

Léo serra l'avant-bras gauche d'Antoine.

— Vers l'âge de cinq ans, je faisais régulièrement le même cauchemar. Il était si terrifiant que je m'en suis toujours souvenu. Accroupi devant la fenêtre de ma chambre, le cœur battant, j'observais un défilé qui s'était mis en branle à l'autre bout de la rue et venait vers nous. Aux balcons des maisons et sur les trottoirs, les gens brandissaient de petits drapeaux et acclamaient une femme costumée en princesse, droite et triomphante à la proue d'un char allégorique. Moi, je savais qu'elle était méchante et qu'elle me cherchait pour me faire du mal. Plus elle approchait de chez moi, où j'étais seul, plus j'étais effrayé. Puis son char s'immobilisait tout près de notre maison, elle regardait en direction de la fenêtre de ma chambre. J'étais pétrifié. Et c'est toujours à ce moment-là que je m'éveillais en sursaut et en sueur. Toujours le même cauchemar, nuit après nuit. Le soir, je ne voulais plus me coucher. Je ne voulais plus dormir. Je ne voulais plus avoir peur.

L'air hagard, Léo relâcha l'avant-bras d'Antoine.

— Tu vois ?

Préoccupé par l'état mental de Léo, Antoine n'avait pas vraiment écouté son récit cauchemardesque.

— Oui... Bon... Mais que vient faire Béa dans tout ça ?

— Haaa... Enfant, je n'ai jamais pu distinguer le visage de ma sorcière déguisée en princesse. La nuit dernière, soit un demi-siècle plus tard, j'ai fait le même cauchemar, mais je l'ai cette fois reconnue... C'était Béa !

Ne sachant que dire, Antoine toussota, comme s'il eût cru que cette simple action réussirait à dissiper la troublante errance de son ami, dont la physionomie se transformait. Les yeux clos, Léo, accoudé au comptoir, joignit les mains et les porta à ses lèvres. Antoine tenta alors de le ramener à la réalité.

— Léo, nous avons récemment parlé de Béa. Présente dans tes pensées, elle est tout simplement apparue dans ton rêve.

Léo se tourna vers Antoine, les yeux exorbités.

— Mais on n'avait pas parlé de Krimbell et il était là lui aussi, sur le trottoir devant chez moi.

— De qui ?

— Krimbell, Krimbell, le vieux Krimbell, tu sais... L'assassin de la rue Marquette... Et ce n'est pas tout...

Désemparé, Antoine ne savait plus comment réagir à l'incohérence des propos de Léo et, surtout, face à sa peur panique.

— Je ne te suis plus, Léo.

— Tu ne comprends pas ? C'est pourtant clair ! Antoine, je suis dans la mire de Jos Destin. Béa et Krimbell sont ses suppôts. Il y a complot. On veut m'éliminer.

La gorge serrée, Antoine se leva lentement et se dirigea à l'autre bout du comptoir.

— Alain, commande un taxi s'il te plaît...

***

Tête inclinée, Alain lisait les titres au dos de certains livres disposés à hauteur de vue sur l'un des rayons de la bibliothèque de Léo.

L'œuvre, d'Émile Zola; *Les rêveries du promeneur solitaire*, de Jean-Jacques Rousseau; *Notre-Dame de Paris*, de Victor Hugo...

— Il dort maintenant, lui annonça Antoine en entrant au séjour.

— Tu ne penses pas qu'on aurait mieux fait de l'emmener à l'hôpital ? Ça me semble quand même sérieux... son truc.

— À la vue du mot URGENCE, il aurait sans doute davantage sombré dans son... truc, répondit Antoine en se laissant choir dans le fauteuil de lecture de Léo.

Alain prit place à une extrémité du sofa. Bumby, à l'autre extrémité, en position de sphinx, semblait écouter la conversation des deux étrangers.

— Tu l'avais déjà vu dans un pareil état ?

— Pareil, non. Semblable, oui. Il y a longtemps. Merci de nous avoir raccompagnés, Alain. Tu devrais rentrer chez toi maintenant. Moi, je dormirai ici.

— Je reste aussi. Puisque je suis le seul à posséder une voiture… On ne sait jamais ! Au fait, vous n'avez jamais eu de bagnole, vous deux ?

— Bien sûr que si ! J'ai vendu ma Jaguar l'année dernière.

— Tu roulais en Jaguar, toi !

— Lapsus ! Je voulais dire Mazda.

— Toujours le mot pour rire… Et Léo, lui ?

L'expression d'Antoine s'assombrit.

— Il ne conduit plus depuis… l'accident.

— Quel accident ?

— Ah ! Je te raconterai une autre fois peut-être.

Bumby s'allongea en fermant les yeux.

— Antoine, écoute, il parle…

— Non, il déparle. Tu veux un café ?

— Allongé…

— Et après, tu me fais le plaisir de rentrer chez toi.

Rien de l'environnement du comptable n'étonna Alain. Tout y était en ordre. Tout ressemblait à ce qu'il connaissait de Léo. En tendant le bras pour flatter le chat gris, il remarqua une photo et un dessin encadrés, accrochés au mur au-dessus de la table de travail. Il se leva pour aller voir l'œuvre de plus près. Un portrait à l'encre. Celui de Léo.

— Il te plaît ? lui demanda Antoine en revenant de la cuisine. Je lui avais offert, quelques jours après son vingt-cinquième anniversaire.

— Ça fait un bail, mais je l'ai reconnu avant même de lire le titre, écrit de ta main j'imagine… *La bouille de*

Léo vue par Antoine. Dans ton genre stylisé, tu as bien saisi son regard tristounet. Et cette photo de lui avec une guitare ?

— Celle de son père…

— Il en jouait ?

— Léo ? Il en gratouillait. Il disait que la musique dans sa tête s'égarait avant de se rendre au bout de ses doigts… ou quelque chose du genre.

Des cahiers d'écolier à couverture bleue, méticuleusement disposés en trois piles sur la table de travail, attirèrent ensuite l'attention d'Alain.

— Léo fait encore des devoirs ?

— Ce sont sûrement ses cahiers d'écriture dont il m'a parlé.

— Intéressant ! Comme Hemingway…

Antoine regarda Alain d'un air intrigué.

— Tu ne connais pas Ernest Hemingway ?

Le regard du grand Filion se fit perçant.

— Non, je suis un abruti. Mais qu'est-ce que tu crois ! Bien sûr que je le connais… même si je ne l'ai jamais lu. Mais quel rapport avec les cahiers de Léo ?

Conscient qu'il était venu très près de vexer encore une fois Antoine, Alain mit une sourdine à son ton railleur.

— À son époque parisienne, Hemingway écrivait aussi dans des cahiers d'écolier à couverture bleue.

Antoine fronça les sourcils.

— Et comment sais-tu ça, toi ? Tu étais là ? demanda-t-il, moqueur.

— Moi, non, mais mon ex-patron à Paris, oui. Jeune serveur, au café *La Closerie des Lilas*, il avait connu Hemingway.

Alain toucha la couverture du premier cahier de la pile du centre.

— Non ! Non, on ne l'ouvre pas, on ne le lit pas, on n'y touche même pas.

Un sourire coquin apparut sur le visage encore juvénile du Marseillais.

— Ouais... Mais il est vrai que ce serait quand même intéressant de... dit Antoine.

Alain pouffa de rire.

Quelques minutes après le départ d'Alain, Antoine entendit Léo ronfler comme un bûcheron. Il poussa Bumby, étendu sur sa veste de cuir, pour en retirer son paquet de cigarettes. Le vieux chat miaula son mécontentement. Sachant fort bien qu'il ne trouverait pas de cendrier dans l'appartement de Léo, Antoine s'accommoda d'une soucoupe. Il prit place dans le fauteuil de l'avide lecteur. Pensant aux événements tumultueux de la soirée, il se souvint que Léo avait, avant de déraper, mentionné Hemingway. Il trouva alors étrange le rapprochement entre ses cahiers d'écolier et ceux du romancier américain.

« Simple coïncidence ! »

Antoine était convaincu que Léo retrouverait ses esprits à son réveil, mais il était néanmoins inquiet. Il craignait que le bipolaire ne soit victime d'une grave phase dépressive pendant son séjour à Paris.

Léo ne ronflait plus. En revenant de la cuisine, un verre de jus de canneberge à la main, Antoine entrouvrit la porte de sa chambre. Il dormait paisiblement. Antoine n'avait pas sommeil. Il se dirigea vers la bibliothèque qui couvrait un mur entier. Sans grande conviction d'y trouver autre chose que des classiques littéraires, il y chercha néanmoins un livre à « regarder ». Il sourit en y découvrant un roman érotique.

— Maudit Léo !

Sur un rayon inférieur, il aperçut plusieurs biographies d'écrivains et d'artistes, dont celles de Charles Baudelaire et de Camille Claudel. Une autre attira particulièrement son attention : *Hemingway et son univers*. Il retira le livre à couverture jaune du rayon et reprit place dans le fauteuil de cuir. En feuilletant le livre, il fut ravi de découvrir de nombreuses photos de l'écrivain. Au chapitre sur Paris, il aperçut une photo de la *Closerie des Lilas* et, quelques pages plus loin, une photo de Hemingway avec son jeune fils, surnommé... Bumby. Antoine referma le livre. Léo était, de toute évidence, fasciné par l'auteur de la génération dite perdue, comme il l'avait autrefois été par Émile Nelligan, dont il s'était même cru la réincarnation, à une époque ésotérique de sa vie. Antoine trouva curieux que son ami se soit toujours vivement intéressé à la vie de créateurs aux destins tragiques.

« Faut croire que les grands artistes ne sont pas de ces gens heureux qui n'ont pas d'histoire », conclut-il avant de s'assoupir.

6

Le jeudi 12 décembre 1974

Comme tous les jours de tombée, Antoine était d'une humeur exécrable. Le directeur artistique des Publications du Faubourg savait qu'il devait immanquablement, ces jours-là, s'attendre à l'inattendu.

— Oui ? beugla-t-il en portant le combiné à son oreille.

— Je te dérange ?

— Salut, Léo ! Je suis en *deadline*, mais une fripouille comme toi ne me dérange jamais.

— Ça va, aux magazines ?

— Comme disait mon oncle Gérard, ça va comme c'est mené et c'est bien mal mené.

— Écoute, je parlais de toi hier avec Catherine…

— J'espère que tu ne dis pas tout de moi à ta belle Catherine.

— Bien sûr que non ! Dans le cas contraire, elle ne t'inviterait sûrement pas à souper à la maison demain soir.

— C'est vrai, vous m'invitez ?

— À 6 heures précises…

— Et j'apporte quoi ?
— Ton charme inhabituel et une bouteille de rouge.

***

Antoine aimait bien Catherine Levasseur.

« Épouse-la ! » avait-t-il conseillé à Léo lorsqu'il l'avait rencontrée à l'occasion d'un dîner que l'amoureux fou avait planifié. Sensible au fait que Léo anticipait le plaisir de lui présenter sa nouvelle blonde, Antoine, qui abhorrait les sorties de « couples », avait accepté l'invitation. Ce soir-là, le coureur se présenta au *steak house* de la rue Fleury, accompagné d'une donzelle qu'il avait « levée » la veille dans un bar du Vieux-Montréal. Antoine avait apprécié la simplicité, l'humour et la discrétion de Catherine, qui était de plus l'une des leurs puisqu'elle avait grandi à Ahuntsic.

Profitant de l'absence momentanée des deux femmes, Léo s'était empressé de s'informer des premières impressions d'Antoine.

— Cesse de chercher. Celle fille-là est vraiment pour toi. Si tu la laisses filer, tu auras affaire à moi. Pas mal ce vin ! On prendra bien une autre bouteille ?

Léo avait été stupéfait.

— Si tu peux, en moins de deux, reconnaître la femme que j'attends depuis l'âge de douze ans, pour quelle raison n'arrives-tu pas à trouver celle qui te rendrait heureux ?

Croisant les bras, Antoine sourit, étonné que son ami de longue date ne comprenne pas encore qu'il n'était pas du genre d'homme à se consacrer à une seule femme pour le reste de ses jours.

— Mais je suis heureux, Léo. Contrairement à toi, je ne suis pas fait pour l'amour avec un grand « A ». Ce n'est pas dans ma nature. Je finirais par tout gâcher.

— Attention, elles reviennent…

***

Léo venait de rentrer chez lui lorsque Catherine, emmitouflée, apparut dans la cuisine de leur logement de la rue Berri.

— Tiens, le petit renne au nez rouge… D'où viens-tu ?

— De la librairie.

— Je n'aime pas que tu sortes seule en hiver. Les trottoirs sont glacés. Tu pourrais tomber, te blesser. Et il n'y a pas assez de livres ici ?

— Pas sur la maternité.

— Évidemment ! Ils ne m'auraient pas été d'une grande utilité.

Puisque ce serait leur dernier Noël dans ce que Catherine appelait leur premier nid d'amour, elle avait envie de recevoir pour le réveillon.

— Louise, son mari…

— Le notaire de Ville Mont-Royal a sûrement déjà accepté une invitation plus mondaine.

— Invitons, nous verrons. Ma mère, mon frère, sa fiancée…

— Et Antoine ?

— Bien sûr ! Comment oublier le célèbre Antoine Filion ! Avec sa barmaid, sa starlette ou sa danseuse exotique ?

— Avec les trois, voyons ! Alors là, je suis persuadé que notre notaire Lepotiron accepterait volontiers de se joindre à nous.

— Arrête donc ! Tu es bien tannant, toi, ce soir !

— Pas tannant, ma douce, joyeux, heureux.

— Au fait, as-tu invité Antoine à souper ?

— Il sera ici demain à 6 heures… pas très précises.

***

En fin d'après-midi, Antoine avait encore une fois envoyé paître la directrice de l'un des hebdos dont il assurait la conception visuelle.

— Occupe-toi de tes « journaleux » et ne viens pas m'emmerder avec ton expertise artistique de peintre à numéros.

— Écoute-moi bien, le *nobody*, n'oublie pas que…

— Que tu es la belle-sœur de l'éditeur et que tu vendais des godasses au *Miracle-Mart* avant que ta sœur pleurniche pour qu'il t'embauche ? Va donc au diable... Et là, je suis très poli. En fait, à bien y penser, je démissionne, je m'en vais, je suis parti… Démerde-toi !

Deux heures plus tard, le nouveau chômeur stationna son Opel GT grise devant son bistro préféré, où il avait réalisé une murale illustrant le cabaret montmartrois *Le Lapin Agile*. Antoine y était connu comme Barabbas dans la passion… du divertissement et de la luxure.

— Antoine, s'écria Jules, le moustachu parigot qui faisait le service en salle.

— *The one and only* !... comme on dit chez vous. T'as vu Annette ?

— Trop tôt ! répondit le garçon en déposant des bocks sur le plateau de marbre d'une table occupée par quatre étudiants.

— Et Sophie ?

— Trop tard ! Elle vient de quitter. Ta table est libre...

— C'est vraiment mon jour de chance, maugréa Antoine en prenant place, dos à son œuvre. De cet endroit stratégique, il pouvait avantageusement observer l'arrivage des premières noctambules.

Annette, sa nouvelle « prospecte », s'y présenta bientôt mais, à son grand dam, accompagnée d'un jeune chanteur populaire.

« Calvaire ! »

Cette déception incita finalement Antoine à rentrer chez lui plus tôt que prévu.

« Quel bordel ! » fit le séducteur en apercevant les reliefs du repas de mets chinois partagé la veille avec des collègues de travail, dont une timide stagiaire qu'il n'avait pas réussi à retenir chez lui après le départ des autres.

Le témoin lumineux de son répondeur téléphonique clignotait.

« Bon, bon, bon... Madame la directrice veut s'excuser. Tant pis ! Trop tard ! »

Antoine, qui n'était plus heureux aux Publications, ne regrettait pas son coup de tête. Il avait connu des situations beaucoup plus précaires. Il n'éprouvait aucune crainte. Ses talents d'illustrateur pourraient encore une fois lui servir de bouée de sauvetage.

Il sourit en pensant que son sage ami Léo serait éberlué lorsqu'il lui annoncerait la nouvelle, le lendemain soir. Puis il appuya sur le bouton *PLAY* de son répondeur.

« Antoine... C'est Louise. Léo est à l'hôpital Sacré-Cœur. Léo et Catherine ont eu un accident. Antoine... Catherine est décédée. »

7

Le jeudi 16 décembre 1999

Antoine rassura Alain sur l'état de santé de Léo, qu'il avait appelé et visité à quelques reprises depuis sa soirée de grande confusion.

— Il ne se souvient pas de tout, mais il sait qu'il a déraillé. Il a décidé de revoir un psychiatre.

— De revoir un… ?

Comme si le mot avait été tabou, Alain avait omis de répéter « psychiatre ». Puis Antoine en vint aux faits en lui racontant les conséquences de l'accident de Léo.

— C'est là que tout a vraiment commencé…

Le barman inclina la tête et resta immobile un long moment.

— Je ne verrai plus jamais Léo de la même façon. Je sais maintenant d'où il vient.

— Et lui, il s'en souvient trop bien. Tu dois me promettre de ne jamais lui en parler.

— Promis ! Mais raconte quand même un peu…

Antoine n'eut pas à réfléchir bien longtemps. Depuis ce soir de décembre, il s'était souvent remémoré le tragique événement.

— Je devais dîner chez lui le lendemain. Léo voulait faire des courses pour acheter des décorations de Noël. Il ne s'est jamais pardonné d'avoir insisté pour que Catherine l'accompagne au centre commercial ce soir-là. À Laval, un chauffard brûla un feu rouge. C'en était fait ! Alain, Catherine était enceinte de cinq mois. Une fille...

Alain resta bouche bée un instant.

— Putain de vie ! Toi, tu verras ta fille dont tu ignorais l'existence, alors que Léo n'a jamais vu celle que sa femme et lui attendaient avec bonheur. Quelle absurdité !

Léo s'était toujours senti coupable de la mort de sa femme qu'il adorait et, bien sûr, de leur bébé. Physiquement, Léo, très amoché durant quelques mois, s'en était finalement bien tiré, mais moralement... Il en avait bavé un coup pendant des années. Puis il s'était forgé un semblant de vie normale. Il se consacrait à son travail. Ses loisirs se limitaient à ses livres et au cinéma. Les histoires des autres lui faisaient sans doute temporairement oublier la sienne.

— Et sa vie amoureuse ?

— À vrai dire, inexistante. Il a toujours cru être amoureux des femmes qu'il a connues, longtemps après Catherine, mais il ne l'a jamais vraiment été. À travers elles, il cherchait toujours sa Catherine. Pas étonnant qu'elles l'aient toutes quitté l'une après l'autre. On pourrait croire que Léo ressent le besoin de se flageller avec ses fausses peines d'amour.

Sans mot dire, Alain sortit de derrière son bar, se dirigea vers deux gaillards qui venaient de faire leur entrée, puis les escorta aussitôt vers la sortie.

— Que se passe-t-il ? lui demanda Antoine, intrigué.

— Je les connais, ces deux-là. Je ne veux pas de dealers de dope dans mon établissement.

— Mais ces deux mastodontes, qui t'ont obéi sans rouspéter, auraient pu t'aplatir en moins de deux...

— J'en doute. Je leur ai dit que tu étais un sergent détective de l'escouade des narcotiques... armé.

Antoine bondit de son siège.

— T'es fou ?

Alain s'esclaffa.

— T'as les j'tons ? Mais non ! J'ai simplement mentionné un nom qui les a fait chier dans leur froc.

— Quel nom ?

— Tu ne veux pas le savoir.

Antoine comprit le message. Alain devint songeur.

— Quelque chose ne va pas ? Ces deux bums ?

— Non, non... Je me demandais simplement... Comment expliques-tu ce qui est arrivé à Léo, jeudi dernier ?

— Comment expliquer ?... Je pense que c'est un cocktail de facteurs qui l'a fait... s'égarer. D'abord le rejet de la part de ses employeurs. Chez lui, je me suis par ailleurs rendu compte qu'il n'avait pas pris ses médicaments depuis un certain temps.

— Quels médicaments ?

— Je ne suis pas pharmacien ! Sur sa table de chevet, son pilulier hebdomadaire contenait encore ses doses du lundi, du mardi, du mercredi, du jeudi... Depuis combien de semaines, je l'ignore. Plus le scotch et le champagne... Dans son cas, le cocktail hallucinogène parfait ! Il faut aussi savoir que notre Léo est de plus un grand émotif à l'imagination trop fertile. Il a parfois de la difficulté à faire la distinction entre la réalité et la fiction. Et ce n'est pas d'hier !

— Exemple...

— Jeudi dernier, l'as-tu entendu mentionner le nom Krimbell ?

— Je ne crois pas.

— Krimbell était un bonhomme d'un certain âge un peu bizarre qui vivait dans notre rue. Il n'aimait pas beaucoup les enfants. Il sortait de chez lui en criant dès qu'un jeune avait le malheur de mettre un pied sur sa pelouse. Léo le craignait autant que le bonhomme Sept-Heures. Un soir d'été, André, l'un de nos amis, est disparu. Quelques jours plus tard, on a retrouvé son corps en bordure de la rivière des Prairies. À l'école et dans le quartier, cette tragédie nous a tous marqués, mais c'est Léo qui a mis le plus de temps à s'en remettre. Il ne dormait plus, il ne mangeait plus et il ne voulait plus sortir de chez lui sans moi. Quelque temps plus tard, la police a procédé à l'arrestation d'un homme qui a été condamné pour ce crime, mais Léo est resté convaincu que le véritable coupable était Krimbell. Bref, la semaine dernière, Krimbell, dont j'avais même oublié le nom, est réapparu dans son délire.

— Ce qu'il doit s'en passer des choses dans sa tête !

— J'ignore comment un cerveau fonctionne, et encore moins celui de Léo, mais il est mon ami et je sais comment son cœur fonctionne. Je ne l'abandonnerai jamais.

Faisant la moue, Alain saisit un chiffon puis commença à polir énergiquement son faux marbre.

— Quelque chose te... chiffonne, Alain ?

Le barman s'arrêta sec d'astiquer.

— Tu as dit à Léo que tu songeais à t'installer à Paris. Ça fait peut-être aussi partie du « cocktail de facteurs » qui a entraîné son... truc.

— Peut-être, Alain, peut-être... Si j'ai longtemps hésité à lui parler de mon prochain séjour à Paris et de tout le reste, c'est probablement parce que je craignais qu'il ne réagisse mal. Alain, si je m'installe là-bas, je veux que Léo vienne y vivre aussi.

La déclaration d'Antoine agaça Alain.

— Tu veux ? Mais si Léo, lui, ne veut pas, hein ? Pour quelle raison devrait-il s'adapter à la vie que tu choisiras pour toi-même ?

— Ho ! Je ne l'oblige pas, tu sais. S'il veut rester ici, c'est son droit.

— D'accord, mais ne dis pas que tu ne l'abandonneras jamais.

— Paris, ce n'est quand même pas, comme il le croit, au bout du monde. Et le téléphone, ça existe encore, il me semble !

— Ouais…

Sentant Antoine sur le point de s'impatienter, Alain n'insista pas.

— Tu crois qu'il viendra ce soir ?

— Je ne sais pas, répondit sèchement Antoine.

Alain grimaça. Antoine éteignit sa mèche courte.

— Toi qui connais si bien Hemingway, sais-tu comment il avait surnommé son fils ?

— Aucune idée.

— Bumby. C'est le nom du chat de Léo.

— Eh ben ! J'espère que son cerveau n'est quand même pas obnubilé par Ernest.

— Pourquoi tu dis ça ?

— Hemingway s'est suicidé.

— Ça, je sais. Léo me l'a déjà dit.

***

Les mains enfoncées dans les poches de sa canadienne, Léo déambulait sur la rue Sainte-Catherine. S'arrêtant à une intersection, il regarda en direction de *L'attrait*. Le néon défectueux de l'enseigne du bar scintillait. Il recula d'un pas puis fit volte-face. Il se confondit aux badauds et aux « magasineurs » du temps des Fêtes. Depuis le 12 décembre 1974, les décorations, les chants et tout ce qui évoquait les réjouissances de Noël le troublaient profondément. En cette période de l'année, Léo aurait toujours voulu se voir ailleurs, mais il était conscient qu'il ne pourrait jamais, où qu'il aille, quoi qu'il fasse, se dérober au spectre de son Noël noir. Pour lui, le père Noël était vraiment une ordure.

***

Sur le comptoir lustré, Antoine glissa une feuille de papier blanc pliée vers Alain.

— Une lettre d'amour ?

— Mes coordonnées à Paris. J'ai un petit service à te demander…

— Compris ! Je prendrai des nouvelles de Léo et je te tiendrai au courant.

— Tu comprends vite…

— Évidemment, je suis Français ! Tu es inquiet ?

— Exception faite de la trop courte période au cours de laquelle Catherine a partagé la vie de Léo, je l'ai en quelque sorte toujours été.

— Pauvre Léo ! Il a dû vivre une apocalypse…

À l'hôpital, souffrant de multiples fractures et plongé dans un état second médicamenteux, Léo appelait Catherine. Il ne savait pas. Louise lui avait appris son décès plus tard, après l'inhumation. Louise et Antoine avaient tenté de le recoller, morceau par morceau.

***

Tandis qu'il marchait droit devant lui, tête inclinée, Léo fut accosté par un mendiant.

— Monsieur, je vous connais, vous…

— Non, dit-il, sans relever la tête.

— Oui. Regarde-moi… Je suis Michel Lamoureux…

Le regard de Léo rencontra celui de l'homme barbu à la longue chevelure grisonnante.

— Michel de la rue Prieur qui collectionnait des timbres ? demanda-t-il au mendiant qui lui tendait la main.

— Ben oui… T'aurais pas un dollar à me donner pour un café ?

— Je… Oui, oui…

L'air ahuri de Léo n'étonna pas son ancien compagnon de classe, dont la fierté avait depuis longtemps fait place à l'instinct de survie.

— Toi, tu es Léo…

— Léo Provencher…

— Oui… Juste un dollar…

Léo lui tendit un billet de dix dollars, rapidement empoché.

— Merci, mon ami. Dieu te le rendra…

« J'en doute… » pensa à son tour Léo en regardant Michel Lamoureux s'éloigner. Encore ébranlé par cette rencontre, il rebroussa chemin, puis courut presque.

***

Agité, Antoine demanda l'heure à Alain.

— Dix-huit heures et des poussières...

— Il ne viendra pas. Ça le gêne, surtout par rapport à toi.

— Il a tort. Je le considère aussi comme un ami.

— Alors dis-lui lorsque tu le verras.

Antoine tourna instinctivement la tête vers la porte vitrée.

— Eh, le voici !

Essoufflé et les joues rougies par le froid, Léo s'avança rapidement vers Antoine.

— Tu ne devineras jamais qui je viens de rencontrer... Salut Alain !

— Salut Léo !

Son entrée fulgurante rassura Antoine... ou presque.

— Qui, Léo ? Qui as-tu rencontré ?

— Michel Lamoureux, répondit-il en enlevant son manteau.

— Une bière, Léo ?

— Un café, Alain... Merci !

Léo prit place sur son siège.

— Qui est Michel Lamoureux ?

— Mais oui, tu le connais. Il a été dans notre classe jusqu'en septième année. Il était presque aussi grand que toi. Il habitait sur la rue Prieur. Il zézayait et il avait une sœur un peu plus âgée que lui, une grande blonde...

— Oui, oui, oui...

Alain profita bien sûr de l'occasion pour taquiner Antoine.

— Ben voilà, Léo. Fallait d'abord lui rappeler la grande blonde. Autrement, comment voulais-tu qu'il se souvienne de ce mec ?

Léo gloussa. Son apparente bonne humeur réjouit ses deux compères.

— Je ris, mais ce n'est pas drôle. Si vous saviez...

Soupirant entre ses dents, Alain reprit son chiffon.

— Michel est un itinérant, un clochard. Par ce temps froid, il quête dans la rue, vêtu de guenilles. On lui donnerait vingt ans de plus que nous. Comment a-t-il pu sombrer dans une telle misère ? Il a pourtant grandi dans une famille bien. Je me souviens même qu'il y avait une compétition entre lui et moi pour l'obtention des meilleures notes à l'école.

Antoine n'en crut pas ses oreilles. Léo avait-il déjà oublié ?

— Ça n'a rien à voir, Léo. Des coups durs, ça peut arriver à tout le monde. Beaux, fins, intelligents, éduqués, riches... On n'a pas tous de bons amis pour nous aider à nous sortir du pétrin.

Alain crut alors qu'Antoine faisait allusion au soutien moral qu'il avait apporté à Léo, à la suite de l'accident. Et il se dit qu'Antoine avait commis une bourde en rappelant son drame à Léo, déjà si instable. Mais Alain ne pouvait pas savoir. Et il ne saurait jamais.

Puis Léo, qui semblait vouloir monopoliser la parole, peut-être par crainte qu'on lui rappelle les événements du jeudi précédent, passa du coq à l'âne.

— Et vous ne devinerez jamais ce que j'ai découvert ce matin à la librairie...

— Des livres ? fit Antoine.

— Un roman dont le titre est... *Alain et les autres hommes de ma vie...*

Le sourire en coin d'Antoine précéda de peu le commentaire auquel Alain s'attendait.

— *Good* ! On découvrira enfin tous les petits secrets de la vie sexuelle débridée de notre barman préféré…

— Neuneu ! fit Alain.

— Je ne sais pas. Je n'ai pas acheté le livre, mais j'en ai lu le bref résumé. L'héroïne y raconte ses histoires d'amour. Adolescente, elle vivait à Ahuntsic. Drôle de coïncidence quand même ! Je ne connais pas l'auteure. Elle signe son premier roman…

— Tu devrais peut-être l'appeler pour lui demander comment elle a fait pour écrire plus que des mots, des phrases, des paragraphes, puis en profiter pour aussi lui demander si son Alain a un accent marseillais teinté de mauvais québécois, dit Antoine, pince-sans-rire.

— Bonne idée ! Je communiquerai avec elle après avoir acheté et lu son livre. Et je lui demanderai aussi si un certain Antoine aurait été lui aussi parmi les autres hommes de la vie de son héroïne.

Léo et Alain pointèrent Antoine du doigt en riant. Alain se réjouit de voir Guignol et Barbarin recommencer à s'amuser comme des adolescents.

Puis Léo, rassuré par la discrétion de ses amis, aborda lui-même le sujet épineux.

— Les gars, je m'excuse pour l'autre soir…

— L'autre soir ? Je ne vois pas… Toi, Alain ?

— L'autre soir ? Non, je ne vois pas…

— Merci, messieurs.

Vers les 20 heures, le barman, qui avait déridé ses deux seuls clients de la soirée avec des récits de ses frasques de jeunesse, décida de mettre la clé dans la porte de *L'Attrait*.

— Mes amis, je vous propose une bonne bouffe dans une trattoria tout près d'ici.

— Je pense savoir laquelle, même si je n'ai jamais eu l'occasion d'y aller, s'empressa de commenter Léo.

— Cette petite flèche, mon cher Alain, a été visée en ma direction, précisa Antoine. Mais es-tu sérieux ? Et le bar ?

— Ce n'est sûrement pas l'abondante clientèle qui s'en plaindra.

Apercevant le trio sortir de *L'Attrait*, Madame, qui s'y rendait, le suivit à distance jusqu'au restaurant *Chez Renato*.

— *Alain, come sta ?*

— *Bene, Domi, bene e tu ?*

— *Molto bene, grazie… Una tavola per tre ?*

Alain présenta ses deux amis à l'aimable maître d'hôtel.

— Alors, une table pour trois… Près de la fenêtre, ça vous convient ?

— Oui, Domi, merci. Renato ?...

— Dans son bureau. Je lui dirai que tu es là. Installez-vous. Le serveur sera avec vous à l'instant.

Les fiasques vides de chianti accrochées aux murs, çà et là, rappelèrent un autre endroit à Antoine : *Chez Terzi*. Un petit hôtel de bois rond des Laurentides où ses parents l'emmenaient, parfois en compagnie de Léo.

Alain se réjouissait de pouvoir partager un premier vrai repas avec ses nouveaux amis. Épaté de constater qu'Alain était bien connu dans cette trattoria, Léo, qui s'y sentait bien, se balançait sur sa chaise, heureux comme un chat faisant ronron.

— Je connais Domi depuis longtemps.

Antoine regarda Léo.

— Alain connaît beaucoup de gens, mais tu ne veux pas savoir leurs noms, lui dit-il sur un ton indifférent.

Alain ne réagit pas. Léo ne comprit pas.

— Que recommandes-tu ? demanda Léo à l'habitué de la place.

— Ici, pas d'erreur possible. Les pâtes, le veau, le poulet... Tout est délicieux. Et la polenta est exquise.

En entendant les premières notes de *Volare*, Léo pensa à son père et au temple du *night life* montréalais dans lequel il avait travaillé. Enfant à l'époque, Léo ne pouvait pas vraiment se souvenir et encore moins savoir que ce cabaret de renom des années 1940 avait été situé exactement à la même adresse que *L'Attrait*.

Un homme aux tempes grises, vêtu d'un complet noir impeccable, s'approcha de la table des trois convives. Alain se leva et lui fit la bise.

— Renato, je te présente mes amis, Antoine et Léo...

Souriant, le patron leur serra la main.

— *Buona sera ! Buona sera !* Ce soir, vous êtes mes invités. Alain, as-tu dit à tes amis que ma polenta est la meilleure en ville ?

— *Si, padrino...*

— Ça va à *L'Attrait* ?

— Oui, mais ce soir j'ai décidé de fermer plus tôt pour venir te saluer avec mes amis.

— Très bien ! Revenez nous voir, messieurs. Les amis d'Alain sont nos amis !

Léo sourit, Antoine blêmit. Renato se retira en leur souhaitant *buon appetito*.

— Avec le poulet cacciatore, la polenta, c'est excellent, souligna Alain.

— C'est quoi de la polenta ? demanda Léo.

— C'est une espèce de galette de maïs...

Antoine l'interrompit.

— J'ignorais que tu parlais italien.

— Un peu. J'ai appris dans la rue, à Marseille, l'informa Alain en tournant la tête vers la fenêtre. Mais, c'est… Regardez ! C'est Madame de l'autre côté de la rue…

— Qui ? demanda Léo en tentant d'apercevoir la personne en question.

— Ma cliente bizarre qui m'appelle « jeune homme ». Trop tard, elle est partie.

Domi déboucha une bouteille de valpolicella et fit goûter à Alain.

— *Bene, grazie…*

Les trois hommes levèrent leur verre.

— C'est vraiment bien ici et le patron est sympathique, commenta Antoine.

— J'y viens assez régulièrement.

— Nul doute ! Dis donc, comment as-tu appelé Renato tout à l'heure ? Je n'ai pas bien compris…

— Ben… Renato ! répondit Alain en adressant un regard soutenu à Antoine.

— Oui, mais tu as aussi dit… « pa… » quelque chose…

— Ha ! *Padrino* ?

Candide, Léo s'empressa de traduire.

— Ça veut dire « parrain ». N'est-ce pas, Alain ?

— Renato est ton… parrain, Alain ? demanda Antoine.

Le barman savait très bien ce que le grand « A », voulait insinuer.

— Oui, Antoine, mais pas au sens catho. Renato m'a aidé lorsque je suis arrivé à Montréal. J'ai même travaillé ici quelques années. Alors disons qu'il m'a parrainé. C'est donc avec reconnaissance et respect que je l'appelle parfois *padrino*. Vu ?

— C'est clair !

— C'est bien ! enchaîna Léo, plus émoustillé par la compagnie d'Antoine et d'Alain dans ce lieu charmant aux lumières tamisées que par son premier verre de vin. Les décorations de Noël aux couleurs de l'Italie et le party de bureau qui y allait bon train ne semblaient d'ailleurs pas l'incommoder.

À brûle-pourpoint, Léo demanda à Antoine qui le déposerait à l'aéroport.

— Un chauffeur de taxi.

— Pas question ! Je t'y accompagnerai avec Léo...

— Bonne idée ! approuva l'ex-comptable qui avait, la veille, réglé ses affaires chez Walker, d'où il était reparti sans regret et, finalement, avec une acceptable prime de séparation.

Antoine aurait préféré se rendre seul à l'aéroport, mais il ne voulait pas décevoir son ami qui, manifestement, y tenait.

— Alors, que voulez-vous que je vous rapporte de Paris ? Des porte-clés en forme de tour Eiffel ? demanda Antoine en riant.

— Un sous-verre de la *Closerie des lilas*, répondit Alain en clignant de l'œil.

Léo restait muet.

— Et toi, Léo ? Un livre en particulier ?

— Non. De belles photos de Prudence en compagnie de son père... et de sa mère.

— Ce sera fait, mon Léo. Des photos exprès pour toi, lui promit Antoine, ému.

Après avoir savouré un copieux repas, les trois hommes commandèrent de la grappa.

— *Buona fortuna !*

8

Le jeudi 13 décembre 1984

En début de semaine, Léo, qui avait horreur des salons funéraires, s'était rendu, accompagné de Louise, à celui où le père d'Antoine était exposé. L'odeur des fleurs lui donna la nausée dès son entrée dans le hall. Prenant son bras, sa sœur l'entraîna dans le salon où peu de gens étaient rassemblés.

Léo perdait tous ses moyens devant ce qu'il appelait des « reposoirs de dépouilles ». Lorsqu'il aperçut Antoine, debout devant le cercueil, souriant, causant avec une jeune femme, il en fut presque scandalisé. Quand son propre père était décédé, moins d'un an plus tôt, Léo avait eu les yeux dans l'eau pendant une semaine.

Traînant les pieds sur le tapis grisâtre qui avait aussi connu de meilleurs jours, Léo s'approcha de madame Filion, qu'il n'avait pas revue depuis une dizaine d'années. En l'apercevant, la brave femme, qui avait toujours considéré Léo comme son deuxième fils, se leva et le serra très fort contre elle.

« Ça me fait plaisir de vous revoir », lui dit Léo, en regrettant aussitôt ses paroles. À son sens, le mot « plaisir » était, dans les circonstances, inapproprié. Sentant un certain malaise chez son frère, Louise prit sa relève auprès de la veuve.

— Léo…

— Antoine…

Léo saisit son ami à bras-le-corps, mais il ne trouva pas les mots pour lui offrir ses condoléances.

— Merci, Léo…

— Conscient qu'il était à côté de ses pompes, Antoine le guida vers le vestibule.

— Écoute, ça te semblera sans doute hors d'ordre de ma part, mais j'avais déjà organisé un 5 à 7 pour mes collaborateurs et j'aimerais bien que tu te joignes à nous, jeudi, à *La Ruche*.

L'invitation embarrassa Léo.

— Mais je ne connais personne…

— Ne t'inquiète pas, ce sera très intime. Après, nous aurons tout notre temps pour parler. Ce soir, c'est un peu difficile.

Léo, qui avait effectivement trouvé le moment mal choisi pour parler d'une réunion mondaine, avait finalement accepté l'invitation d'Antoine.

***

Léo quitta son bureau un peu plus tôt qu'à l'ordinaire pour s'assurer d'arriver à *La Ruche* à 17 heures précises. Avant de trouver le courage de sonner à la porte du studio d'art commercial, situé tout près du Forum de Montréal, il fit les cent pas devant l'escalier de la maison de pierres grises durant cinq bonnes minutes.

« Bon Dieu ! Qu'est-ce que je viens faire ici ? » bougonna-t-il.

Il fut alors tenté de rebrousser chemin, mais son sens du « devoir » le guida vers la porte jaune de *La Ruche*. Une grande jeune femme rousse portant jupe à mi-cuisse lui ouvrit. Un nuage de fumée et une musique disco à plein volume se projetèrent sur le boulevard de Maisonneuve.

— Je viens pour...

— Entrez, entrez, c'est bien ici...

Une vingtaine de personnes festoyaient déjà entre des tables à dessin, des bureaux, un bahut couvert de canapés et un bar bien garni. Effaré, le comptable regretta aussitôt de s'être introduit dans cet antre d'artistes et de « beau monde ». Apercevant Léo qui, debout près de la penderie, semblait avoir été changé en statue de sel, Antoine se dirigea vers lui.

— Léo... Viens que je te présente mes petites abeilles vedettes, lui dit le maître apiculteur de *La Ruche* en l'entraînant vers un divan occupé par trois filles rieuses que deux dandys baratinaient.

Léo eut un coup de chaleur.

— Excusez-moi, messieurs... Léo, je te présente la belle et talentueuse Anaïs; Mariette, l'illustratrice qui s'illustre partout où elle passe; et, à sa gauche, mon bras droit... la pétillante Pétra. Mesdemoiselles, voici Léo, mon ami de toujours.

Les trois filles « écourtichées » adressèrent un sourire de convenance à l'« ami de toujours » qu'Antoine, accaparé par une arrivante, avait abandonné à son sort de laissé-pour-compte. Au milieu de ce tohu-bohu, Léo se sentait aussi impopulaire qu'un « W » dans un jeu de Scrabble.

En sortant des toilettes, où il s'était réfugié pour s'éponger le visage, il aperçut, debout près du bar, une mignonne petite femme brune, sobrement vêtue, qui semblait aussi dépaysée que lui. Il se dirigea vers elle sans la regarder. Il se servit un verre de scotch puis il lui sourit timidement.

— Bonsoir, je suis Christine...

— Léo... un ami d'Antoine.

— Il n'y a que ça ici, des amis d'Antoine, souligna-t-elle, un peu ironiquement.

— Nous nous connaissons depuis notre enfance.

— Alors ça change tout.

Le sourire de Christine mit ses fossettes en valeur.

— Vous êtes l'une de ses... abeilles ?

— Oh non !... Je suis une cliente de *La Ruche*.

Ce qui rassura déjà Léo, qui entrevoyait Antoine butinant d'une invitée à une autre.

— Le père d'Antoine est décédé la semaine dernière, dit-il, déjà en panne de conversation.

— Je sais. Je lui ai parlé le lendemain. Il était bouleversé.

— Vraiment ?

Christine le regarda avec étonnement.

— Enfin... Oui, bien sûr. Je voulais dire qu'Antoine n'est pas du genre à...

— Montrer ses émotions ? Certaines personnes ont parfois plus de facilité à les révéler à des étrangers qu'à des proches.

Du coup, un peu vexé, Léo conclut néanmoins que l'« étrangère » avait formulé son observation sans malice. Son regard lui semblait trop limpide pour qu'elle puisse se prêter à des « bitcheries ».

Vêtu d'un costume noir et d'une chemise blanche déboutonnée à mi-poitrine, Antoine, bouteille de bière à la main, se dirigeait vers eux.

— Chère Christine… Tu as rencontré Léo…

— Comme tu vois ! Et j'ai même appris que vous étiez des amis d'enfance.

— Les plus grands ! Prends bien soin de lui. Je vous retrouverai tout à l'heure, on me demande.

Léo n'avait plus envie de s'esquiver. Il était sous le charme. Il ne voyait plus que Christine.

— Pour quelle entreprise œuvrez-vous ?

— La mienne. *Mode Mode*. Relations publiques pour des designers et des boutiques de vêtements haut de gamme. Pour le visuel de nos campagnes de publicité, je fais appel aux services de *La Ruche*. Et vous ?

— Moi ? Euh !… Je suis comptable.

— Intéressant ! J'aurai peut-être besoin de vos services un jour.

Léo ne précisa pas qu'il était à l'emploi d'une importante firme spécialisée en comptabilité de management et dont la clientèle était triée sur le volet.

— Nous pourrions peut-être en parler… prochainement, car je dois maintenant vous quitter.

L'expression de Léo fut transparente. Sa déception toucha Christine.

— J'ai un fils qui espère un câlin de sa maman avant son dodo. Voici ma carte de visite. Au plaisir, Léo !

Ragaillardi, Léo observa Christine se frayer un chemin vers la sortie. Au passage, elle salua Antoine qui caressait le dos nu de son « bras droit ». Il lui fit la bise puis elle disparut derrière deux filles filiformes qui dansaient lascivement en se bécotant.

Léo retira la carte de visite d'une poche de sa veste : Christine Provost. Au même moment, une blonde exaltée au bustier révélateur s'agrippa à son bras.

— Baisons !

— Désolé, je préfère les garçons, répliqua-t-il, étonné de son audace.

Vers les 21 heures, la faune de *La Ruche* commença à se disperser. Pétra appuya sur le bouton *OFF* de la chaîne stéréo, adressa un regard complice à Antoine puis elle monta à l'étage. Léo et son hôte se retrouvèrent bientôt seuls au milieu de ce qui pouvait ressembler à un silencieux champ de bataille enfumé, jonché de corps morts : bouteilles, verres et assiettes vides.

— Ça va, mon vieux ?

— On ne peut mieux ! Merci de m'avoir invité.

— Alors, Christine ?...

— Très gentille...

— Gentille, trente-deux ans, divorcée, ambitieuse mais honnête, avec du caractère mais aussi de la sensibilité.

— Et elle s'appelle Christine ! ajouta Léo, transporté.

Antoine crut comprendre que Léo était émerveillé parce que le prénom de sa cliente constituait une assonance avec celui de Catherine. Léo avait plutôt fait un rapprochement avec le personnage du roman *L'œuvre*, de Zola. Dans l'esprit fantaisiste de Léo, certains personnages romanesques devenaient des êtres réels. Et inversement, certaines personnes se métamorphosaient en des personnages à l'image de ceux qui le captivaient.

Les fantasmes d'Antoine étaient d'un tout autre ordre. L'ex-directeur artistique et illustrateur pigiste qui dirigeait maintenant depuis un peu plus de trois ans sa florissante petite entreprise, fabulait sur le plan professionnel.

Revenant de la cuisinette en balançant une bouteille de bière au bout d'une main, Antoine aperçut Léo en train de faire du rangement.

— Laisse ça ! Ma ménagère s'en occupera demain matin. Viens t'asseoir, j'ai à te parler.

Antoine s'affala sur le divan, but une gorgée au goulot et regarda Léo qui avait pris place sur le fauteuil à roulettes de Pétra.

— Léo, mes affaires vont merveilleusement bien et je veux t'en faire profiter. D'ici deux ans, *La Ruche* emménagera dans de spacieux locaux dans les hauteurs de la Place-Ville-Marie. *The sky's the limit…* J'ai tout planifié. Mon petit studio deviendra la plus importante agence de publicité à Montréal. Et toi, mon ami, tu y occuperas le poste de v.-p. aux finances.

Depuis qu'il avait confié la responsabilité de la création à Pétra, Antoine s'occupait, comme il se plaisait à le dire, du *PR* de *La Ruche* : dîners d'affaires dans des restos à la mode; matchs de golf et voyages de pêche avec des *big shots*; vêtements griffés; Porsche cabriolet; fréquentation de top-modèles en herbe; cocaïne…

Léo s'était rendu compte que son ami avait changé, particulièrement au cours de la dernière année. Son discours était devenu condescendant et son égocentrisme flagrant. L'artiste était devenu un directeur de PME mégalomane.

— Fais gaffe, Antoine. L'ambition démesurée perd son homme.

— Erreur, mon vieux. C'est la peur du succès qui tue son homme. Comme mon père… Il refusait d'évoluer, de se moderniser, de prendre de l'expansion, de voir grand. Résultat ? La compétition l'a bouffé. Ça ne m'arrivera pas, Léo. Ça ne m'arrivera jamais.

Antoine but une longue gorgée puis il fixa Léo, en attente d'une réplique qui ne vint pas.

— Au fait, j'ai des billets de saison pour les matchs du Canadien au Forum. Bancs rouges. Tu n'auras qu'à me faire signe lorsque tu voudras y aller.

Léo ne s'en réjouit pas.

9

Le jeudi 23 décembre 1999

Antoine avait bouclé sa valise la veille. Au cours de l'avant-midi, Gilbert l'avait appelé pour lui confirmer qu'il viendrait le chercher à Charles-de-Gaulle. Les circonstances faisaient en sorte que le Français d'adoption anticipait plus que jamais ses retrouvailles avec son camarade. Il lui tardait de voir Prudence en compagnie de l'homme qui lui avait donné la vie.

Antoine errait d'une pièce à l'autre, du rez-de-chaussée à l'étage, de l'étage au rez-de-chaussée. Pour la deuxième fois, il ouvrit puis referma successivement les quatre tiroirs de sa commode pour s'assurer qu'il n'avait pas oublié la chemise ou le pull indispensable pour l'occasion imprévisible. Le souffle court, il s'assit sur le bord de son lit défait.

« Ça n'a pas de sens, je dois me calmer », se dit-il en se laissant tomber à la renverse.

Au cours de l'après-midi, il appela Léo.

— C'est aujourd'hui, lui rappela-t-il.

— Je sais…

— Qu'est-ce que tu fais ?

— Je lisais…

— ...

— *L'hiver de force*... Réjean Ducharme... Je ne l'avais pas encore lu.

Les précisions de Léo auraient eu le même effet sur un sourd.

— Léo, je ne tiens plus en place.

Trente minutes plus tard, Léo sonna chez Antoine. Lorsque son ami lui ouvrit, Léo se mit à rire.

— Eh ben ! On s'est rasé de près pour aller rencontrer sa fille et la mère de sa fille... Beau bonhomme !

— Je ne voudrais quand même pas que Prudence pense que je suis plus âgé que je ne le suis en réalité.

— Et sa mère non plus ! commenta Léo, l'air taquin.

La vaste pièce principale de ce qui avait été *La Ruche* n'était plus meublée que de la vieille table à dessin d'Antoine, d'un ordinateur, d'un divan de cuir bleu craquelé et décoloré, d'un chevalet sur lequel reposait une toile blanche de grand format et d'un fauteuil dans lequel Léo prit place.

— Un café ?

— Non, merci.

Léo détourna la tête. Au bout d'un long moment, son « absence » piqua la curiosité d'Antoine.

— Chaque fois que tu viens ici, c'est-à-dire rarement, tu fixes le même mur blanc et nu !

La remarque d'Antoine tira Léo de sa rêverie.

— Dans mon souvenir, il n'est pas nu. J'y vois un bahut, un bar et surtout elle... à qui je pense encore.

— Qui, elle ?

— Christine. Après Catherine, elle aurait probablement été la seule femme que j'aurais pu vraiment aimer. Jamais je ne l'ai rappelée. J'avais trop peur que ça ne fonctionne pas... pour elle.

— Léo, ça fait quinze ans! Laisse aller… J'ai bien déserté mes châteaux en Espagne, moi…

Antoine avait depuis longtemps fait son mea culpa pour les extravagances et les écarts de conduite qui avaient causé sa déroute morale, professionnelle et financière. À cause de son laxisme, de ses idées saugrenues et de sa suffisance, ses clients les plus importants avaient successivement renoncé aux services de *La Ruche*. Sous l'emprise de sa poudre de perlimpinpin, il avait alors conclu que ses compétiteurs avaient comploté pour le discréditer et pour l'empêcher de concrétiser ses projets de « génie ». Victimes des emportements fréquents de leur patron et de son arrogance, lasses de l'atmosphère chaotique qui régnait au studio, Pétra et les abeilles d'Antoine l'avaient finalement quitté sans préavis. L'aventure de *La Ruche* avait duré cinq années. Des huissiers se heurteraient bientôt à une porte close. Antoine avait disparu.

Dans tous ses états, Léo n'arrivait plus à le joindre depuis deux semaines. Il conservait néanmoins l'espoir que son ami, un battant de nature, réapparaîtrait d'un moment à l'autre pour tout bonnement lui dire : « Salut, mon vieux ! »

Sous la couverture fade du lit défoncé d'un motel vétuste de la Rive-Sud, le disparu était pris de convulsions. Il ne savait plus où il était. Il ne dormait plus, il s'évanouissait. Il ne mangeait plus, il vomissait. Il ne vivait plus, il mourait lentement.

Un matin pluvieux du mois d'août, le gérant de l'établissement, suivi de deux policiers, déverrouilla la porte de la chambre numéro 6. Antoine ne se souviendrait pas de son transport en ambulance.

Un jour ensoleillé du début de novembre, Léo l'avait accueilli à sa sortie d'un centre de désintoxication pour cocaïnomanes.

***

Léo regarda la toile vierge sans mot dire. Pour la deuxième fois en moins de cinq minutes, Antoine ouvrit et referma son sac de voyage.

— As-tu ton passeport ?

— Oui et mon billet aussi…

— Es-tu prêt ?

— Allons retrouver Alain. Partons !

Comme Antoine l'avait exigé, Alain le déposa à l'étage des départs de l'aéroport de Mirabel. Le voyageur ne voulait pas que ses amis l'accompagnent à l'intérieur. Alain retira sa valise du coffre de la voiture. Sac en bandoulière, Antoine saisit son bagage de la main gauche puis tendit la main droite à Alain en le remerciant.

— Tout ira bien, Antoine. Amuse-toi et n'oublie pas de faire la bise à Prudence de la part de son tonton québécois, lui dit Léo en lui serrant la main à son tour.

— Merci, Léo. Je te donne des nouvelles dès que possible.

Antoine se dirigea aussitôt vers les grandes portes vitrées.

Silencieux, Alain et Léo roulaient sur l'autoroute 15 en direction de Montréal. À la radio, le fou chantant interprétait *Ménilmontant*, l'un de ses grands succès de la fin des années 1930.

… C'est là que j'ai laissé mon cœur, c'est là que je viens retrouver mon âme…

— On croirait que Trenet connaît Antoine, dit Alain.

— Antoine découvrira s'il avait laissé son cœur à Paris, mais, chose certaine, il y retrouvera son âme.

Antoine avait présélectionné un siège côté couloir, mais, pour une raison obscure, il se retrouva côté hublot. Du pied, il poussa son sac sous le siège devant lui, puis il boucla sa ceinture. Il regardait distraitement des travailleurs s'affairer sur le tarmac lorsqu'un passager bienveillant plaça la valise à roulettes d'une femme de forte corpulence dans le compartiment des bagages à main de sa rangée. En se laissant choir dans le siège du milieu, la grosse femme fit sursauter Antoine.

— Ouf!... Aïe!... Monsieur... c'est bien la rangée 23?

— Oui, madame...

— C'est bien l'avion pour Paris?

— Je l'espère bien...

Antoine détourna la tête, mais les trémoussements de sa voisine attirèrent encore une fois son attention.

— Voyons donc! Je n'ai pas de ceinture, s'écria-t-elle, affolée et gesticulant.

— Je crois que vous êtes assise dessus...

Agacée, la face écarlate, la passagère se contorsionna, soupira, souffla, donna du coude et de l'épaule à Antoine, puis extirpa finalement les extrémités de sa ceinture de sécurité de dessous son séant. Pour tenter de conjurer son mauvais sort de passager en classe économique, Antoine ferma les yeux.

— J'ai hâte d'arriver. Avec cette histoire du bogue de l'an 2000, j'ai tellement peur que l'avion tombe. Je m'en vais voir ma fille. Josée a marié un Français. Un homme riche. Un « eurochirurgien ». Elle vit à « Nully ». C'est comme l'Outremont de Paris vous savez... Pis vous, vous allez faire quoi là-bas?

Le juron préféré d'Antoine resta coincé au niveau de son larynx. Il réussit néanmoins à soupirer en se tournant vers sa voisine.

— Je suis en mission secrète, mais je vais vous le dire, murmura-t-il.

La mère de Josée tendit aussitôt l'oreille.

Antoine, dont la patience et la tolérance n'avaient jamais figuré parmi les plus grandes qualités, lui révéla alors, l'air grave, l'objectif de sa mission.

— Je dois rencontrer le président français pour conclure l'échange de notre Stade olympique contre leur tour Eiffel.

Le bobard d'Antoine était si gros, si ridicule et méprisant qu'il s'attendit à être vertement invectivé, mais sa voisine susurra tout simplement un : « Ha ? ».

Alors que le regard de Madame du Milieu trahissait encore sa confusion, Monsieur Hublot aperçut, ébahi, un sosie de l'actrice américaine Uma Thurman se poser gracieusement dans le siège côté couloir.

« Je suis sûrement la première victime du bogue de l'an 2000 », pensa Antoine, frustré.

Il avait peine à croire qu'il se rendait à Paris pour rencontrer « sa » fille, dont il ignorait encore l'existence à l'époque où il était venu près de passer de vie à trépas. Il tenta une nouvelle fois d'imaginer comment son parcours aurait pu être différent si Emmanuelle lui avait annoncé sa grossesse. Il se perdait en conjectures depuis le jour où Gilbert l'avait stupéfié avec « l'annonce faite à Antoine ». Il ignorait comment il aurait pu assumer ses responsabilités de père puisque sa situation financière était alors encore bien précaire.

L'appareil commença à rouler sur la piste. Résolu à mettre fin à ses questionnements stériles, notamment sur le choix qu'avait fait Emmanuelle de mettre son enfant au monde, Antoine sortit un magazine de la pochette au dos du siège devant lui. Au décollage, une autre question à laquelle il n'avait su répondre, lui revint néanmoins à l'esprit. Celle de Léo : « Tu l'aimais ? »

Après avoir dîné *Chez Renato* en compagnie d'Alain, Léo rentra chez lui. Dans son appartement, qu'il avait précipitamment quitté pour se rendre chez Antoine, il retrouva Bumby qui dormait sur le divan et, sur son fauteuil, le roman de Ducharme qu'il avait refermé sans y insérer un signet. De la fenêtre de son séjour, qui donnait sur le chemin de la Côte-des-Neiges, il regarda un instant les véhicules qui, à 21 heures, circulaient encore presque pare-chocs contre pare-chocs.

« Les maudites Fêtes… »

Léo se sentit soudain vulnérable. Craignant qu'une nouvelle crise d'angoisse ne le dépossède de sa raison, il tenta d'éliminer cette menace en faisant tourner un vieux disque que son père avait enregistré avec son trio. Aux premiers accords rythmés de *How High The Moon*, il exécuta quelques pas de danse en claquant des doigts. *Somewhere there's music…* ses yeux s'embuèrent.

Léo s'éveilla, recroquevillé sur son divan. Il jeta un coup d'œil à sa montre. Deux heures du matin.

« Antoine arrivera bientôt à Paris. »

Il se leva péniblement, puis il éteignit la lumière avant de se diriger vers sa chambre, suivi de Bumby.

10

Le jeudi 22 décembre 1994

Antoine avait depuis longtemps perdu sa disposition à la « grandeur ». Son rêve démesuré d'incessamment dominer le monde de la publicité s'était dissipé avec sa consommation de poudre blanche.

À sa sortie du centre de désintoxication pour cocaïnomanes, huit ans plus tôt, Léo, qui avait déjà payé les arrérages de son loyer, l'accueillit chez lui. Léo acquitta alors ses autres dettes personnelles, notamment celles qu'il avait contractées avec son « aimable » usurier qui ne se formalisait pas des lois sur la faillite. Les risques de représailles écartés, Antoine put réintégrer sa *Ruche*, dépossédée de sa dénomination sociale. Il se remit alors au travail, vaille que vaille. La recherche de clients mit sa nouvelle humilité à rude épreuve. Frappant aux portes de petites entreprises, l'ex-président du studio d'art commercial le plus branché en ville se sentait aussi vulnérable qu'un illustrateur débutant. Aucune commande n'était trop insignifiante. Il acceptait tout. Il faisait des concessions. Antoine devait gagner sa vie et il tenait surtout à rembourser, le plus tôt possible, les quelque vingt mille dollars qu'il devait à Léo. Pour y arriver, le mégalomane repenti se retrouvait le soir, vêtu de l'uniforme gris anthracite des gardiens de nuit d'un gigantesque entrepôt d'électroménagers. Pendant près de trois ans, il sollicita d'éventuels clients le jour et réalisa ses illustrations la nuit, tout en trouvant amplement le temps de regretter le jugement de petitesse qu'il avait porté sur son père. La semaine où il réussit à totalement rembourser Léo, Antoine quitta l'emploi dont Léo n'eut jamais vent.

***

Après sa journée de travail, Léo se présenta chez Antoine qui le reçut, tout sourire, vêtu d'un jean délavé et d'un tee-shirt noir portant l'inscription : « Cave mais pas con ».

Léo rigola.

— Alors, c'est toi le cave qui préparera le dîner ?

— Pas con ! Je commande du poulet barbecue.

En se débarrassant de sa canadienne, Léo aperçut, dans la grande pièce, un ancien téléviseur RCA sur l'écran duquel Bugs Bunny s'animait en noir et blanc.

— C'est pas vrai ! Ça fonctionne encore cette antiquité-là ?

— Comme tu vois ! Ses antennes, munies de deux tampons de laine d'acier, font encore des merveilles, quand on peut se contenter de deux postes. Il n'y manque que le son.

— Bravo ! Où as-tu pêché ça ?

— Je lui ai sauvé la vie. Ce matin, mon voisin l'a mis aux ordures. Je me suis dit que quelqu'un avait peut-être vu Maurice Richard compter son 544e but sur cet écran-là…

Malgré le nombre d'années qui unissaient les deux amis, les zones grises de la personnalité d'Antoine confondaient encore parfois Léo.

— Je ne te savais pas aussi… sentimental.

— Alors tu me connais mal, constata Antoine, d'un ton flegmatique.

Il se dirigea aussitôt vers la cuisinette pour en rapporter deux bouteilles de bière.

— Tu n'avais aucun rendez-vous galant ce soir ? demanda Léo.

— Aucun ! Pas envie… Pas d'argent… *No money, no candy…*

— Tu fréquentes une fille en particulier de ce temps-ci ?

— Non, comme d'habitude. Toutes les filles en général.

— Faute de mieux, tu as alors pensé à inviter ton vieux Léo à dîner, répliqua le comptable, à la blague.

Antoine, qui n'avait pas vu Léo, le mois précédent, à l'occasion de son cinquantième anniversaire, avait plutôt pensé que ce serait agréable de partager une soirée tranquille avec lui.

— Qu'as-tu fait le jour de ton anniversaire ?

— Au bureau, on me devait du temps et, puisque je n'avais pas envie de travailler ce jour-là, je me suis baladé. Après, je suis allé voir ma mère chez Louise.

— Et où t'es-tu baladé ? lui demanda Antoine, l'air narquois.

Léo lui jeta un coup d'œil, puis haussa les épaules comme un gamin sur le point d'avouer un mauvais coup.

— Ben oui, à Ahuntsic, sur la rue Marquette et jusqu'à notre école. Tu n'y es jamais retourné, toi ?

— Non. À quoi bon !

— Devant notre p'tite école, j'ai pensé à Lemelin et à Lacroix.

— Ouais… Les futurs policier et felquiste. Faut croire que notre école était déjà… polyvalente. Te souviens-tu de la sœur volante ?

— L'émission de télé ?

— Non, la sœur de Lacroix. Elle voulait devenir hôtesse de l'air. Je l'appelais la sœur volante.

L'expression de Léo signifia qu'il n'avait aucun souvenir de cette fille qui, de six ans l'aînée d'Antoine, le faisait fantasmer.

— Savais-tu qu'il n'y a plus de *Dairy Queen* sur la rue Papineau près de Fleury ?

Antoine s'esclaffa.

— Léo, depuis sa démolition, il y a environ trente ans, tu me l'as dit au moins trente fois.

L'attachement de Léo au quartier où il avait vécu une grande partie de sa vie ne cessait d'ébahir et d'amuser Antoine.

Lorsqu'il allait marcher dans les rues du quartier qui l'avait vu grandir, devenir un adolescent puis un jeune homme, Léo faisait abstraction des transformations qui l'avaient, à son sens, quand même un peu dénaturé. Les « institutions » qui avaient disparu, il les recréait dans son esprit grâce à ses souvenirs : le supermarché *Thrift*; le snack-bar du coin et sa « machine à boules »; la station-service Fina construite au cours de son enfance… Léo l'idéaliste ne savait pas composer avec le changement, les brisures, les ruptures. Il n'acceptait pas que des sources de joie ou de bonheur s'assèchent; que le temps érode de belles années; que la magie se transforme en désillusion. Les personnes et les choses qui entraient dans sa vie par la voie du cœur n'en ressortaient jamais.

— Tu sais ce que j'ai eu envie de faire ? demanda Léo, l'air espiègle.

— Retrouver Ti-Rouge pour lui donner une bonne raclée ?

— Non, j'ai eu envie de sonner à la porte de mon ancien logement pour demander au locataire de le visiter.

Léo ne le précisa pas, mais il éprouvait cette envie chaque fois qu'il jouait au touriste dans son ancien quartier.

— Et pourquoi tu ne l'as pas fait ?

— Parce que ça ne se fait pas.

Antoine hocha lentement la tête.

— Toi...

— Quoi ?

— Je parierais mon tee-shirt que tu louerais ce logement s'il était disponible.

— Voyons donc !

— Léo... Avec toi, le passé tarde à passer. Tu es tombé dans la marmite de la nostalgie quand tu étais bébé. Parlant de marmite, je commence à avoir un p'tit creux moi. Cuisse ou poitrine ?

— Cuisse...

— J'en étais sûr. Moi, je suis plutôt un homme de... poitrine, dit Antoine en ajoutant un « Ha ! Ha ! Ha ! » d'autodérision.

Il se leva et se dirigea vers l'appareil téléphonique, dissimulé sous une pile de croquis.

Les deux amis se rencontraient peu souvent chez l'un ou chez l'autre pour parler de tout et de rien, pour blaguer, pour « niaiser » comme ils disaient lorsqu'ils étaient enfants. Ce soir-là, Léo se réjouissait de revivre un tel moment de complicité avec Antoine.

— C'est fait ! Monsieur Poulet est en route. Veux-tu écouter de la musique ?

— Comme quoi ?

— Comme... ce que tu voudras. *Black Sabbath* ? lui demanda Antoine pour plaisanter.

— Connais pas !
— Bon, d'accord. Claude Léveillée…

Au début des années 1960, Léo avait réussi à convertir son ami – brebis encore égarée dans la géhenne du *rock and roll* – à la musique des auteurs-compositeurs-interprètes français et à celle des chansonniers québécois. Les prédications de Léo avaient d'ailleurs grandement profité de la présence des sosies de Juliette Greco qui, dans les boîtes à chansons, vouaient un culte à Claude Gauthier et autres jeunes troubadours. Léo se plaisait à dire que ce fut à partir de l'époque où Antoine commença à fréquenter *La Butte à Mathieu* à Val-David puis *Le Saranac* à Ahuntsic qu'il fut « coulé » dans son pull à col roulé noir.

— Alors, dis-moi, ça va le marché de l'illustration ?
Antoine déboucha une bouteille de vin blanc.
— Ce n'est plus ce que c'était, pour moi du moins, mais ne t'en fais pas, j'arrive à payer mon loyer, à manger au moins deux fois par jour et même à m'offrir occasionnellement de petites sorties. J'ai une Mazda artistiquement rouillée, un jean usé, de la bière dans le frigo… Que pourrais-je souhaiter de plus ? Et toi, les chiffres, ça va ?
— Je gagne bien ma pitance. Je vais au cinéma une fois ou deux par semaine. J'ai mes livres, mon chat et, comme toi, de la bière dans le frigo. C'est la vie !
Antoine but une gorgée de vin puis il regarda son ami.
— La vie, vivre… Qu'en disait ton ami Nelligan déjà ?
— Euh… *Qu'est-ce que le spasme de vivre, Ô la douleur que j'ai, que j'ai* !
— Voilà ! Je ne suis pas certain de comprendre, mais je sens ce qu'il dit.

— Alors tu as compris. C'est ça, la poésie.

— Alors merci la poésie... Et voici le poulet...

Antoine se rendit à la porte en sifflotant *Les Rendez-vous*.

— Viens, on s'installe à la cuisinette...

Les deux hommes se mirent à table. Nappe à carreaux rouges et blancs tachée. Assiettes dépareillées. Ambiance décontractée.

— Antoine, te souviens-tu de notre joie lorsque nos parents commandaient du poulet qui nous arrivait dans des boîtes en forme de grange ?

— Pour moi, c'est encore la fête, même si les boîtes sont maintenant moins attrayantes et que le poulet n'a plus le même goût qu'autrefois.

Léo regarda son interlocuteur tremper son pain dans la sauce puis manifestement se délecter même si, de l'aveu même d'Antoine, la sauce n'avait pas non plus le même goût qu'autrefois.

Se pourléchant les babines, Antoine, qui croyait avoir entendu toutes les questions imaginables de la part de Léo, n'était pourtant pas au bout de ses peines.

— Antoine, crois-tu que nous avons raté nos vies ?

Antoine leva lentement la tête.

— Mange, ton poulet va refroidir. Raté nos vies ? Impossible ! Nous n'avions pas de manuel d'instructions du genre « Comment réussir votre vie », pas de plan de match pour nous guider. À mon humble avis, on ne peut pas rater ce qui n'a pas d'abord été planifié. Nous avons tout simplement fait ce que nous avons pu. Et qu'est-ce qui te fait croire que nous n'avons pas vécu la vie que nous devions vivre ? Tiens, bois un autre verre de vin...

Du bout des doigts, Léo prit une frite.

— Oui, tu as peut-être raison, mais…

— Mais quoi ?

— Lorsqu'on ressent un grand vide dans sa vie, ce n'est sûrement pas parce qu'on l'a réussie.

— J'imagine que tout le monde doit ressentir, pour une raison ou une autre, à une période ou une autre, un vide dans sa vie. T'as vu ce que Kurt Cobain a fait en avril dernier ?

— Qui ?

— Bon… Dalida alors… Ton Gainsbourg, tu dois bien le savoir, chante les suicidés dans Chatterton.

Léo réfléchit un instant.

— Tu veux dire qu'on devrait se suicider ?

Antoine soupira.

— Mais non ! Je crois que j'ai tout simplement voulu dire que l'on doit reconnaître la nature de nos vides pour tenter de les combler. Mais, pour certaines personnes désespérées c'est… kaput ! Salut la compagnie ! Léo, allons au bout de nos vies, juste pour voir ce qui nous arrivera. Il te reste de la sauce ?

Rassasié, Antoine alluma une cigarette.

— Dis donc, qu'est-ce que tu fais à Noël ?

— Louise m'a invité à dîner, le 24. J'ai accepté pour faire plaisir à ma mère qui tombera de fatigue à 21 heures. À 23 heures, je serai moi-même dans mon lit avec un bon livre. Le jour de Noël, je ne ferai rien. Et toi ?

— La veille, j'irai peut-être chez une copine. À Noël, rien.

— Alors, on pourrait peut-être rien faire ensemble...

— Pourquoi pas ! Et l'on ferait quoi finalement ?

— Rien !

— Ce que tu peux être con !

— Mais pas cave…

Fous rires.

11

Le jeudi 30 décembre 1999

Le vendredi précédent, soit le 24 décembre, Gilbert avait, tel que promis, accueilli Antoine à l'aéroport. Dix-neuf années s'étaient écoulées depuis leur dernière rencontre.

— L'enfant prodigue ! s'écria Gilbert en voyant son ami apparaître dans la salle des arrivées.

— Vieux faux Français de mes deux !

Émus, Antoine et Gilbert se firent l'accolade, puis ils se regardèrent, se scrutèrent même, comme pour tenter de reconnaître le visage de leur jeunesse à travers leurs traits vieillis. Depuis 1980, Bébert avait pris de la brioche. Sa chevelure maintenant éparse avait aussi grisonné. Mais son sourire était toujours aussi engageant.

Les « bozardeux », comme leurs amis de l'École appelaient les deux inséparables, roulèrent bientôt sur l'autoroute du Nord en direction de Paris. Ils n'arrivaient pas à engager une conversation de circonstance, c'est-à-dire au sujet du motif qui avait amené Antoine à se rendre à Paris.

— Quel temps fait-il à Montréal ?

— Neigeux, comme en décembre. Et ici ?
— Toujours aussi humide à cette époque de l'année.
— Et ta peinture ?
— Ça va ! Et le décalage, pas trop pénible ?
— Ça va ! Mais bon, m'y voici enfin. Paris...
— Eh oui ! Notre Paris...
Gilbert sentit l'anxiété prévisible de son ami qui, regard perdu, ne semblait rien voir du hideux décor industriel défilant des deux côtés de l'autoroute. À la hauteur du Stade de France, Gilbert, l'air embarrassé, se tourna vers Antoine.
— Antoine... Je dois te dire... Elle ne viendra pas, cet après-midi...
Le passager de la Renault Espace se raidit.
— Prudence ?
— T'inquiète ! Un simple contretemps. Elle est partie avant-hier avec Emmanuelle pour aller à Compiègne. Sa grand-mère est malade.
L'expression d'Antoine révéla sa grande déception.
— Elle viendra quand alors ?
— Elle doit m'appeler ce soir.
— Tu ne me caches rien j'espère...
— Si ! Qu'elle a hâte de te rencontrer. Je me demande bien pourquoi d'ailleurs ! ajouta Gilbert dans un éclat de rire.

***

Depuis son arrivée à Paris, Antoine vivait dans un autre univers, dans celui de Gilbert, dans celui qu'il avait jadis espéré faire le sien. Il se sentait bien auprès de son ami et de sa compagne, Maude, une femme simple qui abordait la vie comme une grande aventure. La petite rousse rondouillarde au regard pétillant avait conservé la capacité d'émerveillement de son enfance vécue dans le Midi. Ce qui n'altérait en rien sa perception de la réalité et son sens des affaires. En plus de diriger sa galerie d'art contemporain, À la Maude, et sa maison d'édition qui publiait des monographies et des catalogues d'expositions, Maude donnait un cours d'histoire de l'art à l'École nationale supérieure des beaux-arts de Paris. Gilbert avait déniché sa perle rare au cours de l'année qui avait suivi le court séjour d'Antoine à Paris. L'artiste et la galeriste vivaient à Montparnasse depuis une dizaine d'années. Situé dans le jardin de leur maison de la rue d'Assas, l'atelier de Gilbert occupait l'étage de l'annexe qu'il y avait fait construire. On y accédait par l'escalier intérieur de la remise du rez-de-chaussée. Dans cette grande pièce, éclairée par un puits de lumière et une verrière qui donnait sur le jardin, Antoine passait des heures à discuter avec Bébert ou, seul, à rêvasser. Dans son souvenir, cet atelier était presque identique à celui que son ami visualisait et lui décrivait déjà à l'époque où ils partageaient leur piaule montmartroise.

Au cours des jours précédents, Gilbert avait entraîné son ami dans des bistros et dans les ateliers d'artistes qu'Antoine avait rencontrés à l'occasion du réveillon de Noël, rue d'Assas. Cette nuit-là, il avait joint Léo chez lui.

— Antoine, j'ai un visiteur. Alain m'invite à dîner à la trattoria, s'empressa-t-il de lui annoncer. Et Prudence ?

— Ce n'est pas encore fait. Jeudi prochain, à 13 heures.

Dans la soirée du 24 décembre, Prudence, tel que promis, avait appelé Gilbert, mais elle n'avait pas voulu parler à Antoine. « Je préfère découvrir sa voix lorsque je le verrai », lui avait-elle dit. Sa mère et elle ne rentreraient à Paris que le mercredi suivant.

Ravi de constater que Léo était d'une humeur agréable, Antoine prit le risque de lui rappeler de mauvais souvenirs.

— Joyeux Noël ! Léo…

— … Merci, Antoine. Merci de m’avoir appelé. Joyeux Noël à toi aussi.

* * *

Antoine attendait ce jour depuis une semaine, depuis des mois, depuis plus d’un an. Vers midi, Gilbert le retrouva à l’atelier, où Prudence avait choisi de rencontrer son père.

— Tu es déjà là ? La petite ne viendra pas avant 13 heures tu sais ! Tu n’as pas faim ?

— Non, pas vraiment. Bébert, je te remercie pour tout ce que vous faites pour moi, Maude et toi.

— Tais-toi, malheureux !

Vêtu d’un pantalon noir, d’une chemise blanche et d’un pull noir au col en « V », Antoine prit place sur le divan de même tissu et de même couleur que la veste de velours côtelé gris souris de Bébert.

— Antoine, tu as la tête d’un adolescent fébrile en attente de son premier rendez-vous amoureux, lui signala Gilbert, amusé et ému à la fois.

— C’est encore plus important, plus énervant. Elle a bien dit à 13 heures ?

Gilbert hocha la tête en souriant.

— Oui, mais elle n’a pas précisé le jour, répondit-il à la blague.

— Arrête !

Depuis l’arrivée d’Antoine à Paris, Gilbert s’interrogeait au sujet des projets de son ami. Il était convaincu que sa vie, après sa rencontre avec l’attachante Prudence, ne pourrait plus jamais être la même. Que ferait-il ? Il s’en informa sans ambages.

— Je retournerai chez moi avec l'espoir de revoir ma fille un jour, si…

— Tu peux rester ici le temps que tu voudras. On partagera l'atelier puis...

— Attends !

Malgré son projet d'éventuellement s'installer à Paris, qu'il avait annoncé à Léo dans un moment d'euphorie, Antoine avait maintenant de sérieuses réserves. D'abord, il ne voulait pas vivre aux crochets de Gilbert et de Maude. Puis il révéla à son ami qu'il doutait de son talent et qu'il ne croyait par ailleurs pas possible que l'on puisse entamer une véritable carrière d'artiste peintre à son âge.

— Tu dis n'importe quoi, Antoine. Un talent comme le tien, ça ne se perd pas. Tu n'as besoin que de temps pour renouer avec ta passion et ta confiance, s'objecta Gilbert en se dirigeant vers la profonde étagère où il rangeait ses tableaux les plus récents. Il en retira un grand format qu'Antoine vit d'abord de dos.

— Qu'est-ce que c'est ?

— Ceci, mon cher, est une merde qui, en plus, a bonne odeur, répondit Gilbert en tournant le tableau face à son ami.

Antoine resta bouche bée.

— Tu le reconnais ?

— Mais, c'est…

— Exactement ! L'un de tes deux tableaux dont le galeriste de la rue des Saints-Pères avait fait une critique scatologique.

— L'autre, je crois bien que je l'avais détruit. Mais celui-ci, tu ne me l'as pas montré, en 80.

— J'ignorais que je l'avais conservé. Lorsque nous avons emménagé ici, je l'ai retrouvé parmi mes propres tableaux de la même époque. Ton œuvre m'a donc suivi de Montmartre à Saint-Germain-des-Prés puis jusqu'à Montparnasse.

— Elle a donc connu une grande carrière, ironisa Antoine.

— Elle aurait pu, si tu n'avais pas baissé les bras après avoir rencontré ce galeriste paumé. Au fait, j'ai montré ton tableau à ta fille.

Antoine émit un son bizarre qui ne ressemblait à rien.

— Fallait pas ! enchaîna-t-il, brûlant d'impatience de savoir comment Prudence avait réagi.

— Et pourquoi non ? Au contraire ! Elle s'en est mis plein les yeux, comme une enfant émerveillée par les couleurs, puis elle l'a apprécié avec son âme d'artiste. Son émotion était quasi palpable.

Retrouvant son tableau, qu'il n'avait pas revu depuis trente-trois ans, Antoine tenta d'y déceler ce qui avait pu tant émouvoir Prudence.

— Qu'a-t-elle dit ? demanda-t-il sur un ton qui se voulait presque indifférent.

— Qu'elle se reconnaissait dans ton œuvre. « C'est indéniablement le sang d'Antoine qui coule dans mes veines », a-t-elle précisé. Pas beau, ça ?

Antoine sentit sa gorge se nouer.

— Tu lui as montré lorsqu'elle est venue te rencontrer, à la suite de la demande d'Emmanuelle ?

— Non, beaucoup plus récemment. Depuis que tu lui as annoncé ta venue, elle m'a rendu visite à quelques reprises.

— Eh ben !

Antoine parut presque envieux.

— Elle aime venir à l'atelier. Tu sais comment elle m'appelle ?

— Pas Bébert tout de même ?

— Quand même pas ! Elle est polie, ta fille. Elle m'appelle monsieur Bébert.

Antoine se mit à rire.

— Mais elle m'a d'abord demandé la permission. Elle m'a dit qu'elle voulait, comme « papa Antoine », être mon amie.

Antoine fit un énorme effort pour ne pas larmoyer.

— Elle a dit ça ? Elle a dit « papa Antoine » ?

— Ses propres mots. Je n'invente rien, répondit l'artiste, conscient que sa révélation touchait le père de Prudence au plus profond de son être.

Antoine se leva et se dirigea vers son tableau, appuyé à l'étagère. Il l'examina puis il en caressa délicatement le bord supérieur. Retrouvailles avec un ami, depuis longtemps disparu avec ses souvenirs de jeunesse.

— Elle t'a questionné ? demanda-t-il, faisant toujours dos à Gilbert.

— Et comment ! Elle voulait notamment savoir comment tu étais à cette époque-là et pourquoi tu n'étais pas resté à Paris avec moi, en 66. Bref, elle voulait tout savoir.

Antoine réfléchit un instant.

— Si je comprends bien, elle était quand même déjà bien renseignée.

— Emmanuelle avait dû lui raconter ce qu'elle savait de toi. Bon, je te laisse. La petite sera bientôt là. Elle garera son scooter dans l'impasse puis elle montera directement ici.

Antoine claqua des doigts.

— Dis donc, sur la dernière photo que Prudence m'a fait parvenir, elle porte un chandail du Canadien...

Monsieur Bébert pouffa.

— J'étais sûr ! fit Antoine.

— Je lui ai donné mon gilet du Tricolore que tu m'avais offert en 80. Je pense qu'il lui revenait de plein droit. Elle le porte fièrement.

— Sacré Bébert ! En parlant du bleu blanc rouge, le peintre Serge Lemoyne est décédé l'année dernière…

— Je sais. Lorsque les gens de notre entourage et de notre génération commencent à disparaître, ça fait réfléchir, pas vrai ? Il y a un bordeaux sur l'établi et des amuse-gueule dans le frigo…

Gilbert retourna à la maison. Antoine se retrouva seul sous les quelques rayons de soleil qui, à travers les nuages, avaient trouvé le puits de lumière de l'atelier. Il n'arrivait plus à composer avec les minutes qui le séparaient de l'arrivée de Prudence. Il ne se souvenait plus des paroles qu'il avait préparées pour elle. Antoine était conscient qu'il n'avait rien d'autre à offrir à Prudence que le tricot et le cache-nez qu'il avait achetés la veille de son départ. Surtout pas de promesses ! Il savait bien, qu'outre la proximité de Prudence, il n'avait aucun avenir à Paris. Il devrait bientôt repartir sans aucune certitude de revoir sa fille un jour. Cette perspective le désespéra.

***

— Et alors ? demanda aussitôt Alain en voyant Léo faire son entrée à *L'Attrait*.

Le nouveau retraité prit sa place, sans enlever sa canadienne.

— Rien. Il ne m'a pas appelé depuis la veille de Noël.

— Mais toi, bordel, tu n'as pas essayé de le joindre ?

— Ho ! On se calme ! Je connais mon ami. S'il ne m'a pas donné de ses nouvelles, c'est justement parce qu'il n'y a pas de nouvelles.

Léo enleva son manteau et le déposa sur le tabouret d'Antoine.

— Je suis inquiet, Alain.

— T'énerve pas ! Je parie qu'il est en train de se balader sur les quais avec sa fille.

— Je te signale qu'il est 23 heures à Paris. Il devait rencontrer Prudence à 13 heures. Il m'avait pourtant promis…

Le barman aperçut Madame qui faisait, comme à l'habitude, son entrée discrète.

— Encore elle… Je reviens.

Léo aurait aimé être un petit oiseau, d'une espèce transatlantique, pour se poser sur le rebord d'une fenêtre à Montparnasse. Il aurait aimé être un petit oiseau voyeur… de bonheur.

— Bonsoir, Madame.

— Comme d'habitude, jeune homme… Merci !

Léo composa le numéro de sa boîte vocale. Rien.

Un homme bien baraqué, qui venait de faire son entrée, déplaça le manteau de Léo et prit place sur le tabouret d'Antoine. Léo grimaça.

— Vous êtes un habitué ? lui demanda l'inconnu.

— Pardon ?

— Vous venez souvent… ici ?

Léo se demanda ce que son ami Antoine aurait répondu à cette question posée sur un ton pour le moins impertinent.

— Uniquement lorsque je ne suis pas à l'église…

— Un p'tit comique…

Alain revint derrière son comptoir, visage inexpressif.

— Monsieur ?

— C'est plutôt tranquille ici pour un 5 à 7 du jeudi…

— Disons… intime. Qu'est-ce que je vous sers ?

— Rien. Je reviendrai lorsque ce sera moins… intime.

L'homme se leva, toisa Léo, puis se dirigea vers la sortie.

— C'était quoi ça ?

— Aucune idée. Un connard, répondit Alain, stoïque. Léo, j'ai un petit service à te demander. Je dois m'absenter une dizaine de minutes. Je peux te confier le bar ? Tu n'auras rien à faire, sinon servir un autre verre de vin à… Madame.

— Sans problème. Mais si le matamore revient ?

— Il ne reviendra pas.

Alain disparut aussitôt. Léo regarda sa montre puis il se tourna vers « sa » cliente. La femme sourit et lui fit signe d'approcher.

— Un autre verre de vin, Madame ? lui demanda Léo, amusé par son rôle de serveur.

— Non merci. Alain nous a quittés ?

— Quelques minutes seulement…

— Bye ! Asseyez-vous, je vous prie. J'aimerais m'entretenir avec vous quelques instants.

— Je…

— S'il vous plaît, monsieur Léo…

***

Alain ferma la porte derrière lui puis il prit place devant le bureau de Renato.

Derrière le sexagénaire, une grande photo officielle encadrée était accrochée au mur. Y posait un plus jeune Renato, souriant et entouré de sa famille dont Dominico, dit Domi, l'aîné de ses trois enfants.

— Que se passe-t-il, Alain ?

— Je viens d'avoir un visiteur.

— Visite officielle ?

— Non, mais le mec, un peu chiant, avait une gueule de flic.

Renato fixa Alain un instant. Il ouvrit un tiroir de son bureau, en retira un cahier à anneaux et le tendit à Alain.

— Mon album de famille. Dis-moi si tu y reconnais ton visiteur.

Alain déposa le cahier sur le bureau, l'ouvrit, feuilleta les pages plastifiées, s'arrêta à la quatrième puis posa le bout de son majeur sur le visage d'un homme, apparemment photographié à son insu dans le restaurant.

— C'est lui, dit-il en tournant le cahier vers Renato.

— *Ciò non mi stupisce...*

Alain ne saisit pas.

— Ça ne m'étonne pas, traduit Renato.

— Je fais quoi maintenant ?

— Mais tu retournes à ton bar, mon cher Alain, et tu gardes l'œil ouvert. Bien joué ! *Grazie* ! Et Alain, rapporte une pizza... Tu as peut-être été suivi.

* * *

Intrigué, Léo prit place devant Madame.

— Je vous connais et vous me connaissez, lui dit-elle.

Léo la regarda un instant.

— Je ne crois pas.

— Nous ne nous sommes vus qu'une fois, très brièvement, mais nous nous connaissons depuis longtemps, dit-elle en souriant aimablement.

Ce qui rassura un peu Léo.

— Qui êtes-vous ?

— Mon nom est Laura Lemay.

Léo haussa les épaules.

— Désolé, je ne vois pas...

Madame enleva son chapeau excentrique, ses lunettes de star des années 1950 et sa perruque noire. Devant l'ébahissement de Léo, elle sourit encore.

— Je ne comprends pas...

— Pardonnez-moi de vous avoir fait languir. Le jeu a assez duré. Mais je sais que vous ne me reconnaissez pas davantage sans mon déguisement ridicule. Léo, je suis Choco Latcho.

L'étonnement de Léo égaya la revenante.

— Vous êtes vraiment « la » Choco Latcho ?

— Elle-même ! Le mime que vous avez rencontré, il y a de cela des lustres, à *La Chapelle*.

— Vos yeux me disaient quelque chose...

L'inconfort de Léo fit aussitôt place à un évident ravissement.

— Le mime androgyne au chapeau melon ! dit-il en riant.

Laura Lemay s'esclaffa.

— Tu as bonne mémoire, Léo. Tu permets que je te tutoie ?

— Bien sûr... Choco. Je te reconnais bien maintenant.

— Tu peux m'appeler Laura. Choco n'est plus qu'un lointain souvenir. Léo, je te dois, ainsi qu'à Antoine et aussi à Alain, des excuses pour cette mascarade.

Le sourire de Léo tomba.

— Antoine est à Paris.

— Je sais. Si je suis venue à *L'Attrait* ce soir, c'était avec l'intention de te parler, à toi, de m'expliquer. L'absence momentanée d'Alain m'en donne l'occasion.

À son retour, Alain aperçut Léo assis à la table de Madame avec une autre femme. Passant derrière son bar, il regarda plus attentivement en leur direction.

— Mais que se passe-t-il ? C'est... Madame ?

— Je peux t'offrir un autre verre, Laura ?

— J'accepte avec plaisir.

— Je pense que je ferais mieux d'aller le chercher moi-même au bar, dit-il avec un air complice.

Alain regarda Léo se diriger vers lui, sans trop savoir quelle attitude adopter.

— Veux-tu bien me dire...

Léo sourit.

— Oui, oui, c'est elle... Ta Madame.

— Elle est agent double ou quoi ?

— Je te dirai lorsque je saurai. En attendant, un verre de blanc et une bière, je vous prie, jeune homme...

— Merde !

***

Prudence n'était pas venue au rendez-vous.

Il était près de minuit lorsque Gilbert et Maude retrouvèrent Antoine, atterré, à l'atelier.

— Tu as réussi à joindre Emmanuelle ?

— Pas depuis 14 heures, lorsqu'elle m'a dit que Prudence avait quitté la maison vers 12 heures 45 pour venir ici. Depuis 15 heures 30, j'ai rappelé plusieurs fois et je viens encore de le faire, mais je n'arrive pas à la joindre.

— Ça n'a pas de sens. Je veux en avoir le cœur net. Gilbert, tu sais où Emmanuelle habite, alors emmène-moi chez elle, maintenant.

Maude réagit rapidement.

— Vous deux, vous ne bougez pas d'ici. J'irai, moi, chez elle. J'ai déjà rencontré Emmanuelle et je sais aussi où elle habite. Si elle est là, je pense que nous aurons à parler entre femmes. Je vous reviens le plus tôt possible.

Maude fit signe à Gilbert de veiller sur Antoine, puis elle quitta précipitamment l'atelier.

***

Elle voulait lui parler... à lui ! Ignorant à quel propos, Léo se sentit néanmoins charmé. À son avis, la blonde Laura Lemay n'avait pas vieilli d'une ride. Et ses yeux bleus le captivaient autant que lors de leur première rencontre, trente-cinq ans plus tôt.

— Je t'écoute, dit Léo.

— Je n'avais jamais revu Antoine depuis 1966.

Ne pouvant déjà plus attendre que Laura en vienne enfin au fait ou plutôt à ce qu'il voulait surtout savoir, Léo l'interrompit.

— Vous étiez des amoureux ?

Laura sourit.

— Nous étions, comment dire ? Des amoureux libres ? C'était l'époque du *Peace and Love*. Ce qui convenait bien à Antoine. J'ignore comment il est aujourd'hui, mais lorsque nous cohabitions, il ne révélait pas aisément ses sentiments.

— Il n'a pas beaucoup changé.

— Bref, après les Beaux-arts, je me suis jointe à une petite troupe qui donnait des spectacles pour enfants à travers la province. À mon retour à Montréal, Antoine avait déjà quitté pour Paris en compagnie de Gilbert.

— Chez qui il séjourne actuellement.

— C'est vrai ? Eh ben ! Gilbert vit donc à Paris depuis toutes ces années ?

— Il est toujours peintre et il réussit plutôt bien, semble-t-il. Laura, je commence à avoir une fringale. Si nous poursuivions cette conversation au restaurant ?

— Chez Renato ?

— Tu connais ?

— Bien sûr ! Allons-y !

Alain se morfondait. Il se méfiait maintenant de cette femme qui avait usé de subterfuges à des fins qu'il ignorait. Il soupçonnait même qu'il puisse y avoir un lien entre elle et le visiteur provocateur de tantôt. Il avait plus que hâte de s'entretenir avec Léo.

Justement, l'ex-comptable et la fausse « Madame » se dirigeaient vers le comptoir.

— Alain, je te présente Laura Lemay, une amie de longue date d'Antoine.

— Ha bon ! Enchanté, Madame…

— « Madame » me sied peut-être bien, mais vous pouvez maintenant m'appeler Laura. Je vous prie de m'excuser pour mes travestissements. Léo vous expliquera… lorsque je me serai d'abord confessée à lui.

S'étant exprimée encore un peu à la manière de Madame, Laura fit sourire Alain et, du même coup, le rassura.

Compte tenu de l'heure qu'il était alors à Paris, Léo douta fort qu'Antoine communique avec lui avant le lendemain. Il promit à Alain de le tenir au courant puis il l'informa que Laura et lui se rendaient Chez *Renato*.

« Alors à plus tard peut-être… »

***

Gilbert déboucha la bouteille de bordeaux qui n'avait pas servi aux réjouissances anticipées et en offrit un verre à Antoine qui le refusa.

— Ce n'est pas possible ! Emmanuelle t'a dit que Prudence avait quitté leur appartement pour venir ici, qui n'est qu'à dix minutes de chez elle. Elle n'a quand même pas changé d'idée en cours de route ! À moins que ce rendez-vous ait été une arnaque de sa part, de leur part… pour se venger de moi.

Gilbert soupira bruyamment.

— Antoine, ne débloque pas. Je te dis que la petite et sa mère sont honnêtes. Prudence avait vraiment hâte de te rencontrer et Emmanuelle s'en réjouissait pour elle.

Pour la première fois depuis sa cure de désintoxication, Antoine se prit littéralement la tête à deux mains, mais encore soucieux de son image d'homme fort, il les abaissa aussitôt.

— Excuse-moi, Gilbert, je ne sais vraiment plus quoi penser.

— Je comprends…

Gilbert regrettait presque d'avoir un jour annoncé à Antoine qu'il était père.

***

En le voyant entrer dans la trattoria, Domi salua amicalement Léo et s'avança aussitôt vers lui.

— Vous allez bien, monsieur Léo ? Bonsoir, madame. Alain m'a appelé. Je vous ai réservé une table.

Laura et Léo y prirent place. Domi fit signe à un serveur de s'occuper des deux arrivants.

— Décidément, Léo, tu es un client apprécié ici.

— Antoine et moi sommes tout simplement les amis d'Alain qui est, lui, en quelque sorte, le filleul du patron. Laura, ça m'émeut vraiment de te revoir. Tu me ramènes si loin dans le passé. Je ne t'ai vue qu'une dizaine de minutes dans cette taverne effroyable, mais tu m'avais vraiment fait bonne impression.

— On ne pourrait faire meilleur compliment à un mime ! dit-elle, souriante.

Léo avait davantage été impressionné par la fille que par le mime, mais il n'osa le préciser.

Laura lui révéla alors qu'Antoine parlait toujours de lui, le brillant étudiant qui deviendrait sûrement un jour un célèbre romancier.

Léo rougit.

— Antoine s'emballait. Je suis comptable, nouvellement retraité.

— Et l'écriture ?

— Un rêve de jeunesse. À l'âge de dix-huit ans, je me disais que je serais un raté toute ma vie si je n'arrivais pas à faire publier un premier roman avant l'âge de vingt ans. Alors voilà, ça fait trente-cinq ans que je suis un raté !

Laura sourit, mais elle crut néanmoins déceler une véritable déception dans la plaisanterie de Léo.

— Donc ! fit Léo.

Laura comprit alors que Léo attendait sa « confession ». Elle en vint « donc » à lui expliquer ce qui l'avait incitée à incarner le personnage de... Madame.

— Il y a plusieurs années, à la sortie d'une salle de cinéma, j'ai par hasard croisé Alexandre Forest.

— Alex... que j'avais aussi rencontré à *La Chapelle*...

— En effet ! Et Alex m'a dit qu'il revoyait parfois Antoine...

Domi interrompit la conversation.

— Excusez-moi, on s'occupe de vous ?

— Pas encore...

Le maître d'hôtel se tourna vers le serveur, claqua des doigts puis lui fit signe de faire diligence.

— Désolé, monsieur Léo, il arrive...

Laura, main devant la bouche, se retint de rire tandis que Domi s'éloignait d'eux, l'air exaspéré.

— Es-tu le parrain de la mafia ? murmura-t-elle.

— Bon, tu le sais maintenant, je suis Don Leo Provenchio…

— Bien sûr ! Et moi je suis la fée des étoiles…

Pour Léo, la fantaisiste Laura l'était un peu.

Le serveur, qui semblait avoir très envie d'être ailleurs, apporta une bouteille de vin, « avec les compliments de monsieur Dominico ».

— Alors raconte, Laura…

— Oui, bon, ça m'avait fait tout drôle quand Alexandre m'avait donné des nouvelles d'Antoine. Mais je n'ai pas cherché pour autant à le revoir. Bref, je donne des cours dans une école de théâtre privée dont le local est situé au premier étage de l'immeuble en face à *L'Attrait*. Un jeudi après-midi de novembre, j'ai eu un choc en apercevant, de l'une des fenêtres, un homme qui ressemblait à Antoine. En fait, je l'ai d'abord reconnu à sa démarche. Je m'y connais quand même un peu en expression corporelle. Il a toujours marché de la même manière, à grandes enjambées mais à pas lents, en se dandinant un peu comme un jeune coq.

— C'est vrai, reconnut Léo en riant.

— À un moment, il s'est retourné pour regarder de l'autre côté de la rue. C'était lui. Il n'y avait pas d'erreur possible. C'était Antoine. J'ai alors eu envie de revoir sa tête d'adolescent blagueur, de lui parler, mais, en même temps, je l'avoue, je craignais que sa réaction me déçoive.

— Mais pourquoi ?

— Tant d'années nous séparaient. Après tout ce que nous avions vécu ensemble, j'aurais été peinée, humiliée s'il m'avait tout simplement dit « Ha ! Oui, Choco… Comment vas-tu ? » D'où la folle idée de me présenter à *L'Attrait*, déguisée. Pour voir...

Et elle avait vu... et entendu.

— Antoine a une voix qui, comme celle des comédiens de théâtre, projette...

— Mais, dis-moi, après tant d'années, comment t'es-tu souvenue de mon nom tout à l'heure ?

— Antoine le criait presque. Et lorsque je t'ai vu, même de profil, je t'ai reconnu. Tu n'as pas vraiment beaucoup changé, tu sais...

Les joues de Léo s'empourprèrent de nouveau.

— Oh ! Que si ! Des kilos en plus et des cheveux en moins.

Laura était ravie d'avoir accepté l'invitation de Léo. Le charme de cet homme simple et timide la séduisait. Elle se sentait bien en sa compagnie.

Le serveur leur présenta les menus et leur tourna le dos.

— Attendez ! On va commander maintenant, dit Léo d'un ton impératif qui le surprit lui-même.

Laura perçut le malaise de Léo dont le ton s'adoucit aussitôt.

« Chasse le naturel, cher Léo, et il revient au galop », pensa-t-elle.

***

Il était près d'une heure du matin lorsque Gilbert et Antoine aperçurent le reflet des phares d'une auto et entendirent un claquement de portière. Gilbert s'approcha de la verrière. C'était Maude.

— Elle est seule ? lui demanda Antoine.

— Oui.

Des pas hésitants retentirent bientôt dans l'escalier en acier. Le cœur d'Antoine battait à un rythme syncopé. En apparaissant au haut de l'escalier, Maude leur annonça qu'elle avait parlé à Emmanuelle.

— Elle rentrait chez elle lorsque je suis arrivée devant sa porte.

— Et alors ? demanda Gilbert.

Maude regarda Antoine.

— Prudence a eu un accident. Un taxi l'a heurtée, tout près d'ici, rue de Vaugirard.

Livide, Antoine se rassit, muet.

— Maude, parle ! lui ordonna Gilbert.

— Son état est stable, a-t-on dit à Emmanuelle, mais la petite a subi de sérieuses blessures. On en saura davantage demain.

— Je veux la voir, dit Antoine d'une voix éteinte.

Maude prit place près de lui.

— Antoine, ce n'est pas possible pour l'instant.

— Pourquoi ? Je suis quand même son père.

— Emmanuelle considère qu'il est préférable que tu ne te rendes pas à l'hôpital tant que...

— Tant que quoi ? Dans quel état est-elle exactement ?

— Elle est inconsciente. Traumatisme crânien, fracture de l'humérus, fracture du tibia et multiples contusions.

Antoine se leva et se mit à marcher en tous sens. Il se sentait coupable. Coupable d'être venu à Paris, où sa fille venait d'être victime d'un accident à cause de lui. Cette culpabilité, il ne put s'empêcher de l'exprimer à Gilbert qui tenta de l'apaiser.

— Antoine, ce n'est pas ta faute. Elle aurait pu être victime d'un accident de la circulation n'importe où, n'importe quand. Si tu n'étais pas venu, Prudence aurait été très déçue.

— Vaut mieux être déçue que mourante...

— Elle n'est pas mourante, elle guérira, l'assura Maude.

— Mais quand ? Moi, je dois repartir dans quelques jours. Je ne la verrai donc jamais ?

— Tu restes avec nous le temps qu'il faudra. Pour ton billet d'avion, t'inquiète, je ferai le nécessaire. Maintenant, je pense que nous avons tous besoin de sommeil. Demain, nous verrons plus clair dans tout ça.

Au même moment, une voiture se gara derrière celle de Maude. Reflct des phares et léger claquement de portière.

Gilbert se dirigea vers la verrière.

— Qui est-ce ? demanda Maude.

— Je ne sais pas. Je descends. Restez là !

***

Léo et Laura dégustaient leurs fettucinis carbonara.

— Qui aurait pu imaginer que nous nous retrouverions, trente-cinq ans plus tard, dans des circonstances aussi bizarres !

— Surtout que je n'avais eu le plaisir de coudoyer Choco Latcho qu'un trop court instant. Es-tu retournée dans cette taverne par la suite ?

Choco y était bien sûr retournée. Et la même scène se répétait. Allergique au mime androgyne, Lucien s'énervait. Le pauvre homme était décédé quelques jours avant le départ d'Antoine pour Paris.

— Mais revenons au présent. Je me suis donc déguisée pour aller à *L'Attrait*, où je n'avais jamais mis les pieds. J'ai pris place, un peu en retrait, près des fenêtres. J'avais l'intention de faire la surprise à Antoine ce soir-là, mais j'ai senti que ce n'était peut-être pas le bon moment. Vous sembliez en sérieuse discussion. J'avais notamment entendu Antoine dire que la nouvelle année arriverait aussi à Paris. J'ai quitté les lieux peu de temps après. Je me trouvais ridicule et je craignais d'être démasquée.

— Tu étais donc là le soir où Antoine m'a parlé de toi... Drôle de hasard quand même !

— De moi ? fit Laura, étonnée.

— Tu ne l'as pas entendu ?

— Non. Ou bien je n'étais pas là à ce moment-là ou bien je n'ai pas entendu. Et qu'a-t-il dit à mon sujet ?

— Il a notamment dit qu'il... t'aimait bien. De sa part, un tel aveu signifie beaucoup, répondit Léo avec un air presque agacé.

Plutôt que de réagir à la révélation et au commentaire, Laura poursuivit son récit.

La semaine suivante, voyant Léo entrer à *L'Attrait*, la mouche de la curiosité l'avait encore une fois piquée, mais elle avait hésité un long moment avant de se décider à récidiver. Puis elle s'était abandonnée au jeu. Elle s'amusait, notamment à excéder ce pauvre Alain. Elle aimait son personnage. Puis elle avait eu l'impression de pouvoir ainsi peu à peu redécouvrir Antoine, tout en assistant, lui avait-il semblé, à une pièce de théâtre.

— Et dire que nous n'avons jamais fait attention à notre seule fidèle spectatrice.

— Pas étonnant ! Qui se serait intéressé à cette femme bizarroïde ! Mon objectif n'était pas de commettre des indiscrétions, mais, oui, j'ai entendu des choses... Léo, Alain arrive.

Le barman, l'air préoccupé, se dirigea directement vers le bureau de Renato, à l'arrière de la salle.

— Bon ! Il viendra sûrement nous saluer plus tard. Quelles choses as-tu entendues ?

Laura se mit à rire.

— Antoine t'a traité d'enfoiré…

— Et moi, si je me souviens bien, je l'ai traité de crétin…

— Je ne sais pas. La seule fois que je t'ai entendu parler un peu plus fort, c'est lorsque tu as demandé à Antoine : « Tu as bien dit… ma fille ? »

Laura, qui avait entendu d'autres bribes de la conversation des deux amis au sujet de Prudence, révéla alors à Léo qu'elle présumait donc qu'Antoine se trouvait à Paris pour y visiter sa fille. Laura but une gorgée de vin sans quitter Léo des yeux.

— Plutôt pour « rencontrer » Prudence, qui est âgée de dix-huit ans. Il devait m'appeler aujourd'hui pour me raconter comment cette première rencontre s'est déroulée, mais il ne l'a pas fait.

L'expression de Léo trahit son inquiétude. Laura en parut attristée.

— Tu sais bien qu'il t'appellera demain. Antoine doit jubiler. Aujourd'hui, il a sûrement consacré toute son attention à sa… Prudence.

Le ton chaud et rassurant de la voix de Laura réussit à dissiper les inquiétudes de Léo.

***

Au bout de longues minutes, Gilbert apparut au haut de l'escalier, suivi d'Emmanuelle.

En l'apercevant, Antoine fut profondément troublé. Là, debout devant lui, en chair et en os, la femme qu'il n'avait jamais oubliée mais qu'il avait longtemps désespéré de revoir un jour. Sa belle Emmanuelle qui lui avait, en peu de temps, fait prendre conscience qu'il pouvait sincèrement aimer. D'abord sensible à la beauté de la jeune femme, Antoine avait bientôt été totalement séduit par sa simplicité et son honnêteté. Peut-être par orgueil mal placé, il avait d'ailleurs menti à Léo lorsqu'il avait réduit sa relation avec Emmanuelle à une simple histoire de « baise ». Antoine avait véritablement été amoureux d'Emmanuelle et il l'était demeuré jusqu'à ce jour.

Dans la pénombre de l'atelier, le silence était porteur d'émotions fortes. Emmanuelle et Antoine restèrent aussi immobiles que les personnages des tableaux de Gilbert, comme suspendus dans l'expectative du dénouement de cette rencontre impromptue. Gilbert fit signe à Maude, elle-même stupéfaite, de descendre. Il la suivit. Antoine ne quittait plus Emmanuelle des yeux. L'apparition l'abasourdissait. Elle lui semblait aussi jeune qu'au petit matin de leurs dernières étreintes.

— Bonsoir, Antoine…

— Emmanuelle…

Elle s'avança lentement, puis elle s'arrêta à quelques pas de lui. Antoine eut envie de lui tendre les bras, mais il sentit qu'Emmanuelle n'était pas disposée à s'abandonner à de tendres retrouvailles. D'un signe de la main, il l'invita alors à prendre place sur le divan.

— Tu veux enlever ton manteau ? lui demanda-t-il d'une voix tremblante.

— Non, ce n'est pas la peine. Si je me suis permis de venir ici ce soir, à cette heure tardive, c'est parce que j'ai pensé que tu souffrais peut-être autant que moi. Je sais que tu aimes Prudence pour ce qu'elle est… ta fille. Antoine, son état pourrait s'aggraver si elle ne reprend pas bientôt conscience.

— Est-ce que je peux la voir ?

— J'espère que tu pourras lui rendre visite prochainement.

Le mot « prochainement » déçut Antoine qui aurait voulu se rendre à l'hôpital sur-le-champ ou, au plus tard, le lendemain matin, mais il n'insista pas. Il se sentait en mauvaise position pour exiger quoi que ce soit d'Emmanuelle qui faisait déjà preuve, malgré sa douleur, d'empathie à son endroit.

Elle passa les mains dans son épaisse chevelure châtaine.

— As-tu une cigarette ?

Antoine lui en tendit une et l'alluma. Emmanuelle s'adossa au divan.

— Prudence est une jeune fille très spéciale. Les enfants pensent peut-être tous, à un certain moment, qu'ils ont été adoptés, mais Prudence, elle, a presque toujours senti que quelqu'un manquait dans sa vie. Elle n'arrivait pas à définir cette étrange impression, mais elle a éprouvé ce manque jusqu'au jour où je lui ai annoncé qu'il y avait un Antoine dans sa vie, un Antoine qui lui avait même donné la vie. Puis, j'aurais dû le prévoir, elle a voulu le connaître, le rencontrer. Elle me harcelait constamment. C'est la raison pour laquelle j'ai finalement demandé à Gilbert de communiquer avec toi. Merci d'avoir accepté, Antoine.

Antoine se retint pour ne pas caresser le visage aux traits fins d'Emmanuelle.

— Pourquoi ne m'as-tu jamais rien dit ?

— Tu étais parti, puis je savais que tu ne reviendrais pas à Paris de sitôt...

— Mais si j'avais su que tu étais enceinte...

— Antoine, je n'ai pas douté de ton honnêteté, mais tu te cherchais encore... à quel âge ? Trente-six ou trente-sept ans ? Je ne voulais pas t'imposer ce... « fardeau ». Nous n'avions pas d'avenir ensemble. Nous aurions gâché nos vies et celle de notre enfant. Mais toi, Antoine, pourquoi ne m'as-tu jamais donné signe de vie au cours des mois et des années qui ont suivi ton retour au Québec ?

Antoine connaissait très bien la réponse à la question d'Emmanuelle, mais il hésita quand même quelques instants avant de la formuler.

— Pour les mêmes raisons. Tu étais constamment dans mes pensées, mais je n'avais rien à t'offrir. J'étais un artiste frustré, un homme qui peinait à gagner sa vie. Toi, tu étais jeune et tu méritais mieux. Par la suite, tu n'aurais pas voulu me connaître lorsque j'ai cru réinventer la roue. Emmanuelle, pourquoi n'as-tu pas interrompu ta grossesse ?

La mère de Prudence écrasa sa cigarette puis elle regarda Antoine droit dans les yeux. Elle s'attendait bien sûr à ce qu'il lui pose cette question.

— Pourquoi ? Parce que ma brève mais intense relation avec toi fut marquante pour moi ? Parce que je savais que j'adorerais mon enfant, notre enfant ? Je ne sais pas. Je n'ai envisagé la « solution » de l'avortement qu'un très bref instant. Jamais je n'ai regretté. Prudence est le grand bonheur de ma vie.

Antoine venait de trouver quelques réponses aux questions qui l'avaient obsédé depuis le jour où l'appel matinal de Gilbert l'avait tant désorienté. Il toucha l'avant-bras d'Emmanuelle du bout des doigts.

— Et maintenant, Emmanuelle ?

Elle le regarda longuement.

— Maintenant ? J'espère que Prudence et toi pourrez bientôt vous parler. Elle découvrira enfin ce « quelqu'un » qui lui manquait tant. Tu repartiras. Vous vous écrirez. Plus tard, elle te rendra peut-être visite au Québec. Antoine, ma journée a été fort éprouvante. Je dois rentrer maintenant. Demain matin, je me rendrai à la Salpêtrière pour voir Prudence.

— Je comprends. Merci, Emmanuelle. Merci d'être venue. Merci pour tout…

Emmanuelle se leva et se dirigea vers l'escalier. Antoine la suivit.

— Prudence a beaucoup aimé ton tableau qu'elle a vu ici. Pas besoin de me raccompagner à ma voiture. Ça ira…

Elle posa le pied sur la première marche puis elle se tourna vers Antoine pour timidement le saluer de la main.

— Je t'appellerai, conclut-elle.

Debout devant la verrière de l'atelier, Antoine observa la voiture d'Emmanuelle qui faisait marche arrière dans l'impasse pour aussitôt s'engager dans la rue d'Assas. Exténué, le cœur chaviré, Antoine pensa alors à Léo pour la première fois de la journée.

« Si tu savais, mon vieux… »

* * *

Alain s'avança vers la table de Léo.

— Excusez-moi, je ne vous ai pas vus en entrant. J'étais distrait. Vous avez bien mangé ? Je vous offre le digestif. Domi s'occupera de vous. Je dois malheureusement vous quitter. J'ai rendez-vous. Léo, n'oublie pas de me donner des nouvelles d'Antoine. Bonne fin de soirée !

Alain quitta le restaurant en coup de vent.

— Ben dis donc ! Côté cour, côté jardin en un temps record, plaisanta Laura en levant son verre. Puis elle s'excusa et quitta la table pour se rendre aux toilettes. Renato sortit alors de son bureau, dit quelques mots à Domi puis disparut dans la cuisine. Déplacement anodin qui stimula néanmoins l'imagination de Léo, lequel se mit à griffonner au verso de son napperon :

Giuseppe, que les enquêteurs de l'escouade des homicides soupçonnaient depuis plusieurs années déjà d'être l'auteur du meurtre de Jos Ladouceur, eut le pressentiment que les policiers procéderaient ce soir-là à son arrestation. Il s'enfuit de son restaurant par la sortie d'urgence qui donnait dans la ruelle.

Il s'empressa de remettre son napperon au recto lorsqu'il aperçut Laura qui revenait à la table.

— Alors voilà, Léo ! Je pense t'avoir tout dit par rapport à… Madame.

— Mais j'ai l'impression que ton personnage a sans doute entendu des choses qui l'ont, disons, étonné…

— Je ne sais pas. Peut-être… Mais je fus agréablement surprise lorsque j'ai entendu Antoine te dire, un peu énervé, qu'il peignait encore…

L'expression sur le visage de Léo révéla son scepticisme.

— Ouais… Dans ses rêves peut-être ! Mais Antoine est quand même encore artiste. Il est illustrateur.

— Dommage ! Euh ! Non pas qu'il soit illustrateur, mais qu'il ait abandonné la peinture. À l'École des beaux-arts, il était considéré comme l'un des élèves les plus doués. Je ne comprends pas…

C'est alors que Laura se rendit compte qu'elle avait oublié son sac à *L'Attrait*.

— Allons-y ! fit Léo.

En arrivant à l'intersection de la rue dans laquelle *L'Attrait* était pris comme en étau entre un sex-shop et une boutique de produits naturels, Léo et Laura aperçurent un attroupement et des gyrophares.

— Mais qu'est-ce qui se passe ? s'exclama Léo en remontant le col de sa canadienne.

La police avait installé des cordons de sécurité. Léo prit Laura par la main pour l'entraîner le plus près possible de *L'Attrait*. Les badauds, excités, parlaient de meurtre, de règlement de comptes. Des policiers bien armés entraient et sortaient du bar.

— Mais c'est quoi tout ça ? demanda Laura en se blottissant contre Léo.

Quelques minutes plus tard, ils aperçurent des policiers et des enquêteurs, dont l'armoire à glace qui avait énervé Léo en début de soirée, qui escortaient six hommes menottés vers un fourgon cellulaire.

— Tu les connais ces gens-là ? demanda Laura.

— Non. Partons !

— Attends ! Regarde !

Léo aperçut alors quatre policiers qui emmenaient Renato et Alain, menottés, vers deux autos banalisées. La foule se dispersant peu à peu, Léo tenta d'obtenir des informations d'un jeune policier qui faisait le pied de grue.

— Aucun commentaire. Il n'y a rien à voir ici. Rentrez chez vous…

Léo se tourna vers Laura, l'air mi-offusqué, mi-railleur.

— Il suffit de mettre un uniforme sur le dos d'un blanc-bec pour qu'il se prenne pour *Dirty Harry*.

La nuit était froide. Léo et Laura se mirent à marcher en direction de la rue Sainte-Catherine, sans trop savoir où ils allaient.

— Qu'en pense Madame ?

— On aurait dit un plateau de tournage.

— Viens-tu chez moi ? C'est tout près.

— Un café ?

— Oui.

— Quelques minutes alors...

Marchant avec Laura à son bras, Léo, qui voyait encore en elle la Choco Latcho qui l'avait ébloui de son charme, sentit un regain de jeunesse et d'assurance.

12

Le jeudi 6 janvier 2000

Ce matin-là, les médias annoncèrent qu'Alain Pena, mis sous arrêt dans le cadre de l'opération Caveau, avait été libéré, faute de preuves de sa participation à des activités criminelles. Léo conclut donc qu'Alain avait encore une fois été « un bon garçon avec de mauvaises fréquentations ». Au cours de l'après-midi, Léo appela chez lui, mais, à l'autre bout du fil, il fut reçu par un laconique message enregistré. Il raccrocha.

***

Le lendemain de sa rencontre avec Emmanuelle, soit le dernier jour de l'année 1999, Antoine appela Léo qui venait de se lever.

— Prudence a eu un accident…

Le mot « accident » court-circuita l'esprit de Léo qui l'associa à « décès ».

— Non ! Elle est…

— Vivante, mais inconsciente. Dans le coma…

— Elle s'en sortira, Antoine…

— …

— Tu as parlé à Emmanuelle ?

— Je l'ai vue hier soir et elle vient de m'appeler. Léo, mon retour à Montréal est reporté. Je ne partirai pas avant d'avoir vu et parlé à Prudence. Avise Alain.

— Oui… Ben je ne pourrai pas… Il a décidé de prendre quelques semaines de vacances, balbutia Léo.

— Il est parti au soleil ?

— Plutôt à l'ombre… des palmiers.

Léo n'avait pas vu la nécessité de raconter les événements de la veille à Antoine qui était déjà suffisamment préoccupé.

Le 31 décembre, les quotidiens avaient fait leur première page avec des photos de Renato D'Amato, « présumé dauphin du chef de la mafia montréalaise ».

Portant une robe de chambre de ratine noire, trop ample pour elle, Laura apparut dans l'embrasure de la porte de la cuisine.

— Bonjour, Léo ! Quelle heure est-il ?

— Bonjour ! Il est près de 9 heures. Je te sers un jus d'orange, du café ?

— Un baiser d'abord, répondit-elle en se blottissant contre lui.

Léo l'embrassa sur le front. Laura considéra les retrouvailles matinales moins chaleureuses que celles de la soirée et de la nuit précédentes.

— Laura, regarde… Le journal sur la table…

Elle resserra le ceinturon de la robe de chambre de Léo, puis se pencha sur le journal.

— Le propriétaire de la trattoria…

— Oui, mais… D'Amato…

— Et alors ?

— Si j'ai bonne mémoire, Alain m'a un jour dit que son « ange gardien » qui lui avait facilité son immigration au Québec s'appelait D'Amato.

— En Italie, D'Amato est probablement un nom aussi commun que Tremblay au Québec. Mais que vient faire Alain dans cette histoire de mafia ?

Léo lui résuma l'article en page 3.

— Une histoire digne d'un film hollywoodien. *L'Attrait* était, dit-on, une espèce de mirador. Dans le cagibi d'Alain, il y a un escalier qui mène à un sous-sol, bien aménagé, où Renato et ses associés se seraient régulièrement rencontrés, en toute discrétion. Alain aurait en quelque sorte été leur chien de garde. Derrière son comptoir, il y a un bouton rouge sur lequel il n'avait qu'à appuyer pour leur signaler toute présence gênante. Renato et ses amis ne passaient jamais par le bar pour se rendre au sous-sol. Ils y avaient accès par une porte blindée située dans la ruelle derrière *L'Attrait*. Grâce à une caméra vidéo dissimulée, Alain pouvait surveiller cet accès sur un petit moniteur aussi caché derrière son comptoir. Je n'en reviens pas…

— T'es-tu déjà douté qu'il pouvait se passer quelque chose de louche à *L'Attrait* ?

— Jamais ! En fait, il ne s'y passait rien du tout. Tu le sais !

L'air déconfit, Léo repoussa le journal.

— Alain… Je sais qu'il a été un petit voyou dans sa jeunesse, mais je n'arrive pas à croire qu'il ait pu faire partie d'une organisation criminelle.

— Mon sac…

— Pardon ?

— Tu crois que la police a confisqué mon sac ?

— C'est sûr ! Il contenait une arme ? demanda Léo à la blague.

— Évidemment ! Un pistolet semi-automatique Beretta comme celui de James Bond. Et tu crois que ça pourrait me causer des ennuis ? demanda Laura, l'air innocent.

Léo adorait le sens de l'humour de Laura.

— Assieds-toi, *Bond Girl*, je te sers ton café. Au fait… Antoine a téléphoné.

— C'était lui ? La sonnerie m'a réveillée. Alors, sa fille ?

— Mauvaise nouvelle. Elle a eu un accident, heureusement pas fatal… du moins jusqu'à présent. Antoine prolonge donc son séjour à Paris.

Pensive, Laura prit une gorgée de café.

— Pauvre Antoine ! Il doit être dans tous ses états…

— Oui, mais pauvre Prudence surtout. Tu veux des œufs ?

— Non, merci. Je n'ai pas d'appétit le matin… pas plus que toi en amour…

Léo prit place à la table, l'air contraint.

— Nous avons à parler, lui dit-il.

Laura devina aussitôt ce qui troublait Léo.

— Antoine ?

L'air coupable de Léo confirma à Laura qu'elle avait raison.

— Écoute…

— Non, toi écoute, l'interrompit-elle, sans agressivité. Ce qui s'est passé entre nous, hier soir, je ne le regrette pas. Si toi, tu as des remords parce que tu crois avoir trahi ton ami Antoine, tu fais fausse route. Et si tu penses que je suis une Choco-couche-toi-là, tu es totalement dans le champ. Oui, j'ai aimé Antoine, mais c'était dans une autre vie. Et de quoi as-tu peur ? Crois-tu qu'Antoine, qui n'a jamais cherché à me revoir après son retour de Paris, il y a plus de trente ans, te fera guillotiner sur la place Jacques-Cartier ? Bon, je m'habille et je m'en vais.

Jamais on n'avait remis Léo à sa place de façon aussi catégorique. Il en fut stupéfait, presque assommé.

— Laura, attends... Ne pars pas. Tu as raison ou presque. J'ai surtout pensé qu'Antoine pourrait peut-être...

— Non, Léo. Antoine n'a certainement pas, plus que moi, entretenu notre amour de jeunesse. Je pense que tu as besoin de réfléchir. Je retourne chez moi et si tu as envie de me revoir, mais sans scrupules cette fois, appelle-moi. Je te laisse mon numéro...

* * *

Gilbert et Maude avaient organisé un autre réveillon pour le 31 décembre.

Rue d'Assas, on trinquait à l'arrivée prochaine de l'an 2000. Verre d'eau d'Évian à la main, Antoine, triste de penser que sa fille passait très mal d'un siècle à un autre, conversait sans intérêt avec le peintre américain Jack Sanborne, dont les œuvres récentes seraient exposées à la galerie de Maude en janvier.

— *So, Antoine, you are also an artist ?*

— *Me ? No, no... Excuse me...* répondit le Québécois en laissant le peintre new-yorkais en plan.

Antoine se sentait presque aussi dépaysé que Léo, un certain soir de décembre, à *La Ruche*. Il aurait aussi voulu se voir ailleurs, à un endroit bien précis, tenant la main de Prudence.

— Ça va, Antoine ? lui demanda Gilbert.

— Oui, merci. Dis-moi...

Antoine ne compléta pas sa phrase. Maude venait d'apparaître à l'entrée du séjour, en compagnie d'Emmanuelle.

— Emmanuelle…

— Bonsoir, Antoine…

— Allez dans mon bureau, vous serez plus tranquilles pour parler, leur proposa Maude.

Antoine referma la porte de la petite pièce derrière lui. L'expression d'Emmanuelle ne lui disait rien qui vaille. Il crut aussitôt qu'elle venait lui annoncer une mauvaise nouvelle, mais puisqu'elle ne semblait pas avoir pleuré…

— J'arrive de l'hôpital. Prudence est toujours inconsciente. Antoine, j'aimerais que tu me rendes un grand service, lui dit-elle en prenant place à la table de travail de Maude.

— Tout ce que tu voudras…

— Tu vas sûrement penser que je suis barjo…

— Emmanuelle, qu'est-ce que je peux faire pour toi ?

— C'est surtout pour Prudence.

— Je t'écoute.

Emmanuelle lui raconta alors qu'une infirmière lui avait dit, quelques heures plus tôt, qu'à la suite d'un traumatisme, il suffisait parfois de parler à un patient inconscient pour qu'il réagisse. Elle avait précisé que la voix et les paroles d'une personne aimée pouvaient faire des merveilles. Emmanuelle avait aussitôt essayé, en vain.

— Et tu veux que moi… Mais Prudence n'a jamais entendu ma voix.

— Mais elle connaît ton nom. L'infirmière m'a aussi dit qu'un choc émotif positif peut également contribuer à…

— Et qu'en pense le médecin de Prudence ?

— Crois-tu vraiment que les neurologues sont disponibles à un peu plus d'une heure de la nouvelle année ?

— Évidemment ! Ils doivent être en train de fêter à « Nully ». Nous n'avons rien à perdre. On y va !

***

Depuis le départ de Laura, Léo n'avait cessé de ronger son frein. Il avait tenté de commencer à lire le roman *Alain et les autres hommes de ma vie*, qu'il s'était procuré la veille. Aucun intérêt. Il avait tenté d'écrire quelques phrases. Aucune inspiration. Vers les 17 heures, en apercevant le numéro de téléphone que Laura avait scribouillé sur le journal, il décrocha le combiné.

— On ne m'appelle jamais la veille du premier de l'An. C'est toi, Léo ? répondit-elle.

— Et moi je n'appelle habituellement personne la veille du premier de l'An. Que fais-tu ?

— Je préparais un dîner, dans l'éventualité qu'un certain Léo m'appellerait.

— Et aurais-tu par hasard l'intention d'inviter ce Léo qui t'appelle ?

— Je l'attends...

***

Dans la pénombre, Emmanuelle entraîna Antoine au bout d'un corridor bordé de chambres aux portes entrouvertes. Des lamentations provenaient de certaines d'entre elles. Antoine, qui tentait de se donner une allure d'homme en contrôle de ses émotions, se sentait instable sur ses longues jambes. À quelques mètres de la chambre de Prudence, Emmanuelle s'arrêta puis se tourna vers lui.

— Prudence est intubée et enrubannée comme une momie. Ça ira ?

Antoine hocha la tête, néanmoins conscient qu'il serait, dès le premier regard porté sur Prudence, dardé au cœur. Il avait déjà vu Léo dans une situation similaire, mais il serait maintenant au chevet de sa fille dont la santé future était menacée et la vie possiblement en danger.

Emmanuelle poussa la porte. Antoine n'aperçut d'abord que la faible lumière d'une veilleuse, les témoins lumineux clignotants des appareils médicaux auxquels Prudence était branchée, puis un petit corps inerte étendu au centre d'un lit à barrières. Emmanuelle regarda Antoine, qui porta la main gauche à sa bouche. Elle prit sa main droite.

« Viens ! Malgré les bandages et les tubes, on voit son visage. Viens voir comme elle est belle, ta fille… »

Tandis qu'il s'avançait lentement vers Prudence, Antoine crut ne pas pouvoir tenir le coup. Passant de l'autre côté du lit, Emmanuelle en approcha une chaise de bois et revint sur ses pas pour guider Antoine. Il la suivit comme un enfant obéissant, mais il refusa de s'asseoir. Du revers de la main, il assécha les premières larmes qui commençaient à couler sur ses joues, puis il se pencha au-dessus du lit. Son visage effleurait presque celui de Prudence. lI posa un tendre baiser sur sa joue. Il se redressa, puis regarda Emmanuelle.

— Oui, elle est belle, notre Prudence.

Il prit place sur la chaise, puis il regarda encore une fois Emmanuelle. Elle comprit ce qu'il ne lui demandait pas.

— Tu préfères rester seul avec elle ?

Antoine acquiesça d'un léger signe de tête.

— Je serai dans le corridor…

S'arrêtant à la porte de la chambre, Emmanuelle se retourna. Antoine s'était relevé. Du bout des doigts, il caressait la main de Prudence.

Emmanuelle s'adossa à un mur du corridor. L'infirmière noire qui lui avait parlé des bienfaits possibles de la parole vint la retrouver.

— Vous avez amené un visiteur pour Prudence...

— Oui, son père.

— Il ne l'avait pas vue depuis l'accident ?

— Il ne l'a jamais vue.

L'infirmière ne dit mot.

— C'est une longue histoire...

— Prudence sait qui il est ? Elle connaît son nom ?

— Oui. Il est Québécois. Il est justement venu à Paris pour la rencontrer.

— Très bien ! Elle l'attendait donc ?

— L'accident est survenu quelques minutes avant l'heure de leur rendez-vous.

L'infirmière tapota l'épaule d'Emmanuelle.

— Merci. Le fait que vous soyez de garde ici, en cette dernière nuit de l'année, témoigne bien de votre grand dévouement.

— Les jeunes infirmières ont autre chose à faire ce soir et je les comprends bien. J'ai aussi une fille, plus âgée que Prudence bien sûr, mais elle vit en Belgique. Je préfère donc me retrouver auprès des patients plutôt que seule chez moi.

Antoine n'avait cessé de regarder Prudence en silence. Il tenait délicatement sa main gauche dans la sienne. Dans les circonstances, toucher la chair de sa chair le bouleversait.

— Prudence, c'est moi, Antoine. M'entends-tu, ma fille ? Si oui, bouge tes doigts.

Entre de courtes pauses, il revenait sur ce « mantra ». Il était prêt à tout pour contribuer au retour à la santé de sa belle adolescente, mais il se sentit bientôt aussi impuissant qu'un sorcier invoquant la lune et les étoiles.

Emmanuelle marchait dans le corridor en compagnie de l'infirmière.

— Il serait préférable que vous ne mentionniez pas au docteur Gamblin que je vous ai conseillé la méthode de la parole pour tenter d'aider Prudence. J'écoperais. Ce n'est pas de ma compétence de conseiller des traitements, quels qu'ils soient. Je doute par ailleurs qu'il accorde quelque reconnaissance d'efficacité à ce genre de thérapie.

— Vous y croyez, vous ?

— J'ai été témoin de cas où cette méthode s'est révélée un déclencheur de guérison. Certaines personnes diraient qu'il s'agissait tout simplement de coïncidences, mais moi j'y crois, oui.

— J'ignore pourquoi, mais j'y crois aussi. Quelle heure est-il ?

L'infirmière regarda sa montre.

— Déjà ! Il est minuit et une minute.

Dans ce corridor d'hôpital désert, les deux mères se firent l'accolade. Antoine, lui, ignorait que l'an 2000 était arrivé.

— Prudence, tu ne veux pas me parler ? J'aurais aimé être là, tu sais, pour te voir naître et grandir, pour te voir devenir une belle et talentueuse jeune femme. Tu es ma fille et je t'aime de tout mon cœur. Toi aussi, tu me manquais. J'ai toujours eu besoin de toi, même si j'ignorais que tu existais. Prudence, tu n'as qu'un mot à dire pour que je reste toujours près de toi.

Plus d'une heure après avoir embrassé sa fille pour la première fois, Antoine sortit de la chambre, exténué.

— Venez ! dit Emmanuelle à l'infirmière lorsqu'elle l'aperçut, tête inclinée, s'adosser, à son tour, au mur du corridor, tout en s'épongeant le front avec un papier-mouchoir.

— Tu n'es pas bien, Antoine ?

— Je suis tout simplement amèrement déçu. Je n'ai pas réussi. Ça n'a pas fonctionné.

— Tu as fait de ton mieux...

— Les résultats ne sont pas toujours immédiats, se permit de préciser l'infirmière.

— Ho ! Antoine, je te présente...

— Vous pouvez m'appeler Joséphine.

Antoine la salua d'un signe de tête.

— Je dois maintenant aller voir Prudence, puis je vous laisserai seuls avec elle.

Emmanuelle et Antoine suivirent l'infirmière dans la chambre. Joséphine vérifia les tubes puis prit connaissance des lectures des différents appareils.

— Rien à signaler. Tout est normal.

— Sauf que notre fille est encore inconsciente, murmura Antoine.

Emmanuelle embrassa Prudence.

— Bonne année, ma chérie. Reviens-nous vite.

Antoine ferma les yeux.

— Si vous avez besoin de moi, je serai au poste de garde.

— Attendez ! Joséphine... il se passe quelque chose...

Antoine et l'infirmière s'approchèrent du lit.

— Regardez...

Les lèvres de Prudence tressaillaient. Elle les entrouvrit.

— An...toine...

***

Rue De Bullion, il était six heures plus tôt que sur le boulevard de l'Hôpital. Léo se présenta à la porte bleue, le cœur battant. Laura lui ouvrit, arborant son sourire espiègle à la Choco Latcho qui avait longtemps hanté son visiteur.

— Êtes-vous le Léo que j'espérais ?

— J'espère bien l'être.

En entrant chez elle, Léo se sentit dans un étrange univers à l'atmosphère presque muséale, mais néanmoins chaleureuse. Il la suivit dans un couloir dont l'éclairage tamisé semblait surnaturel. Mêlant originalité et classicisme, le petit salon l'envoûta.

— Fais comme chez toi, je reviens à l'instant.

Léo prit place dans un fauteuil bergère à oreilles. Son regard fit le tour de la pièce où tout n'était, aurait dit Baudelaire, qu'ordre et beauté, luxe, calme et volupté.

— Je risque. Je t'offre un pastis, dit Laura en revenant dans la pièce, un petit plateau à la main.

— Excellent choix. J'aime !

Ce soir-là, Léo avait relégué son costume de comptable à la garde-robe et s'était tout de velours côtelé noir vêtu. Laura lui trouva le genre « beau poète ».

— Tu te rends compte ? Antoine est déjà, lui, dans le siècle nouveau, dit-il.

— Il a toujours devancé tout le monde, commenta-t-elle, souriante.

Malgré le sourire qu'il adressa à Laura, Léo se faisait du souci. Si Prudence n'avait pas encore repris conscience, l'an 2000 débutait très mal pour son ami.

— S'il arrivait quelque chose à Prudence… Ce serait trop absurde.

— Trop absurde pour que tu t'arrêtes à cette éventualité. Léo, visualise plutôt un dénouement heureux.

— Tu as raison…

Léo but une gorgée de l'apéro jaunâtre dont il aimait le goût de réglisse.

— C'est très chaleureux chez toi, Laura. Tu as créé une atmosphère théâtrale ou romanesque qui me fait imaginer que je suis… *À l'ombre des jeunes filles en fleurs…*

— C'est peut-être parce que tu es… *À la recherche du temps perdu…*

Léo sourit en pensant que Laura n'avait peut-être jamais aussi bien dit de sa vie.

Vraies ou fausses, certaines des antiquités de Laura provenaient d'ailleurs de décors de théâtre.

— Lorsque tu voudras échapper à la turbulence du nouveau siècle, tu n'auras donc qu'à te réfugier dans le romantisme de mon salon dix-neuvième.

— Avec joie... En fait, j'aurais bien aimé vivre à cette époque-là.

— Oh ! Je n'en doute pas le moins du monde. Je t'imagine très bien dans des cafés littéraires parisiens ou encore aux côtés d'Émile Nelligan au château Ramezay.

Nelligan… Laura, qui semblait lire dans les pensées de Léo, venait de créer avec lui un autre rapprochement.

Le regard de Léo se fixa soudain sur un cadre de bois ovale à vitre bombée renfermant la photo d'une femme en costume de clown.

— Ma mère… l'informa Laura. Elle était aussi femme de théâtre. Et, comme Nelligan, elle a aussi rendu l'âme un jour de novembre, à Saint-Jean-de-Dieu. Elle n'a jamais connu ce statut de « vedette » que l'on attribue aujourd'hui à tout venant, mais c'était une véritable artiste. Elle s'est consacrée à son art jusqu'au jour où…

Léo se souvint alors qu'Antoine lui avait parlé de la mère de Choco.

« Juliette… Je l'adorais. C'était une bonne mère. Elle me faisait chanter, danser, dessiner, puis elle me lisait des contes… J'entends encore son rire. Ma chère maman… »

Assise sur le bout d'un divan récamier, Laura regardait le portrait ovale avec attendrissement. Léo regretta d'avoir sans doute ravivé de douloureux souvenirs.

— Excuse-moi, je ne voulais pas…

— Il y a longtemps que je n'ai pas parlé d'elle. Je veux le faire, maintenant, pour toi, pour moi. J'en ai besoin. Tu veux savoir ?

Laura n'attendit pas le consentement de Léo.

— Ma mère était enceinte de moi lorsque mon père, un peintre décorateur qu'elle avait rencontré au Théâtre Arcade, est décédé. Elle ne m'a jamais dit son chagrin, mais, dans mon cœur d'enfant, je la sentais parfois mélancolique, ailleurs, dans un monde à elle.

Léo se sentit touché personnellement.

Laura lui raconta alors que sa mère, un soir de mai 1960, à la fin d'une représentation d'une comédie dans laquelle elle jouait le rôle d'une dompteuse de lions hystérique, avait salué les spectateurs en compagnie de ses camarades puis avait aussitôt quitté la scène, le théâtre, toujours maquillée et en costume. Une vingtaine de minutes plus tard, des policiers l'avaient interpellée alors qu'elle déambulait au beau milieu de la rue Sainte-Catherine.

— Elle leur avait dit que son mari l'attendait pour souper… à Alma. À cette époque, j'ignorais encore que mon père y était né. J'étais âgée de quatorze ans. Le lendemain, lorsque j'ai revu Juliette à l'hôpital Notre-Dame, elle ne m'a pas reconnue. Elle ignorait qui j'étais. Le choc de ma vie.

Puis on l'interna. La sœur cadette de ma mère m'a prise chez elle. Jusqu'à sa mort, quelques années plus tard, jamais Juliette ne m'a reconnue. Quand j'allais la voir, elle me parlait, elle caressait mes cheveux, elle m'embrassait mais, pour elle, j'étais le personnage qu'elle avait souvent incarné dans une pièce pour enfants… Choco Latcho.

Laura se leva, se dirigea vers le mur où la photographie de sa mère était accrochée, puis elle se tourna vers Léo encore tout troublé par son récit.

— Sais-tu ce que ça peut représenter pour une adolescente d'être la fille d'une femme dont l'esprit voyage dans un univers qu'elle seule connaît ? Bref, faisant fi de ma pire appréhension, je lui avais un jour demandé si elle se souvenait de Laura. Elle m'avait alors adressé un regard coquin, accompagné d'un long silence. J'étais persuadée qu'elle me reconnaissait enfin. Je n'oublierai jamais ses paroles… « Ma Laura est une grande fille maintenant. Elle est artiste comme moi. Un jour, nous jouerons au théâtre ensemble. Laura vient me voir la nuit, quand c'est plus tranquille. Nous parlons, nous rions et nous pleurons, mais pas trop fort, pour ne pas réveiller les autres fous… »

Bouleversé, Léo se leva, s'avança vers Laura, puis la serra dans ses bras.

— Laura, aimons-nous assez fort pour réveiller tous les autres fous…

***

Dans l'après-midi du 1er janvier 2000, Emmanuelle avait pris Antoine en voiture, rue d'Assas, pour se rendre à l'hôpital Pitié-Salpêtrière. Alors qu'ils roulaient sur le boulevard Saint-Marcel, Antoine demanda soudain à Emmanuelle de s'arrêter.

— Je viens de voir une boutique… Je veux acheter des fleurs pour Prudence.

Émue, Emmanuelle le regarda se diriger à grands pas vers le fleuriste *L'air des champs.*

La nuit précédente, ils étaient restés au chevet de leur fille jusqu'aux petites heures du matin. Ils s'étaient relégués pour lui parler, en espérant l'entendre répéter « Antoine » ou dire n'importe quoi d'autre. Rien !

— C'est très joli, dit Emmanuelle lorsque Antoine remonta dans la voiture avec son bouquet.

— Une gerbe main, m'a-t-on dit, composée d'eucalyptus et d'autres fleurs dont je n'ai pas retenu les noms.

Trouvant Antoine attendrissant tant il était naturel, Emmanuelle sourit, puis elle démarra.

Sinon pour parler de Prudence, Antoine et Emmanuelle avaient peu échangé depuis la nuit de leurs retrouvailles. Antoine sentait bien qu'elle n'éprouvait aucune animosité à son endroit et que ses pensées, tout comme les siennes, étaient plutôt entièrement axées sur l'état de santé de Prudence.

Gerbe de fleurs à la main, Antoine proposa à Emmanuelle d'entrer seule dans la chambre de leur fille. Elle le regarda puis, sans mot dire, se conforma à sa demande. Antoine se sentait plus anxieux que la veille. Il craignait que Prudence, après lui avoir fait le cadeau de prononcer son nom, soit retombée dans un état végétatif peut-être irréversible. Emmanuelle ressortit presque aussitôt de la chambre, souriante.

— Elle a parlé ? lui demanda Antoine, fébrile.

— Non, mais viens voir, vite…

Prudence avait ouvert les yeux. Antoine prit sa main. Elle cligna des yeux.

— M'entends-tu, Prudence ? C'est Antoine... Je suis ici avec ta maman...

Emmanuelle prit son autre main entre les siennes.

— Je suis là, Prudence. Nous vois-tu ? Nous entends-tu ?

Comme la veille, les lèvres de Prudence tressaillirent. Au même instant, le neurologue entra dans la chambre.

— Docteur, docteur... Elle a les yeux ouverts, lui annonça Emmanuelle.

Antoine s'éloigna du lit pour laisser place au médecin.

— C'est bon signe, mais je dois vous demander de quitter la chambre pour ne pas la fatiguer. Ne vous inquiétez pas, je veille sur elle.

— Non ! murmura Prudence.

— Ben voilà une petite rebelle en bonne voie de guérison ! D'accord, je reviendrai dans cinq minutes.

Emmanuelle crut voir Prudence esquisser un sourire, tout en fermant les yeux.

— Elle s'est rendormie. Laissons-la reposer, Antoine.

Après l'avoir embrassée, les parents de la jeune patiente croisèrent le neurologue dans le corridor.

— Docteur, croyez-vous que Prudence retrouvera toutes ses facultés bientôt ? lui demanda Antoine.

— Vous êtes Québécois ? Ma conjointe est Québécoise...

— Josée ?

Le médecin le regarda, interloqué.

— Non... Madeleine...

— Ha !

Emmanuelle lança un regard interrogateur et à la fois réprobateur à Antoine.

— Oui… Pour ce qui est de Prudence, j'effectuerai d'autres tests tout à l'heure, mais rassurez-vous, elle semble récupérer normalement.

Les visages d'Emmanuelle et d'Antoine s'épanouirent. Le neurologue poursuivit sa tournée. Une infirmière vint vers eux.

— Vous êtes bien la maman de Prudence ?

— Oui…

— On m'a demandé de vous remettre ceci, dit la jeune infirmière en lui tendant une enveloppe.

Emmanuelle la décacheta et en retira une carte rose.

Chère Emmanuelle,

J'ai été ravie de faire votre connaissance. Je ne vous reverrai probablement pas, mais je vous souhaite beaucoup de bonheur avec votre Prudence qui vous reviendra très bientôt, j'en suis persuadée.

Pour ma part, j'ai décidé de me rendre à Namur pour y retrouver ma fille, afin de commencer cette nouvelle année avec elle. Jamais le temps ne nous attend…

Embrassez Prudence pour moi.

Salutations à monsieur Antoine.

Avec la compassion d'une mère à une autre,

Joséphine

La mère de Prudence en fut émue.

— Ça va, Emmanuelle ?

— Oui… Un mot touchant de l'infirmière Joséphine. Elle te salue. Allons-y !

Antoine saisit délicatement son bras.

— Emmanuelle, nous ne nous sommes pas encore souhaité la bonne année…

Elle le regarda tendrement.

— Alors qu'attendons-nous ? Jamais le temps ne nous attend...

Au vu des infirmières et des visiteurs qui circulaient dans le corridor, Antoine serra Emmanuelle dans ses bras puis leurs lèvres s'effleurèrent. Il huma alors avec ravissement le parfum suave qui l'avait envoûté, vingt ans plus tôt. Ni Dior, ni Guerlain, ni Chanel. Le parfum naturel de la peau douce d'Emmanuelle.

— Merci d'être là, Antoine. Sans toi...

— Viens, j'ai besoin d'un verre de vin.

— Et moi donc !

Ils se dirigèrent vers la sortie.

— Au fait, qui est Josée ?

— La fille de la grosse femme du milieu...

— Pardon ?

Antoine sourit.

— Je te raconterai...

* * *

Depuis le 30 décembre, Léo et Laura avaient fait la navette entre l'appartement de l'un et la maison de l'autre. Léo était convaincu qu'il avait enfin trouvé la compagne idéale. Ils avaient des goûts et des intérêts communs. Laura était de plus devenue une source de motivation pour l'écrivain. Il lui avait même timidement proposé de lire l'un de ses cahiers bleus, dans lequel elle avait découvert une nouvelle qui datait de quelques années.

— Tu écriras un jour une pièce que je proposerai à des directeurs artistiques de compagnies théâtrales.

— Voyons donc ! Je n'ai jamais écrit pour le théâtre.

— Bien sûr que si, mais tu l'ignores. Cette nouvelle est le canevas d'une pièce. Les personnages, les dialogues… Tout y est. Tu n'aurais qu'à développer ton histoire pour le théâtre.

— Je dois t'avouer que je n'ai pas beaucoup fréquenté le théâtre. Je suis plutôt cinéphile. Au fait, de quel côté sont respectivement le côté cour et le côté jardin ?

Laura s'esclaffa.

— Cher Léo ! Drôle avec ça ! Ne te fais pas de souci avec ces détails. Moi, la « théâtreuse », je suis là pour t'aider, non ?

***

Depuis le premier de l'An, Prudence avait fait des progrès. Elle dirigeait maintenant son regard vers ses interlocuteurs. Elle comprenait ce qu'on lui disait. « Non », avait-elle répondu lorsque sa mère lui avait demandé si elle souffrait. « Oui », avait-elle répondu lorsque Antoine lui avait demandé si elle savait qui il était. Mais Prudence, dont les états d'éveil étaient de courte durée, n'arrivait pas encore à dialoguer avec ses deux visiteurs.

La relation entre les parents de Prudence avait aussi progressé. Ils se limitaient de moins en moins à l'unique sujet de conversation qu'ils avaient partagé depuis qu'ils s'étaient retrouvés. Un après-midi, à la sortie de l'hôpital, alors qu'elle raccompagnait Antoine chez Gilbert, Emmanuelle accepta même de dîner avec lui ce soir-là. « Mais c'est moi qui t'invite », lui dit-elle. Antoine en fut gêné, surtout lorsqu'elle précisa qu'elle réserverait à *La Closerie des Lilas*. L'ancien homme d'affaires avait depuis longtemps perdu l'habitude des grands restaurants et des tenues vestimentaires qui y convenaient. Emmanuelle sentit aussitôt son malaise.

— Excuse-moi, Antoine, tu avais peut-être déjà pensé à un autre resto…

— Non, ce n'est pas ça. Aussi bien que tu saches dès maintenant… Je suis fauché, Emmanuelle. Si Gilbert et Maude ne m'avaient pas accueilli chez eux, je n'aurais sûrement pas eu les moyens de venir à Paris pour rencontrer Prudence.

— Mais je t'invite…

— Emmanuelle, il y a une quinzaine d'années, j'ai vécu ce que j'aurais dû reconnaître comme étant de l'imposture. Je me croyais au-dessus de tout et de tous. Ce fut ma perte sur tous les plans. Horrible ! En acceptant ton invitation à la chic *Closerie*, où je ne cadrerais aucunement, j'aurais encore l'impression de frimer. Je ne veux plus éprouver le syndrome de l'imposteur.

Cette fois, Emmanuelle comprit parfaitement bien.

— Antoine, tu te souviens sûrement de qui j'étais lorsque tu m'as rencontrée. Je posais nue pour des peintres et je travaillais comme serveuse dans un café pour gagner misérablement ma croûte. J'ai par la suite eu la chance d'épouser un homme fortuné et aimant qui m'a tout donné. Je dois par contre t'avouer que j'éprouve encore aujourd'hui ce syndrome de l'imposteur dont tu parles. Je réussis néanmoins à m'en détacher en pensant que Prudence, elle, n'aura pas à vivre des années de misère comme celles que j'ai connues. Donc, voici ce que je te propose… Ce soir, tu viens dîner chez moi. Petite salade, pâtes et bon vin…

— Merveilleux ! J'accepte avec grand plaisir.

Antoine esquissa un sourire taquin.

— Pour me rendre chez toi, j'emprunterai la BMW de Maude.

— Pouaaah… Imposteur !

Antoine et Emmanuelle partagèrent un fou rire libérateur. Il venait de retrouver la mignonne petite Parisienne qu'il avait, sans jamais l'avouer à Léo, tendrement et passionnément aimée. Elle venait de retrouver son Québécois qu'elle aurait jadis suivi jusqu'à ses arpents de neige si elle en avait eu les moyens.

Ce soir-là, Prudence fut encore au centre de leur conversation, mais, cette fois, dans une atmosphère de confiance, de détente et même de joie. Ils étaient convaincus que leur grande fille serait bientôt de retour chez elle, dans cet appartement cossu du boulevard Raspail.

— Tu m'as donné une belle et bonne fille, Antoine.

— Que je n'ai pas eu le bonheur de voir grandir et s'épanouir. Ce qui fut sans aucun doute préférable… pour elle.

— Mais tu la retrouves aujourd'hui et tu la connaîtras bientôt.

— Je le veux. Je vieillis et il n'y a rien dans mon avenir sinon elle.

— Tu comptes rester encore combien de temps à Paris ?

— En principe, je devrais déjà être de retour chez moi, mais les événements ont fait que… Je ne sais pas. Je partirai lorsque j'aurai eu un bon entretien avec Prudence, lorsque j'aurai eu le plaisir de marcher dans les rues de cette merveilleuse ville avec elle. Je désire rentrer à Montréal avec le plus beau souvenir de ma vie.

Emmanuelle reconnut alors que Prudence ressemblait plus que physiquement à son père. Même sensibilité, même humour, même franc-parler.

— Antoine, je te promets que tu reverras Prudence… ici ou au Québec.

— Je le souhaite de tout cœur.

***

En ce jeudi après-midi du 6 janvier 2000, Emmanuelle s'arrêta au poste de garde de l'étage, alors qu'Antoine se dirigeait vers la chambre de Prudence dont la porte était grande ouverte. Il aperçut alors sa fille à demi-assise dans son lit. Elle tourna la tête en sa direction et lui sourit. Antoine fut comme hypnotisé par les scintillants yeux bruns de cette jolie fille au teint laiteux.

— Bonjour… Antoine. J'atten… dais… toi…

Son père s'agrippa au chambranle de la porte avant de faire, comme un bébé hésitant, un premier pas.

— Prudence…

— Je parle…

— Oui, ma fille, tu parles bien.

Antoine fit un second pas, lentement, comme s'il eût craint d'effaroucher un petit oiseau fragile.

— Bisou à… Prudence…

Antoine s'avança vers elle puis il l'embrassa, avec précaution et tendresse, sur le front, sur les joues.

« Vous serez agréablement surprise », avait-on prévenu Emmanuelle au poste de garde. Elle se précipita vers la chambre de Prudence. Elle figea au même endroit qu'Antoine, quelques instants plus tôt.

— Bonjour… maman…

***

L'horloge antique de Léo indiquait 17 heures 12. En début d'après-midi, Antoine avait communiqué avec lui pour lui apprendre la bonne nouvelle. Léo écrivait lorsque la sonnerie du téléphone se fit entendre, fait inusité, pour la troisième fois de la journée.

— Léo, je veux te parler. Je serai chez toi dans une vingtaine de minutes…

— Bien !

Léo appela aussitôt Laura, chez qui il était attendu pour dîner, afin de la prévenir qu'il tarderait un peu.

— Alain veut me voir…

Conscient des moments éprouvants qu'Alain avait pu vivre au cours des derniers jours, Léo ne s'était pas formalisé de son ton un peu sec. Il présumait même que son ami barman devait en fait se sentir tout penaud. Léo espérait qu'il ne s'éterniserait quand même pas à se confondre en explications et en excuses. Laura l'attendait.

Alain se présenta bientôt chez lui, l'air grave. Léo tendit inutilement la main au visiteur qui passait déjà au séjour. Déconcerté, Léo referma la porte puis rejoignit son « invité » qui avait pris place sur le divan.

— Le temps presse, alors venons-en aux faits. Tu es bien sûr au courant…

— J'ai même tout vu, du moins ce qui s'est passé à l'extérieur de *L'Attrait*. Et, ce matin, en lisant le journal, j'ai appris que tu avais été libéré.

— Cette histoire serait trop longue à expliquer, mais je veux que tu saches que je n'ai été impliqué dans aucune activité criminelle.

— C'est clair, puisqu'on t'a libéré.

Alain regarda Léo d'un air circonspect.

— Je savais évidemment très bien que ce n'étaient pas les Chevaliers de Colomb qui se réunissaient au sous-sol de *L'Attrait*, mais je n'ai jamais assisté à ces réunions-là. Je ne connais rien aux affaires de Renato et je n'ai jamais rencontré ses associés. Il ne me disait rien. Avec son omerta, il me protégeait et il se protégeait du même coup. On peut difficilement devenir délateur quand on ne sait rien. Et ce n'était pas un crime de surveiller un moniteur à la demande du propriétaire de l'immeuble dont j'étais le locataire.

— Renato…

— Même pas ! L'un de ses amis qui, en échange d'un loyer plus que modeste, tenait à ce que *L'Attrait* soit peu attirant et, conséquemment, peu fréquenté.

— Pour ça, c'était réussi.

— Pas de clientèle, pas de revendeurs de drogue. Pas de *pushers*, pas de policiers dans les environs. Moi, j'avais tout simplement l'obligation d'éventuellement rapporter des visites suspectes à Renato. Bref, mon avocat a eu gain de cause.

Léo regarda sa montre.

— Donc, tout va bien… pour toi en tout cas.

— Crois-tu ! Léo, tu m'a mis dans la merde…

Bouche bée, Léo devint livide.

— Le soir de l'opération policière, qu'as-tu écrit au verso de ton napperon ?

Léo se vit déjà mort et inhumé.

— Je…

— Tu as écrit une connerie au sujet d'un mafioso qui s'enfuyait de son resto pour tenter d'éviter son arrestation.

— Oui, mais…

— Oui, mais… ton napperon est tombé entre les mains de Domi, du fils de Renato. Son père savait très bien que je n'avais aucune responsabilité dans cette affaire de descente policière, mais ton petit roman à la *Godfather* change maintenant la donne. Deux amis de Domi m'ont « invité » à la trattoria cet après-midi. Fiston était furieux. J'ai tenté de lui faire comprendre que tu n'es qu'un romancier amateur qui écrit n'importe quoi…

— Oui, vraiment n'importe quoi… Il t'a cru ?

— En tout cas, je suis encore vivant… et toi aussi. Mais avec Domi, qui voit maintenant des traîtres partout, je ne jure de rien. Moi, je déménage. Je quitte Montréal.

Léo tremblait et suait.

— Et moi ? Je fais quoi, moi ?

— Toi, tu n'écris plus n'importe quoi n'importe où et tu me remercies de t'avoir raconté cette petite histoire pour te faire comprendre que tu l'as échappé belle et moi aussi, répondit Alain en souriant… ou presque.

Peut-être pour la première fois de sa vie, Léo se sentit sortir de ses gonds. Après avoir tremblé de peur, il tremblait maintenant de rage.

— Andouille ! Tu as failli me faire mourir d'une crise cardiaque. Es-tu fou ? Tu as inventé tout ça juste pour me terroriser ?

Alain demeura impassible.

— Non, Léo. Justement… C'est vrai que Domi a lu ton « essai », qu'il m'a convoqué et qu'il n'était pas d'humeur à parler de foot, mais, oui, il a finalement cru que tu ne savais rien de rien et que tu n'as aucun lien avec la police. Dans le cas contraire, nous ne serions probablement pas ici en train de causer… entre amis.

Les poings serrés, Léo marchait de long en large.

— Je n'en reviens pas encore que tu m'aies flanqué une telle frousse. Tu connais pourtant ma fragilité.

— Désolé, Léo, mais c'était du sérieux. Dans ces milieux-là, on ne joue pas. Tu aurais pu nous mettre dans de sales draps !

Alain fit une pause, puis il regarda Léo.

— Tu n'as plus à t'inquiéter. Domi m'a donné sa parole. Tu es un homme « innocent ». Par contre…

Léo poussa un soupir de désespoir.

— Quoi encore ?

— Domi préférerait que tu ailles désormais écrire tes histoires sur les napperons d'un restaurant chinois, répondit-il, amusé.

Léo soupira d'aise et arriva même à sourire. Alain se leva puis lui tendit la main.

— Sans rancune ?

— Pas sûr ! Bon, sans rancune, fit Léo.

— Autre chose qui est vraie... Je pars, Léo. Je retourne chez moi...

La déclaration d'Alain surprit Léo.

— Chez toi ? Chez toi en France ?

— Oui, je pense que c'est préférable.

— On ne se verra plus ? demanda Léo, l'air attristé.

— Mais si ! Tu viendras bien en France un jour... Au fait, Antoine ?

— Tout va bien. Il a vu sa fille...

Léo préféra taire l'accident.

— À la bonne heure ! Je te laisse, Léo. Prends bien soin de toi. Je t'appellerai pour te donner mes coordonnées. Et, sérieusement, évite d'aller à la trattoria. Domi est superstitieux...

Les deux hommes se firent l'accolade et le Marseillais disparut. En refermant la porte, il vint à l'esprit de Léo qu'un autre chapitre de sa vie, qui aurait bien pu être son dernier, venait de prendre fin, qu'il n'y aurait plus de rendez-vous du jeudi chez Alain, mais qu'il y aurait un après Attrait, grâce à la femme qu'il y avait un soir retrouvée.

***

Laura connaissait déjà Léo par cœur. Il se confiait à elle comme jamais il ne l'avait fait auparavant avec ses autres compagnes. Laura savait tout de lui : son enfance; ses bonshommes de neige sur la rue Marquette; sa casquette rouge; ses *Bob Morane*; sa petite Lapointe de la rue Fabre; son premier chagrin d'amour; son ancienne crainte de l'enfer; son seul séjour à Old Orchard Beach; son cinéma *Rivoli*; son *Pieds nus dans l'aube* de Félix Leclerc; sa timidité; sa Catherine; ses chiffres; ses fascinations; ses angoisses; ses mélancolies; ses pilules multicolores; son café sans sucre… Tout !

Retrouvant Laura, trente minutes après le départ d'Alain, Léo lui raconta sa mésaventure avec force détails.

— Mais c'est presque du mauvais boulevard ! s'écria-t-elle.

Léo, lui, n'y voyait aucun aspect vraiment comique.

— As-tu tiré une leçon de tout ça, Léo ?

La question l'étonna. Il n'était d'ailleurs pas certain d'en avoir compris le sens exact.

— Une leçon ? Que la plume n'est pas plus forte que l'épée ?

— T'es fou !

— Quelle leçon ? Que je devrai m'habituer à manger du *chicken fried rice* ?

Laura laissa échapper son petit rire que Léo trouvait si séduisant.

— Non ! Arrête ! J'en vois une, moi, une leçon…

— Alors tu es plus perspicace que moi.

Léo la regarda, en attente de la divulgation de cette leçon. Laura ne dit mot.

— Je n'ai vraiment pas envie de jouer aux devinettes. Dis !

— Tu devrais renoncer à tes habitudes d'écrivain de bars et de restos pour enfin te mettre à l'œuvre sérieusement. Tu n'es plus l'étudiant qui écrivait à la plume pour se tacher les doigts comme Nelligan. J'ai remarqué que ta calligraphie est très belle, mais tu perds un temps fou à dessiner tes mots dans tes cahiers bleus. Tu te complais à le faire, mais en écrivant à la main, tu repousses en fait, consciemment ou non, l'échéance du point final. C'est ce que tu cherches à faire, n'est-ce pas ?

Léo ne répondit pas.

— Pourquoi crains-tu d'aller au bout de tes écrits, au bout de tes rêves, au bout de tout ? La peur de l'échec ?

Léo se leva, s'éloigna de Laura, regarda la photographie de sa mère puis revint sur ses pas.

— Comme je disais, Laura, tu es vraiment plus perspicace que moi.

Léo en était maintenant plus que convaincu. Laura était la femme qui lui apporterait un nouveau souffle de vie, une envie de dépassement, un sentiment d'accomplissement.

13

Le jeudi 13 janvier 2000

Tresse pendante au milieu du dos, le bras gauche sanglé et se déplaçant à l'aide d'une canne, Prudence sortit de sa chambre pour se rendre au séjour. Ayant reçu son congé de l'hôpital, la veille, elle se réjouissait d'avoir retrouvé son environnement douillet, les poupées de son enfance, ses livres d'art et son ordinateur. En la voyant faire son entrée dans la pièce, Antoine s'empressa d'aller lui faire la bise et de l'aider à prendre place sur une chaise droite, puis il lui apporta un verre d'eau.

— Tu es bien coquet ce matin, Antoine, dit-elle, souriante.

Respectueuse à l'endroit de son père, Prudence faisait néanmoins preuve d'un sans-gêne bien de son âge. Antoine avait repris place sur le divan aux côtés d'Emmanuelle, lorsqu'ils aperçurent l'expression de Prudence s'assombrir.

— J'ai vraiment eu peur, une seconde ou deux. J'ai aperçu cette caisse foncer sur moi, mais tout est aussitôt devenu noir. Le pire, ce fut à l'hôpital.

Prudence but une gorgée d'eau. Emmanuelle et Antoine se regardèrent. Leur entente tacite fut immédiate. Ils ne voulaient pas interrompre Prudence.

— À un certain moment, j'ai senti mon cœur battre très fort. Je me sentais emprisonnée dans un corps inanimé. C'est compliqué. Pouvais-je vraiment penser ? Je ne sais pas. Le temps n'existait pas. Je voyais parfois des couleurs comme celles d'un kaléidoscope. Puis j'ai entendu une voix traînante qui sembla, au départ, provenir de loin, puis je l'ai progressivement entendue plus clairement. Si je me souviens bien, j'ai entendu le nom Antoine. Il y a alors eu une espèce de déclic dans mon cerveau. Je me sentais renaître. Je crois que je faisais des efforts pour parler, mais je n'y arrivais pas. Tout ça est tellement confus dans ma tête. C'était comme un rêve fou.

Prudence se tut puis elle haussa les épaules en signe d'incompréhension.

Emmanuelle regarda tendrement Antoine puis elle se leva pour aller embrasser sa fille.

— Tu n'as pas rêvé, Prudence. Cette voix que tu as entendue était celle d'Antoine. Dans la nuit où nous avons changé de siècle, il t'a longuement parlé, en tenant ta main, en te répétant son nom. Tu n'as effectivement pas immédiatement réagi, mais le premier mot que tu as finalement murmuré fut… Antoine.

Une larme coula sur la joue de Prudence. Antoine vint à son tour embrasser sa fille.

— Merci, Antoine, lui dit-elle.

— Non, merci à toi... d'être là pour faire mon bonheur.

Prudence racla sa gorge.

— Bon, bon, reprenez vos places, j'ai encore à vous parler.

Emmanuelle se tourna vers Antoine.

— Devine qui mène dans cette maison.

Souriante, Prudence regarda ses parents reprendre place devant elle.

— Nous t'écoutons, fit Emmanuelle qui, connaissant bien sa fille, était prête à tout.

— Ma question s'adresse à Antoine. Maintenant que tu as retrouvé Manu et que tu as découvert ton adorable fille, épouseras-tu ma mère ou, du moins, viendras-tu habiter ici avec nous ?

Antoine était sans voix. Emmanuelle s'esclaffa.

— Je t'avais prévenu que ta fille a son franc-parler. Réponds-lui, maintenant !

— Tu savais qu'elle me poserait cette question ?

— Avec cette grande bringue, je ne sais jamais rien avant le fait accompli. Je suis aussi surprise que toi.

Prudence frappa délicatement de sa canne sur l'une des pattes de sa chaise.

— J'attends, fit-elle en se donnant un air de mère supérieure.

— Euh ! Écoute… Je… J'ai retrouvé Emmanuelle avec beaucoup de bonheur, mais je suis d'abord venu à Paris pour te rencontrer. Puis ce malheureux accident est survenu. Ta mère et moi avons partagé une grande peine et nous nous sommes mutuellement soutenus et encouragés pendant ces jours noirs. Maintenant, nous souhaitons que tu te rétablisses totalement et que tu poursuives ta vie dans la joie, avec toute ta créativité et ton talent. Prudence, je devrai bientôt repartir, retourner chez moi. Je dois gagner ma vie. Mais je serai toujours là pour toi.

— Bien répondu, fit Emmanuelle.

Prudence ferma les yeux en pinçant les lèvres. Ce qui fit rire ses parents.

— En plus d'être un artiste, je me rends compte que mon père est un habile diplomate. Tu n'as pas vraiment répondu à ma question, Antoine, mais j'aime bien ton accent et je t'aime aussi, papa.

Sentant une vive émotion regagner Antoine, Emmanuelle se leva.

— À mon tour de parler maintenant. Et ma question à moi s'adresse à Prudence. Te crois-tu assez costaude pour faire une petite balade en voiture ?

— Bien sûr ! Nous allons déjeuner au resto ?

— Après…

— Après quoi ?

— Après la surprise que je te réserve.

— Chic alors ! Tu la connais, toi, Antoine, la surprise ?

— Ta mère ne m'a rien dit. Faut croire qu'elle est aussi imprévisible que toi.

— Mais où nous emmènes-tu ? demanda Prudence lorsque sa mère emprunta le pont Neuf pour se rendre sur la rive droite. Ayant pris place sur la banquette arrière de la Peugeot 206 pour assurer plus de confort à l'adolescente en convalescence, Antoine se réjouissait de la voir excitée comme une puce.

— Antoine, je crois que Manu nous emmène voir les p'tites femmes de Pigalle. Ce qu'on va se marrer !

Enjouée, Emmanuelle, qui ressemblait plus à une sœur aînée de Prudence qu'à sa mère, jouissait de faire languir sa fille.

— Non, ma chérie, je t'emmène au cimetière du Père-Lachaise pour que tu fasses tes dévotions sur la tombe de ton cher Balzac. Tu te souviens combien tu aimais faire des dissertations sur *Eugénie Grandet* ?

— Ah ! La barbe !

Mère et fille rigolaient comme deux copines de lycée. Antoine se sentit soudain comme un outsider. Il regrettait de ne pas avoir vu Prudence grandir, de ne pas avoir connu son rire et ses émerveillements d'enfant. Il déplorait son ignorance de tout ce qui avait contribué à l'épanouissement de cette grande fille qui était pourtant la sienne. Presque en pâmoison devant elle, Antoine ne se lassait jamais de la regarder et de l'écouter. Il l'épiait presque pour tenter de se reconnaître en elle. Il était conscient de vivre des moments aussi précieux qu'éphémères auprès de Prudence. Il éprouvait déjà le déchirement de leur prochaine séparation.

— Antoine, nous montons la rue des Martyrs. Montmartre… annonça Prudence.

— Tu ne m'as pas déjà dit que tu avais habité ici, Antoine ? lui demanda Emmanuelle en le regardant dans son rétroviseur.

— Oui, avec Bébert, mais il y a très longtemps. Tu n'étais encore qu'une gamine, Emmanuelle.

— Si longtemps que ça ? commenta-t-elle en riant.

— Eh oui ! Je suis vieux, moi…

Prudence se tourna vers lui. Il ne vit que ses grands yeux expressifs au-dessus de l'appuie-tête.

— Je t'interdis de dire ça, Antoine. Tu n'es pas vieux. Tu es mon papa-ami et je veux te garder longtemps.

Antoine fut encore une fois touché par les paroles de cette femme-enfant qui chamboulait sa vie, tout en édifiant l'homme plutôt dissolu qu'il avait toujours été.

— Tu habitais où exactement ? lui demanda Emmanuelle.

La réponse d'Antoine, encore enivré par le « papa-ami » de Prudence, tarda à venir.

— Le nom de la rue m'échappe. Je ne me souviens plus.

— Dommage !

Emmanuelle s'engagea dans la rue La Vieuville.

— Mais où vas-tu, maman ?

La Peugeot s'immobilisa.

— Terminus ! fit Emmanuelle, visiblement extatique.

Antoine aida Prudence à descendre.

— Mais on fait quoi ici, Manu ?

— Demande à Antoine...

— À moi ? s'étonna-t-il.

Antoine regarda autour de lui puis il atterrit soudainement sur sa planète Montmartre.

— Mais... c'est ma rue... C'est ici que j'habitais...

— Oui, Antoine. Regarde cet immeuble de l'autre côté de la rue et dis à Prudence ce que tu vois...

— Incroyable ! Ma piaule... Mon atelier avec Bébert. C'était là, Prudence, au premier étage.

Emmanuelle fut ravie d'apercevoir un éclat de jeunesse dans le regard d'Antoine.

— Tu as vraiment habité ici ? lui demanda Prudence, émerveillée.

— Oui, ma puce. Peu de temps, mais intensément. Je n'étais jamais revenu à Montmartre. Je nous vois encore, Bébert et moi, entrer et sortir par cette porte avec nos cartons, nos dessins, nos tableaux et nos bouteilles de vin du Postillon. Mais, Emmanuelle, comment savais-tu que c'était ici ?...

— Tu as un ami du nom de Gilbert qui m'a bien renseignée, répondit-elle, fièrement.

— Merci pour la belle surprise, maman...

— Mais attends, ce n'est pas terminé. La superficie de l'atelier là-haut a été plus que doublée et on a rénové depuis qu'Antoine y a habité.

— Comment sais-tu ça ? lui demanda-t-il.

— Je le sais parce que je connais ses deux nouveaux locataires... Prudence, fille, et Antoine, père.

Prudence se mit à crier de joie. Antoine, lui, s'adossa à la Peugeot, l'air maussade. D'une poche de son anorak, Emmanuelle sortit un jeu de clés qu'elle brandit devant Prudence.

— Les nouveaux locataires veulent-ils visiter ? demanda-t-elle en regardant Antoine, visiblement contrarié.

Emmanuelle, l'air attristé, détourna la tête puis elle aida Prudence, qui aurait volé jusqu'à l'étage, à y monter.

Antoine alluma une cigarette puis il marcha dans cette rue qu'il avait mille fois arpentée. Il se sentait manipulé. Revenant sur ses pas, il aperçut Emmanuelle sur le trottoir devant la porte de l'immeuble. Il se dirigea vers elle d'un pas décidé.

— Qu'as-tu fait, Emmanuelle ? lui demanda-t-il sur un ton de reproche.

— Ce que j'ai fait, Antoine ? J'ai loué un atelier pour ma fille qui travaille passionnément pour devenir peintre, pour consacrer sa vie à son art. J'ai surtout loué l'atelier qui fut celui de son père qu'elle admire et qu'elle aime. N'as-tu pas la moindre idée de ce que ça peut représenter pour elle ?

— Je veux bien, mais pourquoi m'impliquer comme « colocataire » de cet atelier ? Primo, je n'ai rien loué du tout, moi. Secundo, tu sais très bien que je repartirai bientôt, sans savoir quand je reviendrai et, même, si je pourrai revenir un jour. Tu donnes de faux espoirs à Prudence.

Antoine recula d'un pas pour laisser passer un gamin qui ressemblait à celui de la célèbre photographie *Rue Mouffetard* d'Henri Cartier-Bresson. Emmanuelle rabattit ses verres fumés sur son nez.

— Mais Prudence, elle, aura au moins l'impression de partager un atelier avec son père.

— Foutaise !

Emmanuelle prit une grande inspiration.

— Pour l'instant, va retrouver ta fille là-haut, je t'en prie. Elle t'attend.

Traits tendus, Antoine obtempéra. Il gravit lentement l'escalier. La porte du local était ouverte. Il ne reconnut pas ce qui avait été son atelier.

— Antoine, que faisais-tu ? Je suis tellement heureuse. C'est beau, c'est grand et bien éclairé. Nous travaillerons ensemble. Tu m'apprendras une foule de choses, tu m'inspireras. Je poserai mon chevalet ici, près de cette fenêtre. Et toi, tu seras là, près de l'autre fenêtre. On trouvera quelques vieux meubles aux puces de Saint-Ouen et ce sera parfait. Le bonheur !

Souriante, la jeune artiste souhaitait que son père en rajoute, qu'il participe à son rêve, qu'il l'étoffe à sa manière. Antoine aurait pour sa part préféré ne pas avoir à crever la bulle de sa fille.

— Prudence, Prudence… Je dois retourner chez moi, tu le sais, je te l'ai déjà dit.

— Oui, mais tu reviendras. Tu m'as aussi dit que tu serais toujours là pour moi.

— C'est vrai… On pourra se parler au téléphone, s'écrire sur Internet. Prudence, j'ignore quand je pourrai revenir.

Le grand sourire de sa fille s'estompa. S'appuyant sur sa canne, elle tourna le dos à Antoine puis elle boitilla jusqu'à l'une des deux grandes fenêtres donnant sur la rue La Vieuville. Dans ce loft vide aux murs blancs, la tranchante lumière d'hiver découpait sa mince silhouette. Antoine reconnut alors celle d'une jeune Emmanuelle. En contrebas, Prudence aperçut sa mère qui faisait les cent pas.

— Manu est triste.

— Qu'est-ce qui te fait croire ça ?

— Je la connais mieux que toi et je la vois là... Elle a son visage de tristesse, sa démarche nonchalante. Je sais qu'elle t'aime et qu'elle est triste parce que tu partiras... encore une fois.

Confondu, Antoine ne sut que dire. Depuis leurs retrouvailles, jamais Emmanuelle ne lui avait fait part de ses sentiments à son égard. Il regrettait de l'avoir blessée. Il se rendait compte qu'elle avait voulu bien faire en louant cet atelier, à fort prix. Il commençait même à comprendre les motifs qui l'avaient incitée à l'inclure, lui, dans sa « surprise ». Pour faire plaisir à sa fille, oui, mais aussi pour lui signifier qu'elle espérait son retour... le plus tôt possible.

Prudence se tourna vers Antoine, posa les mains sur la poignée courbée de sa canne, puis le regarda longuement.

— Antoine, Manu m'a tout raconté au sujet de votre relation. Je ne suis plus une enfant, tu sais.

D'un vague mouvement de tête, Antoine le reconnut... partiellement.

— J'ignore quels sont tes sentiments à son endroit, mais si tu aimes ma mère, ta place est ici, auprès d'elle, auprès de moi, ta fille.

Sa fille... Sa belle fille qui lui faisait vivre toutes sortes d'émotions fortes depuis son arrivée à Paris – des émotions comme il n'en avait jamais éprouvées de toute sa vie – venait encore une fois de secouer Antoine, qui resta muet.

— Peu importe ta décision, Antoine, je t'aimerai quand même toujours.

Du bout de sa botte à talons hauts, Emmanuelle écrasa la cigarette qu'elle venait à peine d'allumer. En levant la tête pour regarder en direction de l'atelier, elle vit Antoine rejoindre Prudence à la fenêtre, lui parler, puis la serrer dans ses bras.

La Peugeot argent quitta bientôt Montmartre.

— Où aimerais-tu déjeuner, Prudence ?

— À la brasserie de *La Closerie des Lilas*.

Le regard d'Emmanuelle croisa celui d'Antoine dans le rétroviseur.

— Et qu'en pense le père de la môme gâtée ?

— Excellente idée ! répondit-il, sourire en coin.

Emmanuelle pouffa de rire. Elle n'avait plus son « visage de tristesse ».

— Pardonne-moi. Je reviendrai, c'est promis, lui avait dit Antoine à l'oreille en ouvrant pour elle la portière de l'auto.

Autour d'eux, on parlait mode, art, littérature, cinéma et CAC 40[2].

Prudence commanda d'abord des huîtres et un verre de muscadet.

— C'est fête au village, ma fille ?

— Et pour cause, Manu ! C'est la première fois que nous déjeunons au resto… en famille. Première, mais pas la dernière. N'est-ce pas, Antoine ?

---

2. L'indice phare de la Bourse de Paris.

Souriant, Antoine caressa la joue de Prudence. Emmanuelle parut médusée.

— Antoine, qu'as-tu dit à Prudence ?

— Je lui ai simplement dit, comme à toi tout à l'heure, que je reviendrai, après avoir réglé mes affaires à Montréal.

Emmanuelle se mordit les lèvres.

— Tu sembles avoir quand même été plus précis avec Prudence.

— Droit de fille ! fit Prudence.

Emmanuelle hocha la tête en soupirant.

— Ah ! Celle-là !

Antoine, lui, s'extasiait devant la vivacité d'esprit de… celle-là.

— Écoutez ! Je devrai quand même trouver du travail ici. J'ai passé l'âge de mendier et je ne veux surtout pas faire la nounou pour l'espiègle mademoiselle Prudence.

Ce qui amusa la demoiselle en question.

— Deux grands enfants ! s'exclama Emmanuelle.

S'accoudant sur la table puis croisant les mains sous son menton, Emmanuelle fixa Antoine qui sentit alors que la conversation était sur le point de prendre une autre tangente.

— Prudence, je crois que ta mère veut me parler. Va jouer avec tes poupées.

Cette fois, il ne fit pas rire sa fille. Elle avait déjà compris que sa mère avait effectivement quelque chose d'important à dire à Antoine.

— Je t'écoute, fit-il.

Alors que Prudence tentait de se lever pour quitter la table, Emmanuelle lui fit signe de rester à sa place.

— Ça te concerne aussi, Prudence, dit-elle en se redressant. Antoine, doit-on te croire ? As-tu vraiment la ferme intention de revenir à Paris ?

Antoine n'apprécia pas particulièrement qu'Emmanuelle doute de ses intentions, mais il préféra passer outre.

— Oui, Emmanuelle. J'ai même l'intention de m'installer ici le plus tôt possible.

— Ta décision est quand même un peu subite, non ?

— Pas vraiment. Avant de venir ici, j'avais d'ailleurs dit à mon grand ami Léo – que vous rencontrerez sûrement un jour – que je prévoyais venir vivre ici, si…

— Si ? Si tu t'entendais bien avec Prudence ?

— Oui, mais aussi avec toi.

Tête inclinée, Prudence écoutait attentivement la conversation. Elle était consciente que sa mère tenait inexorablement à vider la question.

— Et alors ? demanda Emmanuelle.

Antoine n'avait jamais, de toute son existence, accepté d'être mis sur la sellette, mais force lui était de reconnaître que, dans le cas présent, c'était nécessaire.

— Je… Je sais maintenant que vous êtes les deux femmes les plus importantes de ma vie. En fait, vous êtes les deux seules femmes de ma vie. Si vous y consentez, j'aimerais poursuivre cette vie auprès de vous, avec vous.

Prudence ferma un instant les yeux, comme pour remercier le ciel d'avoir exaucé son vœu le plus cher. Emmanuelle, au grand étonnement de sa fille, ne s'en émut pas, du moins en apparence.

— Antoine, au cours des derniers jours, tu ne nous as jamais donné de raison de croire que tu reviendrais même un jour nous voir. Qu'est-ce qui a provoqué ce revirement ?

Antoine savait maintenant à qui il avait affaire : à une femme qui ne voulait plus être déçue et qui n'accepterait jamais qu'il déçoive leur fille.

— C'est un secret entre Prudence et moi.

Prudence releva la tête. Elle comprit alors que sa déclaration à l'effet qu'Emmanuelle l'aimait encore avait sans doute influencé sa décision. Mystifiée, Emmanuelle regarda sa fille, mais elle évita de la mettre dans l'embarras.

— Bon, je respecte les secrets entre père et fille. Antoine, est-ce que ta principale inquiétude a rapport à ta situation financière ?

Antoine serra la mâchoire et, un peu humilié, regarda Prudence qui inclina encore la tête.

— Dans mon cas, Emmanuelle, on ne parle pas de « situation financière ». Je ne suis pas un homme d'affaires, je suis un illustrateur qui vit au jour le jour. Lorsque je reviendrai ici, parce que, oui, je veux vous retrouver bientôt, je ferai en sorte de gagner mon pain. Garçon de café ou n'importe quoi...

Énervé, Antoine avait involontairement haussé le ton.

— Antoine, ne t'emporte pas. Écoute-moi. Tu ne seras pas garçon de café. Ce n'est pas à moi de te le dire, mais, puisque nous y sommes... Et je doute fort que Maude m'en tienne rigueur.

Au cours de la semaine, Emmanuelle, passant devant la galerie de Maude, l'avait aperçue et s'y était arrêtée pour la saluer. La galeriste lui avait alors appris qu'elle voulait bientôt ajouter une nouvelle orientation à sa galerie et qu'elle souhait qu'Antoine accepte de s'en occuper.

Antoine fronça les sourcils.

— Moi ? Mais je ne suis pas galeriste. Je n'y connais rien.

— Maude pense le contraire. Elle veut aussi représenter des artistes québécois et elle est convaincue que tu es la personne toute désignée pour les recruter. Elle tient aussi à ce que tu y exposes tes futures œuvres.

Prudence ne tenait plus en place.

— C'est génial, Antoine. Dis oui, accepte. C'est trop trop cool.

Comme le jour où il avait appris qu'il était père, Antoine n'arrivait pas à assimiler tout ce qu'Emmanuelle venait de lui dire. Il crut encore une fois rêver. Il ne parlait plus. Paris, Prudence, Emmanuelle, atelier, galerie…

— Excusez-moi, je reviens, dit-il finalement avant de se diriger vers les W.C.

Prudence regarda sa mère avec admiration. Elle avait compris que sa froideur apparente avec Antoine n'avait eu pour but que de les protéger et d'inciter Antoine à assumer son choix… ou non.

— Qu'arrivera-t-il maintenant, maman ?

— Je pense que les chances sont bonnes qu'Antoine revienne bientôt.

— J'en suis certaine. À l'atelier, quelques instants avant que l'on te retrouve, il m'a confié qu'il t'aimait, qu'il t'avait toujours aimée. C'était ça notre secret. Et c'est maintenant le nôtre.

Même si son cœur battait la chamade, Emmanuelle ne sut comment réagir devant sa fille.

— Ça va, ta jambe ? Tu n'as pas trop mal ?

Prudence comprit.

— Je suis heureuse pour toi, maman. Au fait, j'ai dit à Antoine que tu l'aimais aussi.

Emmanuelle sursauta.

— Pardon ? Tu lui as dit quoi ? Que je l'aime ? Mais qui t'a dit ça, toi ?

— Personne ! Mon sixième sens de femme. Et pour employer ton expression… je doute fort que ma mère ne m'en tienne rigueur.

Prudence fut enchantée de voir le garçon se présenter à la table à point nommé.

— Je sers les huîtres à ?...

Prudence se fit encore une fois coquine.

— À moi, mademoiselle Prudence, fille d'Emmanuelle et d'Antoine.

L'éclat de rire d'Emmanuelle aplanit la crainte de sa fille d'être semoncée et résonna comme une belle musique aux oreilles d'Antoine qui revenait vers ses deux amours.

***

En début d'après-midi, Léo rangea ses cahiers bleus pour faire place, sur sa table de travail, à l'ordinateur que Laura lui avait conseillé d'acquérir ce matin-là.

— Il y a le machin Internet sur cet appareil-là ?

— Pas encore, mais ça viendra. Tu pourras correspondre avec Antoine ou n'importe qui, partout dans le monde, sans frais.

— Eh ben !

— Mais, plus important encore, tu pourras faire du traitement de texte. Je t'apprendrai...

Léo fit la moue.

— Laura, écrire, pour moi, c'est le faire comme je l'ai appris, avec une plume, un crayon, un stylo...

— Léo, ce clavier et cet écran-là deviendront bientôt tes amis, tes alliés. Tu ne pourras plus t'en passer. Tu verras, c'est vraiment génial.

Après avoir éprouvé quelques réticences, Léo se sentait maintenant prêt à faire des changements dans son mode de vie qui stagnait depuis trop longtemps.

***

Enchantée du déroulement de sa journée, Prudence, épuisée, se retira dans sa chambre. Lumière éteinte, elle anticipait déjà le plaisir de peindre en compagnie d'Antoine dans leur atelier, de partager des week-ends avec sa mère et son père dans des musées, au resto, au cinéma.

Au séjour, Emmanuelle servit un café à Antoine et elle prit place près de lui.

Il prit sa main et la baisa. Elle la retira délicatement.

— Antoine, nous avons vécu une journée particulière aujourd'hui.

— C'est le moins que l'on puisse dire.

— Nous avons fait le bonheur de Prudence.

— Oui, mais le nôtre, Emmanuelle ?

— Je ne veux présumer de rien, Antoine. Je préfère attendre ton retour.

— Tu te méfies de moi ?

— Surtout de moi…

Antoine gara la Peugeot d'Emmanuelle dans l'impasse de la rue d'Assas. La nuit était froide, le ciel sans étoiles. Malgré sa fatigue, il n'avait pas envie d'aller dormir. Chez Gilbert, on avait éteint. Il décida donc de monter à l'atelier pour découvrir ce que Gilbert avait peint au cours de la journée. En se dirigeant vers la porte de la clôture du jardin, il entendit des pas derrière lui.

— Qui est là ?

— C'est moi…

Il aperçut la silhouette d'un homme.

— Salut, Antoine…

— Alain ?

— Lui-même !

— Mais que fais-tu là, mécréant ?

Les deux hommes se serrèrent la main et Antoine y alla de son amicale taloche habituelle.

— Je suis venu te saluer.

— Ça fait quand même un peu loin pour venir me souhaiter bonne nuit.

Antoine éprouva soudain une crainte.

— Ne me dis pas que…

— Non, non, rassure-toi. Ton ami Léo se porte très bien.

— Ouf ! Ben viens… Montons à l'atelier.

En s'y rendant, Alain informa Antoine qu'il était arrivé à Paris la veille et qu'il logeait temporairement chez Henri, son ancien patron du bistro du quartier Latin. Antoine déboucha une bouteille de vin.

— Que fais-tu à Paris, Alain ? En vacances ?

— As-tu parlé à Léo récemment ?

— Pas depuis quelques jours, pourquoi ?

Alain lui raconta alors l'affaire de *L'Attrait*. Antoine ne fut pas vraiment surpris. Lorsque le barman s'était adressé à Renato en l'appelant *padrino*, il avait, malgré ses explications, semé le doute dans l'esprit d'Antoine. Le grand « A » ne questionna pas pour autant Alain au sujet de son implication dans l'organisation de Renato. Ce qu'il lui en avait dit lui suffisait. Antoine voyait encore en Alain l'ami qui avait toujours été droit et généreux avec Léo et avec lui.

— Alors j'imagine que tu n'avais plus rien à faire à Montréal.

— Je ne dis pas que je n'y retournerai pas un jour, mais, actuellement, je préfère qu'on m'oublie là-bas. J'ignore si je suis naïf ou tout simplement con, mais j'ai, de toute évidence, une grande facilité à me fourrer dans des situations merdeuses.

— Pour ça !… Tu retourneras à Marseille ?

— Je ne sais pas. Mon ancien patron, à qui j'ai tout raconté, se fait vieux et il m'a proposé de gérer son bistro.

— Ben voilà !

Y pensant soudain, Alain demanda à Antoine si Léo lui avait parlé de sa rencontre avec son amie.

— Laquelle ?

— Celle qui venait au bar et que j'appelais Madame. Tu sais, la bizarre…

— Mais cette femme n'était pas mon amie. Je ne la connais pas et je ne l'ai même jamais vraiment remarquée.

— C'est peut-être parce qu'elle se déguisait… Elle a finalement révélé son identité à Léo, puis il me l'a présentée en précisant qu'elle était une amie à toi.

— Et comment s'appelle cette mystérieuse amie à moi ?

— Je n'ai pas fait attention. Je ne me souviens pas.

Un rictus apparut sur le visage d'Antoine.

— Alors comment veux-tu que je sache de qui il s'agit ! J'en connais, des femmes… Et elle se déguisait ? Mais pourquoi ?

— Aucune idée. Tout ça est arrivé le soir de la descente à *L'Attrait*. Alors disons que Madame était le cadet de mes soucis.

L'identité de Madame n'intrigua pas davantage Antoine. Il était tout simplement ravi de retrouver Alain. Et ce, peu importe les circonstances.

— Ho ! Mais dis-moi, ta fille, comment va-t-elle ?

Le regard d'Antoine s'illumina.

— Ah ! Prudence ! Tu devrais la voir ! Et tu la verras… Encore des séquelles de son accident, mais…

Alain se redressa.

— Ta fille a eu un accident ? Je ne savais pas...

— Oui, mais elle va bien maintenant. J'ai passé la journée avec elle et sa mère. Elle est merveilleuse...

— Qui ? Ta fille ou sa mère ? demanda Alain avec un sourire goguenard.

— Les deux, mon cher Alain. Les deux...

La journée qu'il venait de partager avec Emmanuelle et Prudence avait totalement changé la perspective d'Antoine sur son avenir. D'abord, il n'avait plus envie de retourner à Montréal.

— Alain, crois-tu que Léo serait actuellement en mesure de liquider mes affaires et de s'occuper de toute ma paperasserie ?

— J'en suis sûr.

Une euphorie s'emparant alors encore une fois d'Antoine, il se décida même à faire une révélation à son ami :

— Alain, je suis amoureux. J'aimerais éventuellement épouser la mère de ma fille.

Alain resta interloqué.

— Toi ?

— Ben oui, moi. Je suis mariable, non ?

Paume ouverte, Alain se frappa le front en riant.

— Tu es impayable, Guignol...

***

Avec la complicité de Laura, l'ordinateur apprivoisait Léo depuis plus d'une heure. Mettant sa mauvaise volonté au rancart, l'élève s'était même révélé assez doué. Fier de lui, il proposa à Laura de faire une pause.

— Demain, je m'occuperai de ta connexion Internet.

— Bien ! Mais quand dois-tu recommencer à donner tes cours ? lui demanda-t-il en l'entraînant vers le sofa.

— Pas avant février. Léo, je pars en tournée…

L'amoureux avala péniblement sa salive.

— Comment, en tournée ?

Léo avait mis l'accent sur « tournée » comme s'il s'était agi d'un mot suscitant le dédain.

Laura en fit abstraction.

On avait proposé à Laura de reprendre le rôle qu'elle avait joué l'été précédent dans une pièce qui avait connu beaucoup de succès. La compagnie théâtrale la présenterait maintenant à La Pocatière, Gaspé, New Richmond, Rimouski…

— Quand ? Combien de temps ?

N'appréciant pas le ton sec de Léo, Laura adopta une attitude défensive.

— Jeudi prochain. Une quinzaine de jours.

— Deux semaines ?

Léo n'aurait pas plus vivement réagi si Laura lui avait annoncé qu'elle partait pour l'éternité.

— Et moi ? Et l'ordinateur ? lui demanda-t-il en bondissant presque du sofa.

— Je suis persuadée que vous ferez très bon ménage.

La réplique de Laura, que Léo interpréta comme ironique, le piqua au vif. Ses traits se durcirent. Déçue de sa réaction qu'elle jugeait puérile, Laura vint près de partir, mais son appréhension de lui infliger une profonde blessure la retint.

— Léo, viens ici, viens t'asseoir.

Boudeur, il obéit.

— Léo, c'est mon métier, mon travail, mon gagne-pain. Et c'est ce que j'aime faire. Un écrivain écrit quand bon lui semble, mais un acteur joue lorsqu'on lui donne l'opportunité de le faire.

— Je sais, mais je n'aime pas te voir partir.

La plainte de Léo semblait celle d'un enfant attristé, émise avec une voix d'homme.

— Tu sais ce que tu es ? Un adorable petit garçon qui devra néanmoins apprendre à grandir.

— Justement ! J'étais un petit garçon lorsque mon père partait en tournée. C'était toujours, disait-il, pour une semaine, mais il en revenait de deux à trois semaines plus tard. Je croyais chaque fois qu'il nous avait abandonnés. Bref, le mot « tournée » me donne la nausée.

Touchée, Laura enlaça Léo.

— Je t'appellerai tous les jours et je reviendrai à la date prévue. Je t'aime, Léo.

14

Le jeudi 20 janvier 2000

Antoine se rendit chez Emmanuelle vers midi.

— Je parie que tu n'as pas encore mangé. J'arrive avec le café et un sandwich.

Il la suivit plutôt dans la cuisine, puis il prit place à la petite table ronde.

— Prudence n'est pas là ?

— Ta fille a beaucoup d'amis, tu sais…

L'expression d'Antoine révéla sa déception.

— Tu veux dire qu'elle est sortie seule, à pied ?

La réaction d'Antoine amusa Emmanuelle.

— Je croyais que tu ne voulais pas faire la nounou pour mademoiselle Prudence… Ne t'inquiète pas, son copain est venu la prendre.

— Son copain ? Elle a un copain ? demanda-t-il d'un ton alarmé.

Cette tendance inédite à la protection paternelle du célibataire endurci fit franchement rire Emmanuelle.

— Et papa nounou est jaloux en plus ? C'est un charmant garçon. Arthur étudie en théâtre…

Antoine parut catastrophé.

— Un acteur ! Il ne manquait plus que ça ! Mais quel âge a-t-il ?

Faisant dos à la nouvelle recrue du club des pères, Emmanuelle réprima cette fois son envie de rire.

— Vingt-deux ans…

— Vingt-deux ans ? Mais c'est beaucoup trop vieux pour elle…

Se tournant vers lui, assiette à la main, la mère chevronnée se rendit compte, à son expression, qu'Antoine était vraiment consterné.

— Quatre années de différence, c'est peu, Antoine. Allez, mangez votre sandwich au pâté, Monsieur le protecteur de jouvencelles, dit-elle en lui faisant un clin d'œil.

Antoine était heureux d'avoir retrouvé le sourire, l'humour et la gaieté d'Emmanuelle. Il avait l'impression de retourner en 1980, mais dans un environnement bien différent de celui dans lequel il l'avait connue. Il reconnaissait tout d'elle : son habitude d'effleurer sa lèvre inférieure du bout de la langue; sa position debout, une jambe droite et l'autre écartée, comme une danseuse de ballet sur le point de s'envoler; son intonation particulière lorsqu'elle racontait une anecdote amusante; sa façon chantante de prononcer son nom… Antoinnnee…

— Est-ce que la maman de Prudence a aussi un… copain ?

— Peut-être ! Faudrait lui demander. Mais je pense que celui qu'elle aimerait avoir est… beaucoup trop vieux pour elle !

Souriant, Antoine lui fit signe de s'asseoir.

— Ce soir, Emmanuelle, j'appellerai mon ami Léo. S'il consent à s'occuper de quelques affaires pour moi, je ne partirai pas. Je ne retournerai pas à Montréal. Je resterai ici. Est-ce que le copain que tu aimerais avoir est vraiment trop vieux pour pouvoir espérer poursuivre sa vie avec toi ?

La question dérouta Emmanuelle.

— Tu es sérieux, Antoine ?

— Jamais je n'ai été aussi sérieux. Tout à l'heure, Maude m'a finalement parlé de son projet pour la galerie et de tout ce que ça impliquerait. J'ai feint la surprise puis j'ai accepté sa proposition.

Emmanuelle était visiblement ravie.

— Pour citer notre grande bringue… c'est vraiment trop trop cool.

Puis elle devint pensive.

— Prudence voudrait tellement que nous formions un couple…

— Tu sais donc, gracieuseté de mademoiselle Prudence, ce que j'éprouve pour toi, mais j'aurais quand même préféré te le dire moi-même…

— Alors dis-le ! lui lança-t-elle, comme un défi.

Antoine essayait d'objecter qu'il se voyait mal lui faire une déclaration d'amour entre deux bouchées d'un sandwich au pâté quand ils entendirent, provenant du hall : « C'est moi ! »

Antoine et Emmanuelle se mirent à rire.

— Il n'y a pas de pensions à Paris pour les pestes âgées de dix-huit ans ?

— Nous en trouverons une, Antoine. Nous en trouverons une…

Ils rejoignirent aussitôt Prudence au séjour. Elle fit la bise à Antoine.

— Je viens de prendre une grande décision, annonça-t-elle à ses parents.

— Tu te fais nonne ! ironisa sa mère.

— Mais non ! C'est terminé avec Arthur.

Emmanuelle adressa un regard presque moqueur à Antoine.

— Grande décision en effet, ma chérie, mais peut-on savoir pourquoi ?

— Il fait trop l'acteur. Il se croit toujours sur un plateau, il cherche toujours la caméra. Il pose... Voilà ! Ça m'énerve. Finalement, il est trop jeune pour moi.

En apercevant l'air déconfit d'Antoine, Emmanuelle pouffa.

Un peu plus tard, Antoine, de retour chez Gilbert, appela Léo. Il voulait entre autres lui annoncer la visite d'Alain, le jeudi précédent. Ce qui surprit son ami puisque le barman lui avait plutôt donné l'impression de vouloir mettre le cap sur Marseille.

— Paris n'est peut-être qu'une escale pour lui. Léo, pourquoi ne m'as-tu rien dit au sujet de la soirée mouvementée à *L'Attrait* ?

— J'ai pensé que tu avais déjà assez de préoccupations.

— Bien pensé ! Alain m'a aussi dit que tu avais rencontré l'une de mes amies...

Pour Léo, l'heure de vérité venait de sonner. Bien que Laura l'eût rassuré par rapport à sa relation avec Antoine, il se sentait néanmoins encore coupable de trahison.

— Oui... Oui... Madame...

— Je sais, mais qui est-elle ?

Léo hésita un instant.

— Choco Latcho...

Antoine tomba des nues.

— Ben voyons donc ! Choco ? La bonne femme, c'était elle ? Je ne comprends pas. Pourquoi le déguisement ? Pourquoi ne m'a-t-elle jamais parlé ?

— Ce serait un peu long à expliquer maintenant, mais disons qu'elle voulait te faire une surprise et que finalement…

— Choco… Je suis sur le cul. Comment va-t-elle ?

— Antoine, son nom est Laura…

— Oui, c'est ça… Laura… Laura comment déjà ?

— Lemay…

— L'as-tu revue ?

— Antoine, nous nous fréquentons. Laura et moi sommes devenus… très proches l'un de l'autre.

Léo ne sut comment interpréter l'éclat de rire d'Antoine.

— Excuse-moi, mon vieux, mais je trouve ça drôle. Toi et Laura… J'aurai tout entendu. Est-elle toujours aussi folichonne ?

— Que veux-tu dire ?

— Sans importance. Salue-la de ma part.

Léo se sentit soudain libéré du cas de conscience qui le troublait depuis sa première nuit d'amour avec Laura.

Une fois ces peccadilles balayées, Antoine lui révéla toutes les raisons qui l'incitaient à demeurer à Paris : la reconnaissance de son amour pour Emmanuelle; son attachement à Prudence; l'atelier à Montmartre; son opportunité de reprendre du pinceau, d'exposer, puis de parallèlement s'initier au métier de galeriste.

— C'est tout ? Que ça ? fit Léo, rieur.

— Ben, c'est un début...

Puis Antoine en vint à la grande question.

— Liquider tes affaires ?

— Tu peux tout vendre ou donner, sauf mes objets personnels. Enfin, tu verras. Tu viendras me les porter…

— Ho ! Aller à Paris, ce n'est quand même pas comme prendre l'autobus 45 de la rue Papineau.

Antoine ne réagit pas au commentaire de Léo qui lui semblait superflu.

— De mon côté, je m'occuperai à tenter de régulariser mon statut d'immigrant. Maude et Gilbert m'aideront. J'imagine que leur avocat et leur notaire pourront régler tout ça.

Léo ne parlait plus.

— Tu es là ?

— Tu veux dire que je ne te reverrai plus…

— Au contraire ! Tu viendras enfin à Paris. Tu rencontreras Prudence et Emmanuelle…

Léo avait tout lu, tout vu en photos et films sur Paname, mais il n'avait jamais, à regret, foulé ses pavés. Sa claustrophobie l'avait toujours empêché de voyager en avion. Il n'avait par ailleurs jamais compris comment un « paquet de taule avec des ailes » pouvait défier les lois de la gravité.

Léo était convaincu qu'Antoine ne reviendrait jamais à Montréal.

— Je me retrouverai bien seul. Alain et maintenant toi…

— Tu as ta belle Laura… Que fait-elle à présent ?

— Du théâtre ! De l'enseignement et des… tournées.

Le ton de Léo ne dit rien qui vaille à Antoine.

— C'est bien, non ?

— Laura me quittera, j'en suis sûr.

Préoccupé par sa nouvelle marotte, Léo, qui tambourinait nerveusement du crayon sur sa table de travail, n'entendit pas le soupir d'Antoine.

— Léo, prends-tu tes médicaments ?

— Évidemment ! Ben, j'ai peut-être oublié une journée ou deux, mais ce n'est pas grave.

— Calvaire !

Antoine était certain que Laura, qui avait vécu une période trouble avec sa mère, n'aurait pas envie de materner un homme aux humeurs volatiles et aux comportements dépressifs.

— Écoute-moi bien, Léo. J'ai bien connu Laura. L'instabilité, elle en a sûrement eu tout son soûl. Si jamais elle te quittait, c'est que tu l'auras cherché. Alors tu sais ce que tu dois faire. Je te laisse, maintenant. Pour ce qui est de ce que je t'ai demandé, on en reparlera.

— Pourquoi as-tu laissé tomber Choco ?

La question de Léo stupéfia Antoine.

— Quoi ? Je ne l'ai pas laissé tomber. Nos chemins ont pris des directions différentes, puis le temps a passé…

— Tu l'aimes encore ?

— Léo, ça fait trente-cinq ans. C'est Emmanuelle que j'aime.

Léo proféra un « Ouais… » qui abasourdit Antoine.

* * *

Peu de temps après avoir parlé à Léo, Antoine retourna à pied chez Emmanuelle. La voix de Prudence se fit entendre à l'interphone. Il monta. Elle ouvrit. Il lui fit la bise.

— Quelle surprise !

— Emmanuelle est là ? lui demanda-t-il en forçant un sourire.

— Chez la voisine… Elle revient tout de suite. Antoine, veux-tu jouer ?

Antoine n'avait pas vraiment l'esprit au jeu.

— Jouer ? À quoi ?

— À « ce que je dois savoir de toi », répondit-elle en lui indiquant la causeuse de cuir près du cellier.

— Et on joue comment ?

— Fastoche [3] ! Tu me dis tout ce que je dois savoir de toi…

— Mais tu ne dois rien savoir du tout ! dit-il, plaisantin, même s'il n'avait aucunement envie de jouer à quoi que ce soit.

— Je veux tout savoir…

Prudence enleva ses ballerines vernies puis elle s'assit dans la position du lotus. Elle s'amusait déjà comme une enfant.

— Alors allons à l'essentiel. Je suis beau, intelligent…

— Oublie tes fantasmes. Je veux la vérité. Je veux des faits, dit-elle en riant.

La réplique de Prudence amusa Antoine qui, pour la première fois, prit conscience que ses parents n'avaient jamais su qu'ils avaient une petite-fille. Sa mère aurait tant aimé.

— Bien ! Je suis né le 6 avril 1944…

Prudence écarquilla les yeux.

— Mais c'est extra ! Le même jour que moi !

— Oui, je sais… Extra !

— Continue…

Prudence changea de position. Elle appuya la tête sur l'épaule de son père.

— Euh ! Je n'aime pas les desserts à la gélatine; j'ai eu un chien maigrelet qui s'appelait Tarzan; Lili, ma première copine, qui était âgée de onze ans, avait les yeux croches, elle louchait; ma première et dernière idole fut Elvis Presley…

L'arrivée d'Emmanuelle mit fin au jeu de Prudence. Antoine se leva. Son expression fut, malgré lui, révélatrice.

---

3 Facile en argot français

Emmanuelle lança alors un regard entendu à sa fille qui, contrariée, se dirigea néanmoins vers sa chambre.

— Je crois deviner. C'est pour quand ton départ ?

— Je suis, crois-moi, encore plus déçu que toi. Mon ami Léo, à qui j'ai parlé tout à l'heure, n'est pas, actuellement, dans un état qui lui permettrait de s'occuper de mes affaires. Je devrai le faire moi-même.

Emmanuelle, à qui Antoine avait déjà parlé des problèmes de Léo, ne douta pas de la raison invoquée pour justifier son départ, mais elle était consciente qu'il ne serait pas à l'abri des impondérables ou des doutes que son éloignement pourrait entraîner. De retour chez lui, loin de Prudence, loin d'elle, il retrouverait peut-être ses habitudes de célibataire insouciant. Toutes les démarches à faire pour émigrer pourraient lui paraître trop fastidieuses. Il se considérerait peut-être incapable d'assumer ses nouveaux rôles de partenaire et de père. Enfin, il y verrait possiblement encore le risque d'être ennuyé par le syndrome de l'imposteur.

— Emmanuelle, je reviendrai et, cette fois, ce sera pour vivre ici avec vous jusqu'à la fin de mes jours.

— Arrête ! Je ne veux plus de promesses. Et ton départ ?

— Au cours de la semaine prochaine.

— Heureusement que tu n'avais pas dit à ta fille que tu avais l'intention de rester…

Mortifié, Antoine se dirigea vers une fenêtre. Boulevard Raspail, le tourbillon de la circulation continuait. Emmanuelle le rejoignit et prit son bras.

— Au cours des dernières semaines, tu as rendu une femme et une adolescente heureuses.

— Et je les retrouverai parce qu'elles me donnent le bonheur que j'attends depuis si longtemps. Emmanuelle, je n'avais jamais connu le véritable amour avant toi, et je ne l'ai jamais connu après toi.

— Reviens vite, Antoine. Je t'attendrai… comme je t'ai toujours attendu dans mes rêves les plus fous.

Prudence réapparut.

— Je mangerais bien un petit morceau, moi. Pas vous ?

15

Le jeudi 27 janvier 2000

Ce matin-là, Antoine, comme ils en avaient convenu, se présenta très tôt chez Emmanuelle. Sur le boulevard Raspail, Gilbert était descendu de son véhicule pour se délier les jambes.

— Antoine, je veux t'accompagner à l'aéroport, lui annonça Prudence.

Elle portait le pull noir qu'il lui avait offert.

Antoine regarda Emmanuelle. D'un signe de tête, elle y consentit. Elle s'approcha de lui, puis lui rappela qu'il savait maintenant où Prudence et elle habitaient.

— Si tu reviens, tu seras plus que le bienvenu. Dans le cas contraire, aie la gentillesse de m'en aviser.

— Emmanuelle, je t'appellerai bientôt pour t'informer de la date de mon retour. Et surveille tes *mails*, même si tu n'en as pas l'habitude.

Pour la première fois devant Prudence, Antoine serra Emmanuelle dans ses bras puis il l'embrassa.

— Hou... Antoine reviendra sûrement, dit Prudence pour rassurer sa mère.

— La vérité sort de la bouche des enfants, confirma Antoine en caressant le visage d'Emmanuelle qui tentait de dissimuler son chagrin.

— Disparaissez, je vous ai assez vus tous les deux, trancha Emmanuelle, dont le sourire ne réussit pas à masquer le désarroi.

De la fenêtre de sa chambre, Emmanuelle vit Antoine lever la tête pour regarder en direction de celles du séjour. Cette image s'imprégna dans son esprit et lui fit mauvaise impression. Était-ce celle d'un homme qui, consciemment ou non, lui faisait ainsi ses adieux ?

****

Au cours de la semaine, Antoine, au volant de la voiture d'Emmanuelle, avait emmené Prudence se balader.

— Où aimerais-tu aller ? s'était-il enquis.

Prudence avait choisi d'aller à l'île Saint-Louis. Elle voulait montrer à Antoine un endroit où elle allait souvent et qui, lui révéla-t-elle, la touchait et l'inspirait. Père et fille se retrouvèrent bientôt devant le 19, quai Bourbon. Antoine n'y était jamais allé.

— Elle est décédée moins d'un an avant ta naissance…

Antoine lut l'inscription sur la plaque murale.

Camille Claudel 1864-1943, sculpteur, vécut et travailla dans cet immeuble au rez-de-chaussée sur cour de 1899 à 1913. À cette date prit fin sa brève carrière d'artiste et commença la longue nuit de l'internement.

« *Il y a toujours quelque chose d'absent qui me tourmente.* » (Lettre à Rodin — 1886)

Prudence s'accrocha au bras de son père.

— Pour moi, ce quelque chose d'absent qui me tourmentait, c'était toi, Antoine. Fais en sorte que ta fille ne soit plus jamais tourmentée.

Bouleversé, Antoine le lui promit en l'enlaçant.

— Lorsque tu reviendras, je t'attendrai ici, devant cette porte.

Prudence aborda alors un jeune homme dans la rue en lui tendant son appareil photo.

— Une photo de nous deux pour la postérité, lança-t-elle gaiement à Antoine.

En se dirigeant vers le pont Louis-Philippe, Antoine eut une pensée pour Léo, en espérant qu'il ne connaisse jamais « la longue nuit de l'internement ».

Au bout de l'île, Antoine et Prudence prirent place sur un banc.

— Prudence, tu m'as dit qu'Emmanuelle t'avait tout raconté au sujet de notre relation en 1980. J'espère qu'elle t'a dit que je l'aimais réellement…

— Bien sûr ! Et elle t'aimait aussi… réellement.

Antoine fit une pause. Il se sentait encore très près des heureux événements survenus à cette époque.

— Tu dois donc aussi savoir que je ne t'ai pas abandonnée puisque j'ignorais même qu'Emmanuelle était enceinte.

— Oui, je le sais.

— Si Emmanuelle ne m'en a pas avisé, c'est tout simplement, je dois l'avouer, parce que j'aurais été incapable de vous rendre heureuses, ta mère et toi, non pas par mauvaise volonté, mais bien, comme le dit Emmanuelle, parce que je me cherchais encore.

Prudence prit la main de son père.

— Tu as cru que je t'en voudrais, n'est-ce pas ?

Antoine fit signe que oui. Prudence posa un baiser sur sa joue. Une passante leur adressa un regard oblique.

— Je te l'ai déjà dit, je ne suis plus une gamine. Je comprends ces choses-là. C'est la vie !

Antoine sourit. Qu'est-ce que sa puce pouvait bien, à son âge et dans sa bonne fortune de fille choyée, connaître de la vie !

— L'important, c'est que tu sois revenu, expressément pour me rencontrer. Vingt ans plus tard, tu aurais pu te défiler, mais tu ne l'as pas fait.

— J'en aurais été incapable. Parle-moi de ton père… l'autre !

Bernard… Prudence l'avait aussi aimé, mais de manière différente. Homme d'affaires et grand érudit, il avait fait profiter sa fille « choisie » de ses connaissances. Prudence le décrit comme une « encyclopédie ambulante ». À l'âge de cinq ans, elle pouvait nommer toutes les capitales des plus grands pays du monde et identifier leurs drapeaux.

— Parfois, j'avais par contre l'impression d'être en présence d'un précepteur plutôt que d'un père. Jeune adolescente, je trouvais qu'il ne ressemblait d'ailleurs pas à un père… à mon père. Je me faisais une tout autre image de ce que devait être un papa.

— Vraiment ? Et ça doit ressembler à quoi, un père ?

— À un homme imparfait qui a de l'humour et un grand cœur. À toi…

Antoine se mit à rire.

— Imparfait… Dois-je considérer que c'est un compliment ?

— C'en est un !

Prudence, qui avait passé toute sa vie auprès de Bernard, s'était, curieusement, rapidement attachée à Antoine. Le décès de Bernard l'avait énormément peinée, mais l'arrivée de son vrai père dans sa vie, de ce père en qui elle se reconnaissait, lui avait permis de retrouver l'amour filial dont elle avait tant besoin. De plus, Prudence était vraiment convaincue que c'était Antoine qui l'avait ramenée à la vie.

Emmanuelle n'avait jamais révélé la nature de sa relation avec Bernard à Antoine et il n'avait jamais osé la questionner à ce sujet. Malgré sa réticence à profiter de la candeur de Prudence, sa curiosité eut raison de sa discrétion.

— Comment Emmanuelle a-t-elle connu Bernard ?

Même si Prudence ne répondit pas illico à Antoine, sa question ne la troubla pas. Elle tentait plutôt de se remémorer ce que sa mère lui en avait dit plusieurs années plus tôt. Elle se souvint alors qu'Emmanuelle lui avait raconté que Bernard s'arrêtait, tous les matins avant de se rendre à son bureau, au café où elle travaillait.

— Toujours très aimable, il lui parlait de tout et de rien. Malgré sa richesse et son instruction, Bernard n'a jamais été snob. Il s'intéressait aux gens de tous les milieux et il était un homme généreux. Un jour, il a invité Manu à dîner. Elle a accepté parce qu'elle le trouvait intéressant et parce qu'elle se sentait en confiance avec lui. Il était très gentleman. D'autres dîners ont suivi…

Puis Prudence révéla à Antoine qu'Emmanuelle avait un soir annoncé à Bernard qu'elle était enceinte et qu'elle lui avait raconté son histoire avec lui… Antoine.

— Veuf, sans enfant, il lui avait alors demandé si elle accepterait de l'épouser. Et voilà ! conclut Prudence avec une quasi-désinvolture. Puis, l'air décontracté, elle regarda autour d'elle.

— Bon, j'ai envie d'une glace maintenant...

L'adolescente entraîna Antoine vers la rue Saint-Louis-en-l'Île.

***

Valise à la main, Laura se présenta chez Léo un peu avant 10 heures. En lui ouvrant, il regarda sa vieille Samsonite blanche avec la même répulsion que lui inspirait le mot « tournée ». L'avertissement d'Antoine ne résista pas à son obsession. Dans son esprit, la visite d'au revoir de Laura était plutôt l'annonce d'un adieu. Il sentit alors ce qu'il appelait son « sang noir » lui monter au cerveau.

— Entre !

— Je dois retrouver mes amis au terminus...

— Bien sûr !

— Je voulais venir t'embrasser avant mon départ et te dire que tu n'as aucune raison de t'inquiéter.

Le sourire moqueur de Léo troubla Laura. Si bien qu'elle crut aussi que c'était la dernière fois qu'elle le voyait. Elle lui fit rapidement la bise puis elle redescendit aussitôt l'escalier, la mort dans l'âme.

Le sang noir de Léo qui l'avait incité à laisser partir Laura sans un mot, affluait comme un tsunami. Il ne prenait plus ses médicaments depuis plus d'une semaine. Il s'avança lentement vers sa bibliothèque puis, d'un geste rageur, il balança presque tous les livres d'un rayon sur le plancher. Comme s'il avait eu le feu à la queue, Bumby s'enfuit en miaulant. Puis ce fut au tour des cahiers bleus d'essuyer le courroux de Léo. Il les déchira tous méticuleusement, sauf un, avant de s'adresser à son ordinateur : « À vous, que l'on me dit si génial, de maintenant me pondre un chef-d'œuvre. Nous allons bien nous amuser... »

Léo s'installa devant le clavier et se mit à taper… fébrilement.

« Ma vie… Ha ! ha ! C'est déjà drôle. Ma vie s'écrit et se meurt sur un écran d'ordinateur. Vie trouble à double interligne. Style Geneva, comme le gros gin de grand-papa. Ma vie… comme la chanson d'Alain Barrière. Ma vie en catimini. Ma vie comptabilisée, sans intérêt. Ma vie qui n'a pas respecté le *story-board* que j'avais imaginé. Ma vie folle finie… »

* * *

Un mois et quatre jours après avoir quitté Montréal, Antoine y retournait, en prenant cette fois place dans un siège côté couloir. Un jeune couple japonais se présenta pour occuper les deux sièges à sa droite. Le passager, qui gardait un mauvais souvenir de son vol précédent, fut ravi de constater qu'ils ne faisaient pas, à deux, le poids de la grosse femme du milieu.

— *Sorry, sorry, thank you, thank you…*

Avec tous les événements qui s'étaient déroulés au cours de son séjour à Paris, Antoine avait l'étrange impression d'y être demeuré plusieurs mois mais, en même temps, d'y être descendu la veille. Jamais il n'oublierait la nuit de l'arrivée du nouveau siècle. Faute d'avoir vu naître sa fille, il l'avait vue renaître. Des centaines d'images de Prudence se bousculaient dans son esprit, dont une en particulier : sa longue chevelure noire brillant au soleil, une glace à la main en train de lui confier sa certitude qu'un jour, elle visiterait le Québec en sa compagnie. Elle se plaisait à dire qu'une partie de ses racines s'y trouvaient. « Et je l'ignorais lorsque Bernard, un québecophile, me parlait de Champlain, de Félix Leclerc et de votre héros… Maurice Richard. Marrant, non ? » avait-elle souligné. Puis de nouvelles images d'Emmanuelle, son unique amour, qu'il avait voilé d'oubli dans les mascarades de ses folles nuits anesthésiques. Antoine était maintenant conscient que sa vie des vingt dernières années n'avait été qu'un immense mensonge, qu'un placebo qui n'avait jamais guéri sa maladie d'amour. Il sourit en pensant aux paroles de Prudence :

« Si tu aimes ma mère, ta place est ici, auprès d'elle, auprès de moi, ta fille. »

L'appareil survolerait bientôt l'Atlantique. Le capitaine annonça la traversée prochaine d'une zone de turbulence.

Deux jours plus tôt, Antoine avait rendu visite à Alain à son bistro du quartier Latin, où il avait fixé rendez-vous à Emmanuelle et à Prudence afin de leur présenter son ami. Le Marseillais s'était déjà mis en frais de moderniser le vieil établissement qu'il avait rebaptisé *L'Attrait Bistro B'Art*, en souvenir de Léo, et où il avait l'intention d'exposer des œuvres d'Antoine et de Prudence.

— J'ai hâte de rencontrer tes deux amours…

— Elles ne devraient pas tarder. Alain, j'ai parlé à Léo. Je pense que son… truc recommence à sévir. Sa voix n'est plus la même. Et il s'imagine que je suis amoureux de ta… Madame.

— Ouais… Est-ce que ça chamboulera tes projets ?

— J'espère bien que non, mais mon retour à Montréal ne sera sûrement pas de tout repos. Enfin, je verrai comment les choses se présenteront. Je parlerai à sa sœur. Ça ne peut plus durer. Léo, en négligeant sa médication, est en train de se détruire.

Maude avait fait un généreux prêt à Antoine pour lui permettre de régler ses affaires à Montréal et pour payer son billet de retour à Paris, aller seulement. Retour qu'il envisageait dans les plus brefs délais.

***

Loin de la fantaisie de Prudence et de la tendresse d'Emmanuelle, Antoine trouva son logement bien triste. Bavant la gadoue, le boulevard de Maisonneuve lui apparut déprimant. Il ne sentait plus d'appartenance à sa ville. Il n'avait qu'une idée en tête : repartir le plus tôt possible pour retrouver sa vraie vie à Paris. Il alluma son ordinateur. Un courriel de Prudence l'attendait.

Cher papa Antoine,

J'espère que tu as fait bon vol. Tu me manques déjà. À mon retour à la maison, je me sentais tristounette. Manu m'a emmenée déjeuner à la brasserie de la Closerie. Même table qu'avec toi. Et tu as alimenté notre conversation. Tu aimerais bien savoir ce que nous avons dit à ton sujet n'est-ce pas ? Secret de femmes !

Samedi, nous commencerons à aménager l'atelier. Lundi, je retournerai à mes cours. J'ai hâte.

Je t'envoie notre photo devant la maison de Camille C. Nous sommes bien, tu ne trouves pas ? C'est vrai que nous nous ressemblons. T'as vu ? Je suis presque aussi grande que toi. ;-)

Ce soir, j'irai au cinoche avec ma copine Esther. Je pense que nous irons voir « Une pour toutes » de Lelouch. J'aime bien Anne Parillaud.

Lorsque tu reviendras, nous irons au cinéma tous les trois.

Cher papa, écris-moi dès que tu le pourras. Manu t'embrasse et moi aussi.

Ta Prudence adorée qui t'aime.

Le courriel fit mouche. Avec ses mots simples et sa tendresse, la puce toucha encore en plein cœur le gaillard qui s'empressa de faire apparaître la photo en pièce jointe à son écran. Il la regarda longuement puis il l'imprima pour la montrer à Léo.

Léo… Antoine l'appela.

— Si c'est pas mon Français !

— Oui, je viens d'arriver. Comment vas-tu, Léo ?

— J'ignore où et comment, mais je vais…

L'attitude presque arrogante de Léo n'augurait rien de bon.

— Est-ce que je peux te rendre visite, Léo ?

— Tu peux…

Antoine n'avait jamais questionné son ami quant à la nature de ses problèmes de santé mentale, non pas par manque d'intérêt, mais bien parce qu'il se serait senti mal à l'aise d'aborder la question. Léo lui avait une seule fois dit qu'il souffrait de maniaco-dépression, mais Antoine ne connaissait rien de plus de cette maladie que son nom. Il reconnaissait néanmoins que Léo se retrouvait sporadiquement dans des états que le commun des mortels aurait qualifiés d'anormaux. Avant de se rendre chez Léo, Antoine appela Louise. La bonne lui apprit que « Madame et Monsieur le notaire » avaient décidé, la semaine précédente, d'aller se reposer à leur condominium de Boca Raton.

Malgré sa fatigue, Antoine décida de marcher jusqu'à l'immeuble où vivait Léo depuis plusieurs années. Une neige légère tombait. Chacun de ses grands pas était laborieux. À Paris, il était deux heures du matin. Prudence et Emmanuelle dormaient sûrement. Il s'imagina alors se glissant sous les draps de sa bien-aimée pour tendrement caresser sa peau douce.

Emmanuelle ne dormait pas. Elle avait encore peine à croire que son amoureux québécois était, après tant d'années, revenu dans sa vie. Elle se réjouissait par ailleurs pour Prudence qui avait enfin établi un lien affectueux avec son père biologique. Sa fille ne dormait pas non plus. Elle revivait la dernière étreinte d'Antoine aux portes de l'aéroport et se remémorait ses dernières paroles : « Ma chère Prudence, ton père est fier de toi. Prends soin de toi et de ta maman. Je reviendrai bientôt et nous ne nous séparerons plus... jamais. »

Antoine appuya sur le bouton de la sonnerie de l'appartement de Léo. Aucune réponse. Il profita de l'arrivée d'un locataire pour s'introduire dans le hall et monter au troisième étage. Il sonna à la porte du 314. Aucune réponse. La porte était déverrouillée. Il entra.

— Léo ?

Aucune réponse. Il entra dans le séjour, mis à sac, où il aperçut son ami étendu sur le sofa. Il paniqua.

— Léo... Léo... Parle-moi ! dit-il en lui tapotant le visage.

Aucune réaction.

En composant le 911, Antoine aperçut un ordinateur dont l'écran avait été réduit en miettes. Une dizaine de minutes plus tard, il montait dans l'ambulance qui transportait Léo à l'Hôpital général juif. « Surdosage de médicaments », lui annonça un médecin quelque temps plus tard.

— Il a tenté de se suicider ?

— Possible ! On s'occupe de lui. Il s'en sortira.

* * *

En descendant du taxi, Antoine fit une boule de neige qu'il lança énergiquement contre sa porte. En rentrant chez lui, il alluma son ordinateur.

Ma puce adorée,

Je suis rentré chez moi. Merci pour ton courriel. Tu es magnifique sur notre photo.

Ici, tout va bien. Demain, je commencerai à faire le nécessaire afin de vous retrouver avant que tu ne grandisses d'un autre centimètre.

J'ai hâte de voir ce que vous aurez fait avec notre atelier. Je n'ai pas dormi depuis je ne sais plus combien d'heures, alors je vais maintenant aller roupiller. Prends bien soin de toi, ma chère fille. Je te reverrai bientôt.

Je t'embrasse.

Ton papa Antoine qui t'aime.

PS : Embrasse Emmanuelle pour moi et dis-lui qu'elle a aussi un courriel dans sa boîte de réception.

Antoine alluma la dernière cigarette amochée de son paquet de Malboro, puis il tapa pour la première fois l'adresse courriel d'Emmanuelle.

Mon amour,

Je pense à toi très fort. Retour mouvementé à Montréal. J'ai trouvé mon ami Léo inconscient chez lui. J'arrive de l'hôpital. On m'a dit qu'il survivra à son overdose de médicaments. Ce soir, je n'ai pas les idées très claires. Sauf une ! Je veux te retrouver au cours des prochaines semaines. Écris-moi ! Je t'aime…

Antoine

16

Le jeudi 3 février 2000

Antoine, qui écrivait régulièrement à Emmanuelle et à Prudence depuis son retour à Montréal, négligea par contre d'entreprendre des démarches auprès du consulat général de France pour obtenir le visa long séjour approprié. Les formalités et les paperasseries n'avaient jamais été son fort. Puis il visita quotidiennement Léo à l'hôpital. Les deux amis ne parlèrent jamais de l'« incident ».

— Tu veux que je t'apporte de la crème à barbe et un rasoir ?

— Ça m'étonnerait qu'on me permette de jouer avec des lames de rasoir ici.

La boutade de Léo fit sourire Antoine.

— Un rasoir électrique alors ?

— Non, merci. Je crois que j'adopterai plutôt le look de beatnik attardé que tu entretenais avant ton départ pour Paris.

Ayant retrouvé chez lui un double des clés de l'appartement de Léo, Antoinc s'était rendu plusieurs fois chez son ami au cours des derniers jours pour nourrir Bumby.

— J'ignore ce que tu as pu lui dire à mon sujet, mais je suis convaincu que ton minou ne m'aime pas.

— Console-toi, c'est un chat et non pas une chatte. Antoine, je crois qu'on m'accordera mon congé demain. Le psy que j'ai rencontré ici m'a prescrit une nouvelle médication et c'est lui que je consulterai désormais. Tout ira bien.

— Oui... Tout ira bien, Léo.

***

Les livres agressés avaient été replacés sur leur rayon. L'ordinateur handicapé avait disparu. Bien calé dans son fauteuil, Léo fixait sa bibliothèque. Affalé sur le sofa, Antoine, en chaussettes, jambes allongées, examinait les motifs du similitapis de Turquie.

— Ce n'est pas ce que tu penses, Antoine.

— Pardon ?

— Je n'ai pas tenté de m'enlever la vie. Aussi paradoxal que ça puisse sembler, j'essayais plutôt de la retrouver.

Antoine regarda son ami, l'air perplexe.

— Lorsque j'ai soudain pris conscience du bordel que j'avais fait, j'ai paniqué. Puisque je n'avais pas pris mes médicaments depuis un certain temps, il m'est alors venu l'idée folle de compenser en gobant pilule après pilule de ma panoplie. Je pensais, j'ignore pourquoi, que ces machins-là pouvaient créer un effet rétroactif. Je voulais m'exorciser, guérir rapidement. Je voulais vivre. J'ai raconté tout ça au psychiatre à l'hôpital et il m'a regardé comme tu le fais en ce moment. Je pense qu'il ne m'a pas cru non plus.

Mal à l'aise, comme chaque fois qu'il était confronté aux troublants aspects de la maladie de Léo, Antoine voulut, comme il le tentait toujours, dédramatiser la situation.

— Je suis convaincu que tu dis la vérité. Il n'y a que toi qui peux être assez bête pour croire que tes pilules de toutes les couleurs sont des Smarties.

Léo se tourna vers lui, l'air grave, puis il s'esclaffa.

— Et il n'y a que toi d'assez fou pour me faire rire de mes bêtises.

Léo avait eu de bonnes conversations avec son nouveau psy, qui lui avait notamment dit : « Pour que les choses changent, il faut changer des choses. »

Antoine regarda son ami avec des points d'interrogation dans les yeux.

— Des choses ? Lesquelles veux-tu changer, toi ?

— J'ai l'embarras du choix. Euh ! Antoine, tu portes une chaussette brune et une chaussette verte…

Antoine leva les pieds.

— Ben oui, r'garde donc ça ! Et Choco ?

— Elle s'appelle Laura. Elle joue actuellement en province. Elle ne me reviendra pas et c'est entièrement ma faute. J'en assume la responsabilité.

Léo avait découvert la raison pour laquelle il avait agi aussi ignominieusement avec Laura. Au fil de ses rencontres avec son psy, il en était venu à la conclusion qu'il avait en quelque sorte contraint Laura à le quitter, de peur qu'« elle » ne le quitte de son propre chef. Craignant qu'elle ne lui annonce un jour qu'elle était tombée amoureuse d'un autre homme, son esprit torturé l'avait incité à prendre les devants. Il avait inconsciemment préféré que sa souffrance provienne de lui-même plutôt que d'elle. Léo avait de plus compris qu'il serait victime de son « sang noir », tant et aussi longtemps qu'il négligerait les soins recommandés par son médecin et qu'il n'adopterait pas une autre vision de la vie, de sa vie.

— Quand doit-elle rentrer de sa tournée ?

Le mot proscrit ne hérissa pas Léo.

— La semaine prochaine. Je ne sais pas. Elle devait m'appeler, mais... Ne te fais pas de souci avec ça. Je l'appellerai quand même pour m'excuser.

Puisque Léo y semblait disposé, Antoine osa aborder un autre sujet délicat.

— Léo, ta mère ?...

Léo n'avait pas cru nécessaire, à ce moment-là, d'en informer Antoine. Son décès était survenu dans la nuit du 7 au 8 janvier.

— Elle nous a paisiblement quittés durant son sommeil. Des cendres dans une urne dorée exposée dans un présentoir vitré... Voilà ce qu'il reste de ma pauvre mère. Je suis tranquille. Elle ne souffre plus.

Étonné que Léo ne s'émeuve pas davantage, Antoine conclut que sa surconsommation de « bonbons du bonheur » l'avait peut-être vraiment libéré de ses excès émotifs.

— Qui t'a dit... pour ma mère ?

— La bonne de Madame ta sœur et de Monsieur le notaire. Savais-tu que Louise est en Floride ?

— Elle ne me tient pas au courant de ses activités sociales et c'est bien ainsi. La maîtresse d'école a bien changé depuis que le notaire brasse de grosses affaires... dont on découvrira peut-être la nature, un de ces jours, dans les pages des faits divers.

Léo n'avait plus envie de parler de lui, de son psy ni de Laura.

— Et toi, Antoine, où en es-tu dans ta vie ?

— Ben, comme tu sais, j'aimerais bientôt repartir.

— Tu aimerais repartir ou tu repartiras ?

Si Antoine avait été allongé sur le sofa, il se serait cru en consultation chez le psy de Léo.

— Je repartirai, mais c'est plus compliqué que je ne l'aurais cru. Formulaire par-dessus formulaire...

— Tu ne seras quand même pas le premier Québécois à émigrer en France. Ça doit se faire ! Je t'aiderai si tu veux.

Antoine fut encore une fois surpris. Léo, qui avait regimbé contre son projet de s'établir en France, lui accordait maintenant son appui. Il semblait commencer à flotter sur un nuage rose.

— Comment te sens-tu, Léo ?

— Très bien. Pourquoi ?

— Rien ! Dis-moi... Il y a tellement longtemps que je n'ai pas vu Laura... Comment est-elle ?

— Dans quel sens ?

— Ben, je ne sais pas... son caractère, ses humeurs...

Si quelqu'un devait connaître Laura mieux que Léo, c'était bien Antoine. Léo trouva donc curieux qu'il lui pose une telle question.

— J'imagine qu'elle n'a pas beaucoup changé depuis l'époque où tu la fréquentais. Joviale, imaginative, sensible, aimante...

— Tu es donc amoureux d'elle...

Le ton de la réplique d'Antoine dissimula mal une certaine contrariété.

— Ça t'ennuie ? Cesse de tourner autour du pot et dis-moi le fond de ta pensée.

— Laura était effectivement tout ce que tu dis qu'elle est maintenant, mais il y a plus...

Léo comprit aussitôt que ce « plus » n'avait sûrement rien de positif. Il n'était d'ailleurs pas certain de vouloir écouter Antoine lui en révéler la teneur.

***

Après le retour à la santé de Prudence et le départ d'Antoine, Emmanuelle avait repris son habitude d'aller marcher au jardin du Luxembourg. En cette fin d'après-midi frileux du 3 février, elle gara sa voiture rue Auguste Comte, tout près du lycée Montaigne que Prudence avait fréquenté. Bonne marcheuse, elle se dirigea à pas rapides vers le Palais du Luxembourg. Le monument *Aux étudiants morts pendant la Résistance* l'émut encore une fois. Elle pensa à sa fille parfois exaltée. Elle était convaincue que Prudence aurait tenté de protéger son amie juive Esther contre la Gestapo si elles avaient été étudiantes à l'époque de l'occupation nazie. Cette pensée la fit frissonner.

Quittant le jardin du Luxembourg, du côté de la rue de Vaugirard, Emmanuelle, voulant se rapprocher d'Antoine, se rendit rue de Tournon, à *L'Attrait Bistro B'Art*.

— Emmanuelle, quelle bonne surprise !

Ravi de revoir l'amoureuse de son ami québécois, Alain l'invita aussitôt à sa table personnelle, dissimulée derrière un paravent.

— As-tu des nouvelles de notre grand « A » ?

— Ses *mails* m'arrivent quotidiennement. Et toi ?

— Avec les rénovations, je n'ai pas encore trouvé le temps de me procurer un ordi. Il va bien ?

— Lui, oui, mais il a retrouvé son ami Léo mal en point. Il a dû le faire hospitaliser.

Alain fut plus consterné que surpris.

— Ne t'inquiète pas, il est de retour chez lui. Antoine devait lui rendre visite aujourd'hui. J'aurai sûrement de ses nouvelles avant la fin de la journée.

Dès sa première rencontre avec Alain, Emmanuelle avait compris pourquoi Antoine et lui s'étaient rapidement liés d'amitié. Ils partageaient une même bonhomie. Le

Marseillais avait donc aussitôt mérité la confiance de la Parisienne.

— Alain, je crains qu'Antoine ne revienne pas aussi tôt que prévu.

— Peut-être, mais il reviendra, crois-moi !

Emmanuelle le crut donc. Elle but un petit café d'un trait puis elle s'excusa.

— Prudence rentrera bientôt à la maison et je dois y être. Il y a un petit rituel chez moi. À son retour de l'école, le nez dans le frigo, elle me raconte sa journée, avec force détails qui me font souvent rigoler, pendant que je prépare le dîner.

— Emmanuelle, crois-tu vraiment qu'Antoine voudrait se priver de tout ça ?

La nouvelle amie d'Alain repartit le cœur léger.

***

Léo n'en crut pas ses oreilles lorsqu'Antoine lui révéla les circonstances qui avaient entraîné la fin de sa relation avec Choco Latcho. Il réfléchit un instant.

— Ben voyons donc ! Tu n'exagères pas un peu, là ?

Antoine adressa un regard non équivoque à Léo. Il se souvenait encore très bien de la scène et de tout ce qu'elle lui avait dit. Lorsqu'il lui avait annoncé son départ pour Paris, elle était restée assise à la table, devant lui, le regard vide. Pas un mot. Quelques minutes plus tard, elle s'était levée et son regard s'était fait furibond.

— Ai-je bien compris ? Tu me quittes pour t'exiler à Paris avec Bébert ?

— Je ne te « quitte » pas et je ne m'« exile » pas. Je m'en vais tout simplement là-bas pour tenter d'amorcer une vraie carrière de peintre. Je reviendrai ou tu pourras, si tout va bien, venir m'y retrouver.

— Tu ne partiras pas…

— Mais essaye donc de comprendre, Choco…

— C'est tout compris. Et toi, essaye de comprendre ceci… Si tu pars, je me lancerai dans le vide du haut du pont Jacques-Cartier. Tu auras ma mort sur la conscience toute ta vie. Tu essayeras de peindre ça pour voir !

Léo conserva son calme.

— Si je me souviens bien, elle m'a dit que tu avais déjà quitté Montréal lorsqu'elle était revenue de tournée.

— Faux !

Léo connaissait trop bien Antoine pour douter de sa parole.

— Mettons ! Mais elle était jeune, contrariée, profondément peinée... Elle ne savait plus ce qu'elle disait. La preuve, c'est qu'elle est encore bel et bien de ce monde. Voilà tout !

Antoine ne réagit pas. Léo voulut néanmoins savoir comment s'était terminée cette soirée de conflit.

— J'avais retrouvé Bébert à *La Chapelle*. Il avait abondé en ton sens. Lorsque nous étions rentrés à la piaule, Choco n'y était plus. Le gros de ses affaires non plus.

— Et tu as alors craint qu'elle ne donne suite à sa menace…

— Léo, as-tu déjà entendu parler de quelqu'un qui s'est balancé dans le Saint-Laurent en y apportant ses vêtements, ses tablettes à dessin et… son chapeau melon ? Je ne l'ai jamais revue par la suite.

— Mais pourquoi me racontes-tu tout ça ?

— Parce que je pense que c'est dans ton intérêt de le savoir.

Léo haussa les épaules en faisant la moue.

— Moi, elle ne m'a jamais menacé de quoi que ce soit, même si elle aurait parfois eu presque raison de le faire.

— Tant mieux !

Puisque Léo ne semblait pas affecté par son récit, Antoine lui révéla de plus qu'il avait par ailleurs trouvé sur la table, en rentrant de *La Chapelle*, un petit poème qui l'avait plus inquiété que la menace de suicide de Laura.

— Un poème ?

— En tout cas, un truc en rimettes dont le message était très clair. Elle m'y promettait de me faire vivre l'enfer sur Terre.

Léo sourit.

— Ben, ton enfer, tu l'as vécu, non ?

— Oui, mais il n'avait rien à voir avec Laura.

Le claquement de langue de Léo signifia son indifférence face aux propos de celui qui avait cohabité avec Laura Lemay pendant deux ans et demi.

— Je ne comprends pas pourquoi tu ressasses tous ces enfantillages. Tu vois bien que son poème était aussi bidon que son saut de l'ange. Veux-tu une bière ?

Conscient que Léo n'avait pas compris le message, Antoine avait déjà décidé de s'abstenir de préciser sa pensée lorsqu'il vit Léo revenir de la cuisine, l'air pantois.

— Essayes-tu de me dire que Laura se sert de moi pour t'espionner afin d'éventuellement se venger de toi, des siècles après votre rupture ?

— J'essaye tout simplement de te dire que Laura n'est peut-être pas toujours celle qu'elle semble être. Comme on dit, un homme averti en vaut deux.

— Aucun risque ! Laura ne reviendra pas, puis toi tu repartiras.

— Ouais… Et toi ?

— Je n'en sais trop rien encore, mais j'ai envie d'avoir du plaisir… et même du fun.

Antoine ne reconnaissait plus son ami.

— Méfie-toi, Léo. Le « fun » est une arme à deux tranchants avec laquelle des néophytes comme toi peuvent se faire bobo.

— Venant d'un maître en la matière, je me souviendrai de l'avertissement. Bon, je dois aller à la bibliothèque. Demain, apporte-moi tes formulaires incompréhensibles et nous verrons si nous pourrons épater le consul français, trancha Léo.

Antoine se leva.

— Je constate que l'un de tes cahiers bleus a échappé au massacre…

— Oui, et alors ?

— Ben son contenu doit être très précieux.

— Très ! Il contient des pages blanches.

En retournant chez lui, Antoine se demanda s'il ne s'inquiétait pas inutilement au sujet de Laura. Il reconnut même qu'une crise de jeune amoureuse dépitée, survenue à une époque lointaine, ne pouvait pas vraiment justifier sa méfiance à l'endroit d'une femme dont il ignorait maintenant tout.

Avant même d'enlever sa veste de cuir, il prit place devant son ordinateur. Prudence et Emmanuelle lui avaient écrit.

Mon grand cher papa Antoine,

Ce soir, j'ai fait une découverte extraordinaire en « googlant » sur Internet : TOI.

Sur le site d'un certain Alexandre Forest (www.danslaforest.com), il y a une photo de toi entouré de trois de tes amis, dont Monsieur Bébert, à l'époque où, selon le bas de vignette, tu étudiais aux Bozarts. Le savais-tu ? Ce que tu étais beau avec ta barbe ! Manu et moi avons bien ri, pas de toi, de joie de te découvrir tout jeune homme. Mais il faut dire que vous êtes aussi très drôles sur cette photo. Vraiment, j'ai la pêche !!!

Demain, je réunirai trois de mes amis, dont un barbu, et nous ferons une photo identique, même pose et tout ! Je te l'enverrai. Moi, je serai la fille avec le chapeau melon.

Je dois maintenant te laisser because un travail en histoire de l'art m'attend.

Bisous, bisous, bisous…

Ta grande fille qui t'aime.

Curieux, Antoine s'empressa de taper l'adresse du site dont il ignorait l'existence. Il cliqua sur BIO. Celle d'Alexandre, illustrée de photos. Il aperçut alors celle qu'il recherchait. Il ne l'avait jamais vue. Il se souvint néanmoins qu'elle avait été prise le dernier jour de ses études à l'École des beaux-arts. À sa droite, Choco Latcho et Bébert. À sa gauche, Alex. Le quatuor infernal. Coiffée de son chapeau melon, Choco, visage maquillé de blanc, avait pris une pose de mime. Bébert, torse nu, brandissait une épée. Alex, jouant l'artiste génial, portait une fausse moustache à la Salvador Dali. Et Antoine, stoïque, était vêtu d'une redingote et d'un pantalon troué aux genoux. On aurait dit un excentrique groupe pop des années 1960.

Antoine ajouta le site à ses signets, puis il ouvrit le courriel d'Emmanuelle.

Mon cher Antoine,

J'ai laissé le plaisir à tu sais qui de t'annoncer qu'elle avait découvert ta photo sur Internet. Elle courait partout dans l'appartement en criant: « Manu, Manu... J'ai trouvé le jeune Antoine... » Ta fille te trouve « canon » sur cette photo. Sa mère aussi!

Hier, Prudence et moi avons dîné chez Maude et Gilbert. Quel couple charmant! Prudence a bien sûr profité de l'occasion pour parler art et artistes, mais elle a surtout, encore une fois, bombardé Gilbert de questions à ton sujet.

Aujourd'hui, en faisant des courses au Bon Marché, j'ai fait la connaissance d'une Québécoise du nom de Véronique Labelle. Elle séjourne à Paris depuis environ deux mois et elle travaille sur une coproduction télévisuelle franco-québécoise. Elle m'a demandé un renseignement puis nous avons bavardé. Une femme super sympa. Elle viendra chez moi demain. Je l'ai invitée pour l'apéro.

En fin d'après-midi, j'ai marché au jardin du Luxembourg puis j'ai rendu visite à Alain. Il t'écrira dès qu'il aura acheté un ordi. Ton ami est vraiment un chic type.

Donc, life goes on, mais notre vie, à Prudence et à moi, sera tellement plus complète lorsque tu nous reviendras. Nous t'attendons...

Je t'embrasse,

Emmanuelle

Maintenant que Léo semblait sur la bonne voie, Antoine se voyait déjà de retour à Paris, boulevard Raspail, auprès de la femme qu'il désirait épouser et de sa fille qui le comblait de bonheur.

17

Le jeudi 10 février 2000

Avec l'aide de Léo, Antoine s'était acquitté des formalités pour obtenir son visa. Il pouvait donc d'ores et déjà s'installer à Paris, alors que sa carte de résident était en cours de validité. Il en était venu à une entente avec son propriétaire afin de quitter son logement avant l'échéance de son bail. Il ne lui restait donc plus qu'à liquider ses meubles, puis à réserver une place sur un vol à destination de Paris. Excité, Antoine n'en était plus qu'à une ou deux semaines du début de sa nouvelle vie.

Sans nouvelles d'Emmanuelle et de Prudence depuis trois jours, Antoine les appela dès sa sortie du lit. La drôle de sonnerie de leur appareil fixe se fit entendre. « Vous êtes bien chez Emmanuelle et Prudence… » Antoine raccrocha. La nouvelle qu'il voulait leur annoncer était trop importante pour être confié à une boîte vocale. Il ne voulait pas les appeler sur leurs portables. Il se réservait le plaisir de les joindre toutes deux à l'appartement pour entendre leurs réactions au bout du fil. Il était 15 heures à Paris. Prudence se trouvait sans doute encore à l'école, alors qu'Emmanuelle devait faire des courses.

***

Dans son « embarras du choix », Léo avait décidé, afin de changer des choses dans sa vie, de s'inscrire d'abord à des cours pour enrayer sa peur de l'avion. Il souhaitait un jour aller rendre visite à Antoine à Paris, sans pour autant subir un traumatisme causé par sa phobie.

Léo regarda sa montre : 9 heures 15. « J'appelle ! » Un rendez-vous fut aussitôt fixé. En raccrochant, il éprouva le sentiment d'avoir accompli un haut fait d'armes et il se demanda pour quelle raison il n'avait pas affronté ce problème plus tôt dans sa vie. Cette première démarche l'enhardit et il se sentit d'attaque pour se libérer d'autres carcans qui l'asservissaient depuis trop longtemps. Sa propension à la dépendance affective fut la deuxième cible inscrite dans son cahier bleu, dont la vocation serait désormais celle de confident.

Le Dr Robert Wiseman, que Léo rencontrait chaque mercredi, lui avait dit de le considérer comme son entraîneur olympique.

— Tout le monde doit participer à l'olympiade de la vie, dans laquelle le seul véritable adversaire est soi-même. La performance et la compétition ne se situent en fait qu'à ce niveau-là. Les médailles d'or sont remises aux participants qui font tout en leur possible pour atteindre leur podium personnel de bien-être et de sérénité. Donc, à titre d'entraîneur, je ne peux que vous conseiller. Votre médaille, vous devrez la décrocher vous-même en prenant les moyens qui s'imposent, avait-il précisé.

D'origine britannique, le médecin aux cheveux longs et aux petites lunettes rondes, que Léo avait décrit à Antoine comme le John Lennon de la psychiatrie, n'avait pas d'emblée mérité la confiance de son patient. Depuis qu'il le rencontrait en consultation externe, Léo avait par contre adhéré à sa pratique inusitée de la psychiatrie.

La sonnerie du téléphone interrompit la lecture de Léo.

— C'est moi. Je suis revenue hier soir. Tu vas bien, Léo ?

L'appel de Laura le surprit, l'ébranla même.

— Oui... Et toi ?

— Ça s'est bien passé. Nous avons eu de bonnes salles. Est-ce qu'on peut se voir, Léo ?

Elle choisit de se rendre chez lui. Elle s'y présenta un peu avant midi. Il la reçut sans effusion de tendresse, mais cordialement. Laura s'adapta à son comportement.

— Léo, qu'as-tu fait de ton ordinateur ? lui demanda-t-elle en prenant place au séjour.

— Une maladresse. Je rangeais puis... Je l'ai rapporté à la boutique pour le faire réparer.

— Et tes cahiers bleus ?

— Mes cahiers bleus... Justement, j'en avais copié l'essentiel sur des documents Word. Au panier, les cahiers !

— Tu as donc été occupé pendant mon absence.

— Très... Laura, je te dois des excuses.

— Moi aussi, Léo. Nous étions fatigués, tendus. Oublions tout ça.

« Et cette Laura dont vous me parlez, elle pourrait contribuer à votre remise en forme d'athlète olympique ? » lui avait demandé le Dr Wiseman.

Léo n'avait plus de doute.

***

Vers les 18 heures, heure de Paris, Antoine, ne tenant plus en place, rappela chez Emmanuelle. Prudence répondit.

— Ma puce, c'est Antoine, comment vas-tu ?

— ...

— Prudence, tu es là ?

— Attends, Manu veut te parler.

Interloqué par la froideur de sa fille, Antoine entendit aussitôt des chuchotements.

— Oui ?

— Emmanuelle, j'ai de bonnes nouvelles...

— Et moi, de mauvaises. Connais-tu une certaine Laura Lemay ?

Antoine resta sans voix.

— Tu viens de répondre à ma question, s'empressa d'enchaîner Emmanuelle. Tu sais, cette Québécoise que j'ai rencontrée, Véronique Labelle...

— Oui... Enfin...

— Tu la connais aussi ? Bien sûr que tu la connais puisqu'elle est la grande amie de Laura Lemay, avec qui tu vis depuis des années et qui t'a même donné une fille, Rose... Ignorant que je te connaissais, elle m'a parlé de son amie comédienne puis, de fil en aiguille, de son conjoint... Antoine Filion. Et tout ça en présence de Prudence. Devant ta fille, Antoine. Tu n'es qu'un goujat. Je t'interdis de rappeler ici et de nous envoyer des courriels. Pour Prudence et moi, tu n'existes plus.

Emmanuelle raccrocha. Combiné à la main, Antoine, sidéré, se mit à trembloter. Les dernières paroles d'Emmanuelle résonnèrent dans sa tête comme des cymbales qui s'entrechoquent. « Goujat... Tu n'existes plus... » Comme un automate, Antoine fit quelques pas en direction du divan puis s'y laissa choir. Aucune pensée n'atteignait son esprit. Il était sonné comme un boxeur au tapis.

***

Léo regardait Laura boire calmement son thé. Elle lui raconta quelques anecdotes amusantes de sa tournée, dont celle d'un régisseur qui l'avait un soir confondue avec la comédienne Andrée Lachapelle.

— Tu ne m'as jamais dit… Quel est le titre de cette pièce à succès ?

— *Elles dansent au grenier*… Très drôle ! Dis donc, est-ce que notre ami Antoine est toujours à Paris ?

— Non… Non, il est revenu le jour même de ton départ.

— Quelle coïncidence ! Il va bien ?

— Très bien ! Il se prépare à repartir. Il s'établira finalement là-bas. J'ai justement rendez-vous avec lui cet après-midi. Si cela te convient, nous pourrions aller au cinéma ce soir…

— Ce soir ? Au cinéma ? Avec plaisir…

***

Antoine sortit peu à peu de sa torpeur. Il tenta de rassembler les quelques pièces du casse-tête glanées au cours du monologue d'Emmanuelle. Qui était cette Véronique Labelle ? Seule Laura saurait répondre à cette question, mais il n'avait pas envie de la rencontrer, de l'affronter. Il était par ailleurs convaincu qu'il ne réussirait pas à lui soutirer quelque information que ce soit si elle était complice de cette Véronique.

Antoine appela Gilbert, qui n'avait pas parlé à Emmanuelle depuis qu'elle avait dîné chez lui avec Prudence. Il lui fit part du peu qu'il savait au sujet de l'incident qui avait mis le feu aux poudres.

— Emmanuelle a coupé les ponts à tout jamais. Elle ne veut plus me parler. Je ne sais plus ce que je dois faire. Toi, Gilbert, tu sais très bien que je suis victime d'un traquenard. Consentirais-tu à appeler Emmanuelle pour tenter de lui faire comprendre que cette histoire est de la fiction, une pure invention ?

— Bien sûr, Antoine, mais je pense qu'il vaudrait mieux que je laisse retomber la poussière avant de le faire. Survoltée, elle n'est sûrement pas disposée à discuter en ce moment. De ton côté, profite des prochains jours pour tenter d'élucider ce mystère.

— Tu comprendras que je ne peux d'ailleurs pas retourner à Paris avant de l'avoir fait… ou d'avoir essayé !

— Je comprends…

Léo écouta à son tour l'histoire d'Antoine sans l'interrompre. Un long silence suivit.

— Mais, Antoine, qui est Véronique Labelle ?

— Comment veux-tu que je le sache ! Demande à ton amie de cœur…

— Je la verrai ce soir, mais…

— Mais tu ne veux pas faire de vagues.

— Je n'ai pas dit ça.

— Alors, c'est vraiment repris entre vous deux…

— Oui, Antoine, et malgré tout ce que tu m'as dit à son sujet…

— Comme tu voudras.

***

En quittant le cinéma *Le Parisien* en compagnie de Laura, Léo héla un taxi pour se rendre chez elle. Dérogeant à son habitude, il ne fit pas de critique du film. Il aurait d'ailleurs eu du mal à le faire puisque les images avaient défilé devant lui sans qu'il les voie. Et les dialogues étaient tombés dans l'oreille d'un sourd. La requête d'Antoine préoccupait Léo. En s'y conformant, il craignait de vexer Laura, à cause d'une nébuleuse histoire dont elle ignorait sûrement tout, mais il était en même temps conscient que son éclaircissement revêtait une importance capitale pour Antoine.

Laura servit un cappuccino à Léo.

— J'ai décidé de ne plus donner de cours. La semaine prochaine, je passerai une audition pour un premier rôle dans un nouveau téléroman. J'ai le pressentiment que je le décrocherai.

— Bravo ! Quel genre de personnage incarnerais-tu dans ce téléroman ?

— Une mère célibataire, début cinquantaine, qui n'accepte pas de vieillir et qui se croit encore, grâce à ses chirurgies esthétiques, assez attrayante pour séduire des hommes plus jeunes qu'elle. Dois-je préciser que c'est un rôle de composition ?

— J'espère bien !

Le nom Véronique Labelle continuait à le tarauder. Comment le glisser dans la conversation sans risquer de donner l'impression à Laura de soudain se retrouver au banc des accusés ?

— En parlant à Antoine, hier, il m'a demandé de tes nouvelles… Puis il s'est rappelé votre « bon vieux temps » avec Bébert, Alex et Véronique…

Léo n'avait rien trouvé de mieux pour glisser le prénom de la femme mystérieuse dans la conversation. Puis cette Véronique qui se disait l'amie de Laura n'avait peut-être même pas fréquenté l'École des beaux-arts.

Laura hocha la tête, l'air perplexe.

— Qui ? Véronique ? Il a meilleure mémoire que moi. Ce nom ne me dit rien.

— Je crois qu'il a dit Véronique... Labelle.

— Je ne connais aucune Véronique, Labelle ou autre. Sûrement l'une de ses copines de l'École, mais celle-là je ne l'ai pas connue. Ou j'ai peut-être oublié. Demande-lui lorsque tu lui parleras.

Après avoir prétexté un rendez-vous avec son banquier, tôt le lendemain matin, Léo prit congé de Laura. Il aurait voulu partager son lit cette nuit-là, mais il appréhendait une inversion des rôles. Peu habitué à mentir, il craignait de se contredire dans ses réponses s'il prenait l'envie à Laura de l'interroger.

En rentrant chez lui, Léo appela Antoine.

— Alors ?

— Elle ne la connaît pas.

— C'est du moins ce qu'elle dit. Comment as-tu abordé le sujet ?

Léo lui raconta sa petite mise en scène, en précisant que Laura n'avait eu l'air aucunement troublée.

— Ouais... Un cul-de-sac. Je suis conscient que tu n'as pas, dans les circonstances, joué le jeu de gaieté de cœur. Je t'en remercie, Léo. Si jamais Laura dit quelque chose qui puisse te mettre la puce à l'oreille...

— Je t'en parlerai bien sûr, mais je pense honnêtement que tu fais fausse route. Cette Véronique met aussi indirectement Laura dans l'embarras, tu ne penses pas ? Quoi qu'il en soit, cette femme, dont le nom véritable n'est peut-être pas Véronique Labelle, savait très bien ce qu'elle faisait et elle connaît manifestement Laura.

— Et comme disait mon père... *The shit hits the fan...*

Léo crut alors qu'il serait peut-être préférable qu'il dise la vérité à Laura. Antoine s'y objecta. À son avis, ce que Laura ignorait, si c'était vraiment le cas, ne lui faisait pas de mal. De plus, il doutait fort que Laura apprécie le fait que Léo ait joué au chat et à la souris avec elle.

— Où est l'inspecteur Columbo lorsqu'on a besoin de lui ? grommela Antoine en raccrochant. Plus il tentait d'analyser cet imbroglio, plus il se perdait en conjectures. Cette soi-disant amie de Laura le connaissait, lui, mais Laura, elle, ne connaissait aucune Véronique...

18

Le jeudi 17 février 2000

Profondément blessée, Emmanuelle n'avait pas revu Véronique Labelle. Leur entretien chez elle avait abruptement pris fin lorsque Prudence, se retirant dans sa chambre après avoir entendu l'innocente dénonciation, avait appelé sa mère sur son portable: « Trouve une excuse. Elle doit partir. Je ne veux plus la voir ici. »

Depuis l'incident, Prudence faisait l'école buissonnière et avait déserté l'atelier de Montmartre. Elle avait perdu goût à tout et elle s'enfermait souvent dans sa chambre pour pleurer. Son cher papa-ami était devenu un traître. Il lui avait menti, il l'avait trompée. Elle n'était plus sa fille unique adorée.

Malgré l'interdiction d'Emmanuelle, Antoine, désemparé, avait, quelques jours plus tôt, écrit à Prudence.

Ma chère Prudence,

Ne crois pas ce que cette Véronique Labelle, que je ne connais pas, vous a raconté. De toute évidence, il s'agit d'une démarche machiavélique de sa part pour me discréditer, pour me faire du mal, nous faire du mal. Laura Lemay était ma copine lorsque nous fréquentions l'École des beaux-arts. Je ne l'ai pas revue depuis cette époque-là. Depuis trente-cinq ans, Prudence ! Le hasard a voulu qu'elle commence à fréquenter mon ami Léo pendant mon séjour à Paris. Je ne l'ai même pas revue depuis mon retour à Montréal. Au fait, Laura Lemay est la fille avec le chapeau melon que tu as vue sur l'une des photos du site de mon ami Alex.

Prudence, je découvrirai le, la ou les coupables de cette manigance et je rétablirai ma crédibilité auprès de vous. Je vous aime et vous me manquez. Lorsque je vous ai appelées la semaine dernière, c'était pour vous annoncer que j'étais enfin prêt à aller vous retrouver. Je n'y renonce pas. Mon seul bonheur est avec vous.

Je t'embrasse,

Antoine

Prudence relut pour la nième fois le courriel d'Antoine, puis elle cliqua sur l'adresse du site d'Alexandre Forest. Elle y revit le mime, identifié dans la légende sous le nom de Choco Latcho. Était-elle vraiment une ex-copine d'Antoine ou la femme qui partageait sa vie au Québec ? Était-elle aussi la mère d'une Rose Filion ?

Prudence sortit de sa chambre et se dirigea vers la cuisine.

— Manu, j'ai reçu un courriel d'Antoine.

Emmanuelle se tourna vivement vers elle.

— Là, maintenant ?

— Il y a quelques jours…

— Tu ne lui as pas répondu j'espère…

— Il affirme que c'était un coup monté, qu'on a voulu lui faire du mal.

— Évidemment !

Emmanuelle aurait néanmoins tant voulu que ce soit vrai.

— Moi, je le crois maintenant. Nous l'avons condamné sans preuve, sans lui permettre de se défendre. C'est injuste.

— Et c'est juste, ce qu'il nous a fait ?

— Quel mal nous a-t-il fait, Manu ? Aucun ! Il m'a aidée à revenir à la vie. Il nous a donné plein de tendresse et d'amour. S'il vivait avec une femme et un enfant au Québec, crois-tu vraiment qu'il aurait pu rester à Paris aussi longtemps, alors que ce n'était pas prévu ?

— Ça n'a rien à voir.

— Tu préfères croire cette Véronique que l'on ne connaît ni d'Adam ni d'Ève ?

— Pour quelle raison nous aurait-elle menti, alors qu'elle ignorait même que je connaissais Antoine ?

Le ton de Prudence monta.

— Comment peux-tu être certaine qu'elle l'ignorait ? Et quel intérêt Antoine aurait-il eu, lui, à nous mentir ? Pour baiser avec toi ? Il ne l'a même pas fait, j'en suis certaine.

Emmanuelle rougit.

— Prudence ! C'en est assez maintenant. Je ne veux plus rien entendre. Dossier clos.

— Et cette Véronique… Tu la rencontres par hasard en faisant des courses. Elle est par hasard Montréalaise. Elle est aussi par hasard l'amie de Laura Lemay, dont elle nous parle par hasard. Et elle mentionne de plus Antoine… par hasard. En fin de compte, il faut reconnaître que ça fait quand même beaucoup de « hasards ». Cette rencontre, c'est clair, avait été planifiée.

— Et tu vas me dire maintenant que Laura Lemay n'existe pas ?

— Elle existe. Elle est la fille au chapeau melon qui nous a fait rire sur la photo et qu'Antoine dit ne pas avoir revue depuis cette lointaine époque.

Emmanuelle s'assit à la table, songeuse.

— Je ne sais pas, Prudence. Je ne sais plus.

— Manu, je veux parler à Véronique. Je veux la mettre sur le gril, je veux l'interroger jusqu'à ce qu'elle craque comme une vieille noix.

Emmanuelle, malgré elle, sourit.

— Bon, voici l'inspecteur Prudence maintenant...

— Prends rendez-vous avec elle, ici.

— Impossible ! Je n'ai pas ses coordonnées. Elle a les miennes, mais moi...

— C'est malin !

Quelques instants plus tard, la sonnerie du portable d'Emmanuelle retentit.

— C'est Gilbert. Antoine m'a tout raconté.

Emmanuelle fit signe à Prudence de la laisser. Butée, sa fille s'assit en croisant les bras.

— Tout ?

— Enfin, ta mésaventure...

— Qu'en penses-tu, Gilbert ?

— Emmanuelle, je connais très bien Antoine. Il n'a pas de secrets pour moi. Et j'ai connu Laura Lemay. Ces deux-là ne se sont pas revus depuis 1966. J'ignore qui est Véronique Labelle, mais je peux t'assurer que cette femme-là t'a effrontément menti. Emmanuelle, Antoine est catastrophé. Accepte au moins de lui parler, de l'écouter...

— Peut-être ! Je verrai. Merci, Gilbert.

Prudence bondit de sa chaise.

— Alors ? Vite ! Qu'a dit Monsieur Bébert ?

Emmanuelle hésita.

— Il a dit que l'inspecteur Prudence avait raison…

— OUI, OUI… Je le savais. J'en étais sûre.

Emmanuelle prit la main de sa fille.

— Tu l'aimes vraiment beaucoup, Antoine…

— Il est mon père et je sais qu'il nous est fidèle. J'ai honte de notre méprise à son sujet. Antoine n'est pas un imposteur. Je retrouverai maintenant ta Véronique et je lui botterai le cul.

Mère et fille s'enlacèrent en riant.

Résolue à débusquer Véronique, Prudence fit des recherches sur Internet pour tenter de trouver un site lié à une coproduction télévisuelle franco-québécoise en cours à Paris.

— Merde de merde… Rien !

Encore assise à la table de cuisine, Emmanuelle sirotait un café. L'appel de Gilbert, en qui elle avait grande confiance, l'avait ébranlée. Elle regrettait son jugement intempestif à l'endroit d'Antoine et toutes les paroles cruelles qu'elle lui avait dites. Profitant de l'absence de Prudence, elle saisit son bottin téléphonique puis elle composa le numéro de son amoureux éconduit.

— Antoine…

Il soupira d'aise en entendant sa voix douce au bout du fil.

— Merci, Emmanuelle…

— Je demande à t'écouter. Dis-moi ce qui nous arrive…

— Dis-le moi, toi. Je ne connais pas cette femme et il n'y a absolument rien de vrai dans tout ce que tu m'as rapporté. Est-ce qu'elle t'a dit qu'elle me connaissait personnellement ?

— Bien sûr puisque tu es, selon elle, le conjoint de sa meilleure amie.

— A-t-elle révélé certains détails à mon sujet qui t'ont permis de croire qu'elle me connaissait vraiment ?

— Elle a précisé que tu étais illustrateur.

— Décris-la moi...

— Ben, je ne sais pas... Un peu plus grande que moi, brune, l'accent québécois... parfois.

— Et ses yeux ?

— Deux, répondit Emmanuelle en riant.

Sa boutade rassura Antoine.

— Merci, je pourrai ainsi aisément l'identifier.

— Antoine, pourquoi tout ça ? Ça rime à quoi ? Je ne comprends pas.

— J'ai ma petite idée, mais aucune preuve. A-t-elle des tics, des marques distinctives ?

— Je n'ai rien remarqué de particulier, sinon qu'elle porte des lunettes aux verres rosés. Antoine, pardonne-moi d'avoir douté de toi.

— Dans de telles circonstances, je comprends parfaitement que tu aies pu...

— Quand reviendras-tu, Antoine ?

La question qu'il avait craint ne jamais réentendre de la part d'Emmanuelle fit accélérer son rythme cardiaque. Elle venait d'innocenter l'accusé, de réhabiliter son amoureux.

— Très bientôt, répondit-il, sans détectable émotion, comme si la conviction du contraire ne lui avait même jamais effleuré l'esprit. Je veux d'abord, si possible, découvrir le fin fond de cette histoire. As-tu revu cette poufiasse depuis son spectacle de mauvais goût ?

— Non et j'ignore comment la joindre, mais ta fille cherche à s'occuper de son cas, précisa Emmanuelle, amusée.

— Prudence ? Non, je ne veux pas. Cette femme est diabolique...

— Attends, une grande peste vient vers la cuisine. Je te la passe, murmura Emmanuelle avant de tendre le combiné à Prudence. On veut te dire un mot.

D'un signe de tête, Prudence s'enquit de qui il s'agissait, mais sa mère, pour toute réponse, ne fit que hausser les épaules.

— Oui ?

— Bonjour, ma puce…

Le visage de l'adolescente s'illumina.

— Antoine ? Papa ? Woua…

Se réjouissant du bonheur de sa fille, Emmanuelle lui donna une petite tape sur une fesse.

— Est-ce que la porte de Camille Claudel est toujours là, Prudence ?

— Oh oui ! Quand, Antoine ? Quand ?

— Au plus beau jour de ma vie, qui viendra très bientôt.

Cette conversation apaisa et réjouit Antoine. Emmanuelle l'aimait encore. Prudence l'attendait encore. Il eut peine à croire qu'une supercherie était venue près de mettre fin à son bonheur.

***

Contrairement à ce que Léo avait raconté à Laura, son ordinateur, qui avait rendu l'âme en pièces détachées, ne s'était jamais retrouvé à l'atelier de la boutique informatique. Antoine, qui avait déjà prévu lui donner le sien avant son départ, l'invita chez lui afin de l'initier à Internet, mais surtout pour lui apprendre la bonne nouvelle.

— Sans blague ! Quel soulagement ! Tu partiras quand, alors ?

— Dès que je pourrai mettre la main sur un foutu billet. Je pense que mon enquête « Véronique » a avorté, et j'ai maintenant mieux à faire que jouer les détectives.

— Élémentaire, mon cher Watson. Je suis heureux pour toi, Antoine.

— Merci, mon vieux. Et toi, ça ira ?

— Je vais très bien. Lennon est vraiment un bon entraîneur. J'apprends à me connaître, à vivre avec moi-même... et avec mes médicaments.

En entrant dans la grande pièce, où la toile vierge était encore posée sur le chevalet, Léo prit conscience que c'était peut-être la dernière fois qu'il visitait Antoine chez lui à Montréal.

— Est-ce que ça t'attristera de quitter cette maison ?

— Pas du tout ! De toute façon, je n'ai plus les moyens d'en payer le loyer.

— Il s'en est quand même passé des choses ici...

— Tu parles ! Pas toutes mémorables... De toute façon, je ne me souviens plus de la plupart de ces... choses.

Les deux amis prirent place sur le divan des passions et lamentations d'Antoine, qui se retrouverait bientôt dans un comptoir de la Société de Saint-Vincent de Paul, avec le reste de son modeste mobilier.

— Léo, tu ne m'as pas dit... Ton écriture ?

— Parlons-en de mon écriture ! J'ai bien fait de déchirer ces cahiers. Des béquilles ! Ça m'amuse presque aujourd'hui de constater que je ressemblais un peu au personnage de Jack dans le film *The Shining*, de Kubrick, qui écrivait toujours la même phrase. Je poétisais platement. Je radotais. Je me complaisais.

Antoine parut déçu.

— Tu n'écriras plus ?

— Au contraire ! Maintenant que je sors progressivement du brouillard, j'écrirai pour de vrai, pour mon plaisir, sans me targuer de faire de la grande littérature. Au fait, ce roman nombriliste que j'écrivais s'intitulait *L'attrait ou la vie*…

Antoine réfléchit un instant.

— L'attrait ou la vie… Il me semble avoir déjà entendu ça…

— Tu l'as plutôt lu. Ce graffiti dans les toilettes du bar, il était de moi.

Antoine se mit à rire.

— Et ça parlait de quoi finalement ton roman ?

— De « je », de « me » et de « moi ». Une grande introspection, pleine de synonymes comme tu les aimes.

— Je préfère donc attendre ton prochain roman.

Léo fut émerveillé par toutes les possibilités que lui ouvrait Internet. Il pourrait maintenant faire des recherches sur des auteurs, des cinéastes, des artistes et une foule de sujets qui l'intéressaient sans avoir à se rendre chaque fois à la bibliothèque.

— Disons que tu veux savoir comment s'appelait la blonde de… Baudelaire. Tu pitonnes comme ceci puis…

— Elle s'appelait Jeanne Duval.

Antoine fut presque étonné.

— Ben oui… Elle était facile celle-là. Tout le monde sait que la blonde de Baudelaire s'appelait Jeanne Duval. Mon propriétaire m'en parlait justement l'autre jour. Tu fais chier, Provencher.

Rieur, Léo prit la place d'Antoine devant l'ordinateur.

— Et si je tape le nom de Laura Lemay ?

— Essaye, on verra...

Le site de la compagnie théâtrale qui avait créé *Elles dansent au grenier* apparut à l'écran. Un extrait de critique, datant de l'été précédent, louangeait la prestation de « l'excellente comédienne Laura Lemay que l'on voit trop peu souvent au théâtre et au petit écran ». On y annonçait de plus la tournée prochaine de cette comédie en province. Une photo de Laura y figurait.

— Regarde ! Tu la reconnais, Antoine ?

— Bien sûr !

— Trouves-tu qu'elle a changé ?

— Ben, elle a trente-cinq ans de plus, mais elle est toujours aussi jolie. Clique sur « Distribution » pour voir...

Léo s'empressa de lire le court C.V. de Laura.

— Merde !

— Quoi ? fit Léo en se tournant vers Antoine.

Le nom du personnage de Laura avait attiré son attention. Le regard de Léo retrouva l'écran.

— Rose... Et alors ?

— Tu ne te souviens pas ? Véronique a dit à Emmanuelle que Laura et moi étions les parents d'une fille... Rose...

— Oui, et alors ? Ça ne prouve rien.

— Peut-être, mais c'est quand même une drôle de coïncidence.

— Et si l'auteur de la pièce avait nommé son personnage Véronique, tu appellerais la GRC et Interpol ?

Léo, qui vouait une amitié indéfectible à Antoine, était néanmoins perturbé par son obsession à vouloir faire porter l'odieux de l'incident parisien à Laura. Antoine en était conscient.

— As-tu leurs numéros ? trancha-t-il en riant.

***

Satisfaite de son audition, Laura craignait néanmoins qu'une comédienne plus connue décroche le rôle qu'elle convoitait. En entrant chez elle, Laura entendit d'ailleurs une voix. Celle de Guy Béart : « Laura, Laura, Laura l'aura pas. »

Antoine appela Emmanuelle : « C'est fait ! Ma place sur le vol est réservée. Je partirai mercredi soir prochain. »

Puis Laura appela Léo : « C'est fait ! J'ai auditionné. Laura l'aura, ce rôle. »

19

Le jeudi 24 février 2000

En sueur, Antoine, qui avait fermé l'œil mais n'avait pas réussi à dormir au cours du vol transatlantique, trouvait interminable l'attente pour l'arrivée de ses bagages. Il râlait chaque fois qu'un autre voyageur le bousculait pour récupérer les siens sur le carrousel. Il en vint même presque aux coups avec un jeune « hip-hoppeux » qui l'invectiva : « Dégage, papi… »

Poussant son chariot aux roues grinçantes, Antoine retrouva le sourire lorsqu'il aperçut Emmanuelle et Gilbert de l'autre côté des portes de la salle des soupirs. Il serra longuement Emmanuelle contre lui. « Enfin ! » murmura-t-elle. Ses lèvres effleurèrent discrètement celles d'Antoine. Puis l'accolade avec Bébert fut encore une fois rieuse. « Fripouille… Barbouilleur… Enfoiré… »

— Prudence n'est pas là ? Elle est déjà à l'École ?

— Penses-tu ! Je l'appelle à l'instant. Tu n'as pas rendez-vous avec ta fille, toi, à l'île Saint-Louis ?

Prudence s'y était rendue à pied pour attendre Antoine devant la porte de Camille Claudel. En le voyant apparaître, quai Bourbon, elle accourut vers lui. S'immobilisant, Antoine la perçut comme l'héroïne d'un film d'amour courant au ralenti.

— Ta fille ne sera plus jamais tourmentée, lui dit-elle en s'élançant entre ses bras.

***

Chez Emmanuelle, Maude avait préparé le petit déjeuner.

« On dépose les valises d'Antoine dans la chambre d'invités ? » demanda Prudence à sa mère, pince-sans-rire.

Emmanuelle rougit. Ce qui amusa la jeune coquine.

Antoine, qui avait l'impression d'avoir quitté ce grand appartement la veille, prit place sur le divan où Prudence, câline, le rejoignit bientôt. Tout le monde souriait aux anges de ces heureuses retrouvailles. C'était presque, comme Gilbert l'avait dit lors de l'arrivée précédente d'Antoine à Paris, le retour de l'enfant prodigue.

— Est-ce que je te sers un café au lait, Antoine ? lui demanda Maude.

— En ce grand jour ? Plutôt un verre de vin avec mes amis, avec mes amours. Vous ne pouvez pas savoir tout le bonheur que vous me donnez aujourd'hui. Prudence, encercle cette date sur ton calendrier.

— C'est déjà fait, Antoine.

— Allez ! À table ! fit Emmanuelle.

Gilbert tendit la main à Antoine pour symboliquement l'aider à se lever.

— De petites natures, ces Québécois, dit-il en riant.

Prudence se précipita pour prendre place à côté de son père. Gilbert voulut savoir comment s'étaient déroulés les derniers moments de son ami dans sa ville natale.

— Très bien, Bébert. La veille de mon départ, j'ai passé la soirée chez mon ami Léo et j'ai aussi dormi chez lui. Il m'a promis de venir me voir le printemps prochain. Ce qui serait tout un exploit puisque Léo n'a jamais voulu voyager par la voie des airs.

Maude l'informa alors qu'il reverrait probablement son ami avant le printemps. Toutes les têtes se tournèrent vers elle.

— Euh… Je ne veux pas t'enlever à Emmanuelle dès ton arrivée, mais je pense que tu devras prochainement retourner à Montréal… pour nos affaires.

Prudence intervint aussitôt.

— Alors j'irai moi aussi…

— Désolée, ma fille. Toi, tu dois rester ici pour tes propres affaires… l'École ! D'ailleurs, après ton petit déjeuner, tu déguerpis ! la somma Emmanuelle.

— Ta mère a raison, ma puce, mais si tu es très gentille, nous irons tous les trois à Montréal, l'été prochain.

— Je serai un ange. Comme toujours…

Prudence fit rire les convives, sauf Emmanuelle. Elle n'avait pas du tout envie qu'Antoine retourne à Montréal, seul. Avec ces histoires de Véronique et de Laura, elle craignait qu'une autre tuile leur tombe sur la tête. Maude sentit son désarroi. Elle proposa alors à Emmanuelle d'accompagner Antoine à Montréal.

— Excellente idée ! acquiesça Antoine.

Prudence s'insurgea aussitôt.

— Et moi alors ?

— Toi, ma jeune artiste, tu viendras habiter chez Monsieur Bébert et Madame Maude. Et tu auras intérêt à faire l'ange, conclut Maude, amusée.

Ce compromis plut à Prudence, qui considérait Bébert et Maude comme des membres de sa famille, auprès desquels elle aimait toujours se retrouver.

***

Le Dr Wiseman avait modifié son agenda. Il reçut Léo ce matin-là plutôt que la veille comme prévu. Le patient s'entendait à merveille avec ce gourou de la santé mentale, dont il appréciait l'approche sans chichis. Entre eux, son Lennon avait établi une relation de *no bull shit*, comme il disait. De plus, le psychiatre ne le faisait pas se sentir comme un handicapé des méninges. Malgré les manières peu orthodoxes du médecin, sa coiffure à la hippie, son jean et ses espadrilles, Léo ne cultivait aucun doute quant à sa compétence. Accroché dans son antichambre, son diplôme en *Psychiatry* de l'université Oxford en témoignait. Puis il portait tout de même une veste en tweed !

— Comment ça va avec votre Laura ?

— Bien ! Mais j'ai parfois l'impression de m'entretenir avec un personnage plutôt qu'avec une vraie femme.

— Qu'est-ce qui vous donne cette impression ?

— C'est difficile à expliquer. Sa manière d'être, sa façon de parler… Je ne sais pas vraiment.

— C'est peut-être une déformation professionnelle.

Souriant, le Dr Wiseman raconta alors à Léo que lui aussi avait, jeune homme, fréquenté une comédienne.

— Elle devait avoir des gènes de la grande Sarah Bernhardt puisqu'une tragédie semblait toujours se tramer, ne serait-ce que pour sortir acheter *a loaf of bread*. Mais ça, c'est une autre histoire.

— Avec Laura, ce n'est pas comme ça…

— Comment est-ce alors ?

Léo n'arrivait pas à exprimer ce qu'il ressentait vraiment. Le psy lui demanda alors de fermer les yeux et de se visualiser en compagnie de Laura. Ce qu'il fit. Quelques instants plus tard, il ouvrit les yeux.

— Je crois avoir trouvé. Même si Laura m'a confié des choses intimes de sa vie, j'ai parfois l'impression qu'elle ne me dit pas toute la vérité, qu'elle me cache des choses.

— Bref, qu'elle vous ment ?

— Peut-être ! Par omission en tout cas.

— Elle a quand même droit à son jardin secret. Puis, on doit se méfier, Léo. L'imagination peut jouer un grand rôle dans les impressions. On peut percevoir ou entendre des choses d'un mauvais œil ou d'une mauvaise oreille. On imagine alors des situations qui ne sont pas réelles ou qui ne sont que le pâle reflet d'une certaine réalité. Mais les impressions peuvent par ailleurs parfois être justes ou, du moins, dans un registre de demi-vérités. Les impressions, Léo, peuvent devenir troublantes. On peut en souffrir sans raison lorsque la réalité est en fait tout autre ou différente de ce que l'on avait imaginé.

Léo hocha la tête en signe de compréhension.

— Dans le cas de Laura, que dois-je faire alors ?

— Chose certaine, vous ne devez pas en rester à vos impressions négatives. Il vaudrait mieux aller au fond des choses, avec tact. Lorsque vous êtes dans le doute au sujet de ses propos, dites-lui que vous ne comprenez pas et demandez-lui de préciser sa pensée. Vous avez aussi le droit de lui poser des questions, sans pour autant en faire un interrogatoire.

Le psy enleva ses lunettes puis il sourit à Léo.

— Bon, j'ai faim. Et ça, ce n'est vraiment pas une impression. C'est l'heure du lunch. Allez, je vous invite…

***

Antoine s'éveilla en sursaut. Il se sentit aussi perdu qu'un mineur au fond d'un trou noir. Il mit quelques secondes avant de se rappeler où il était. À tâtons, il trouva la lampe de chevet. Il s'étira paresseusement puis il se leva. Il enfila sa paire de jeans puis il retira un tee-shirt de l'une de ses trois valises. En ouvrant la porte de la chambre des invités, il aperçut Emmanuelle qui lisait au séjour.

— Le voici ! Le beau au bois dormant…

— Bonjour ou bonsoir, Emmanuelle. Mais quelle heure est-il donc ?

— Tout près de 17 heures.

— Quand même !

— Tu en avais sûrement grand besoin.

Antoine se pencha au-dessus d'Emmanuelle et l'embrassa sur le front.

— Prudence n'est pas là ?

— Elle dormira chez son amie Esther ce soir.

Pieds nus, Antoine prit place près d'Emmanuelle puis il mit un bras autour de ses épaules.

— Est-ce que notre chère fille a voulu nous assurer une soirée de grande intimité ?

— Je le crois, oui, répondit-elle timidement.

Un peu mal à l'aise, Antoine tenta alors de justifier la pudeur dont il avait fait preuve au cours de son séjour précédent à Paris.

— Je ne voulais pas que tu penses…

— Je sais. Ne t'inquiète pas ! Tu as eu la délicatesse de ne pas me faire douter de tes intentions. Pour ma part, je n'aurais pas voulu…

Antoine comprit alors qu'Emmanuelle n'aurait pas voulu faire… le Québécois à Paris, prise deux.

— Voilà ! Je n'ai quand même pas pensé que tu avais fait vœu de chasteté au cours des vingt dernières années.

Antoine rigola puis il posa un tendre baiser sur la joue d'Emmanuelle.

— Et la preuve ne tardera pas à venir.

— Un verre de vin pour t'inspirer ? lui demanda-t-elle en se levant.

— Tu es mon inspiration, mais je prendrai quand même le verre de vin.

En regardant Emmanuelle se diriger vers le cellier, Antoine prit soudain conscience qu'il était maintenant chez lui dans cet appartement luxueux… qu'un autre homme avait acquis et meublé grâce au fruit de son labeur. Chez lui… l'étranger qui y était arrivé le matin même avec ses hardes et moins de cinq cents euros en poche. Lui… l'artiste raté qui s'y retrouvait parce que l'une de ses nuits de passion avec une jeune femme qu'il connaissait à peine, mais qu'il aimait, avait entraîné la naissance d'un enfant. À nouveau hanté par le syndrome de l'imposteur, Antoine s'y sentit déjà moins chez lui.

***

— « Avec tact », se répéta Léo en sonnant chez Laura.

Elle ouvrit. L'habituelle pimpante Laura était débraillée et ses yeux rougis disaient « J'ai braillé ».

— Ben ne reste pas là, entre !

Des journaux jonchaient la moquette du salon. Des verres, des tasses, des assiettes et des contenants d'un restaurant thaïlandais couvraient la table à café.

— Tu as eu des visiteurs ?

— Non, pourquoi ? fit sèchement Laura en s'asseyant dans un fauteuil.

Léo regrettait déjà d'être venu chez elle mais, fort de son entretien avec le Dr Wiseman, il espérait en tirer profit pour mettre les choses au clair avec elle. Il regarda autour de lui. Le salon romantique semblait avoir perdu de son charme.

— As-tu pleuré, Laura ?

— Oui, pourquoi ? lança-t-elle en repliant les jambes sous elle.

— Oui, justement, pourquoi ?

Les traits de Laura se durcirent.

— Comme s'il devait toujours y avoir une raison précise pour pleurer !

— Est-ce ma faute ?

— Ni toi, ni un autre, ni personne… C'est moi ! Et je revendique le droit de chialer quand j'en ai envie.

— Pas de nouvelles au sujet de ton audition ?

— Non.

L'incommunicabilité étant de toute évidence à l'ordre du jour de Laura, Léo préféra la quitter.

— Bon, je ne faisais que passer…

— As-tu déjà remarqué ma cicatrice ?

— Pardon ?

— Ma cicatrice… Celle sur ma fesse gauche…

Laura se leva, fit dos à Léo, descendit le haut de son pantalon de pyjama et le remonta aussitôt en se tournant vers lui.

— Tu l'as vue maintenant, dit-elle en se rasseyant.

— Oui… Et c'est ?…

— La marque d'une lanière de cuir. Ma mère !

Cette même mère qui la chouchoutait et qui lui racontait des histoires ? Léo fut sidéré, surtout en raison de l'absence de ladite cicatrice.

— Ma mère était méchante. Pas folle, mais méchante.

— Et l'asile Saint-Jean-de-Dieu ?

— J'aurais voulu qu'elle y soit, mais elle n'y est jamais allée.

Léo se mit à transpirer. Les mots « impression » et « imagination » scintillèrent dans son esprit comme l'enseigne au néon défectueuse de *L'Attrait.*

— Laura, je ne comprends pas, peux-tu préciser s'il te plaît ?

— Je te l'ai dit. Ma mère n'était pas folle, juste méchante. Et elle n'était pas comédienne. Elle aurait voulu l'être, mais elle était juste travailleuse à l'*Imperial Tobacco*. Moi je le suis, comédienne !

N'en finissant plus de tomber des nues, Léo tenta de se ressaisir afin d'être en mesure de soutirer d'autres « rectifications » à Laura.

— Et cette photo de ta mère en costume ? lui demanda-t-il en se tournant vers le cadre ovale.

— J'avais cinq ou six ans. Un *party* d'Halloween. Elle avait donné le nom de Choco Latcho à son clown. Elle a par la suite ressorti son costume le 31 octobre de chaque année, jusqu'à sa mort ou presque. C'était pathétique.

— Quand est-elle décédée ?

— Lorsque j'étudiais aux Beaux-arts.

— Et à cette époque, tu racontais déjà que ta mère était internée à Saint-Jean-de-Dieu. Pourquoi, Laura ? Pourquoi avoir inventé cette histoire ?

Laura mordilla ses ongles. Léo ne la reconnaissait plus. Jouait-elle un rôle de démente ou était-elle vraiment en train de le devenir ?

— Ce n'était pas une histoire. C'était ma vérité à moi. Je me suis offert ce que la vie avait oublié de me donner, ce qui devait être. Il n'y a de vrai que ce qu'on croit l'être. La vérité… Qu'est-ce que la vérité ? Celle que la vie nous impose par erreur ? Celle des autres ? Je préfère la mienne.

Sidéré, Léo ne lançait pas pour autant la pierre à Laura. Il avait aussi déjà fabulé, mais dans un contexte sans doute différent, de façon plus sporadique et, considéra-t-il, moins extrême. Alors qu'elle…

— Oui… Peut-être… Mais pourquoi passes-tu maintenant aux aveux ?

— Quels « aveux » ? Ce ne sont pas des « aveux ». Je te raconte tout simplement ma réalité, ma vie, rétorqua Laura, s'énervant de plus en plus.

Conscient qu'elle ne lui révélerait aucun autre aspect de sa « réalité », Léo s'abstint de lui poser d'autres questions, notamment au sujet de sa menace de suicide, de l'enfer qu'elle avait promis à Antoine et… de l'incident Véronique.

— Laura, je dois partir. J'ai rendez-vous avec…

— Ton banquier ? lui demanda-t-elle d'un ton ironique.

— Non… Avec mon comptable.

— Je croyais que tu l'étais, comptable. Mais où ai-je la tête ! C'est vrai, ta réalité à toi c'est d'être écrivain, n'est-ce pas ?

La tête bourrée des mystifications de Laura, sans ne plus rien comprendre à ce qu'il venait de vivre, Léo marcha jusqu'au cinéma *Le Parisien*. Une comédie noire y avait récemment pris l'affiche. Il haussa les épaules et continua à marcher.

20

Le jeudi 2 mars 2000

Prudence avait finalement passé le week-end chez son amie Esther. Confiant sa déception à Emmanuelle, Antoine eut alors droit à sa première leçon de paternité : « C'est ça la jeunesse, mon cher. Tu devras t'y faire. »

Le vendredi après-midi précédent, alors qu'Emmanuelle avait rendez-vous chez son médecin, Antoine, ne sachant que faire, sortit pour aller explorer les environs. Passant devant la station de métro Raspail, il s'y engouffra. Direction Porte de Clignancourt. Il descendit à la station Barbès-Rochechouart. Il en trouvait le nom mélodieux et en avait d'ailleurs conservé un tendre souvenir de jeunesse. Sur le quai, il y avait rencontré, en 1966, une jolie petite Anglaise. Son prénom aussi l'avait séduit : Penny… comme dans la chanson *Penny Lane* que les Beatles enregistreraient à la fin de cette année-là. Ils s'étaient aimés pendant une demi-journée et une nuit. Puis, le lendemain, une semaine avant le retour d'Antoine à Montréal, Penny était retournée à Londres. « C'était dans une autre vie, c'était hier… » se dit-il en se dirigeant vers la sortie.

À l'intersection des rues Des Martyrs et La Vieuville, Antoine s'adossa à un mur, où la nostalgie le retrouva encore.

« J'avais vingt-deux ans… Comment aurais-je pu même imaginer que j'y reviendrais un jour ! La même rue, le même atelier… qui est maintenant celui de ma fille. C'est totalement surréaliste. La vie et le temps s'amusent avec moi. Que me réservent-ils encore ? »

Le samedi, en début d'après-midi, Antoine accompagna Emmanuelle au *Bon marché*.

— C'est donc ici ?

— Quoi donc ?

— Véronique…

— J'étais en train de l'oublier, celle-là.

— Moi pas !

En suivant Emmanuelle dans les allées de ce que l'on appelle la Grande Épicerie de Paris, Antoine regardait autour de lui. Des fois que… Une brune portant des lunettes aux verres roses… Il craignait que Véronique ne récidive puisque son stratagème avait échoué. Qu'inventerait-elle encore pour tenter de séparer le nouveau couple ?

Ce soir-là, Antoine et Emmanuelle dînèrent chez Gilbert et Maude.

— Vous n'avez pas amené Prudence ? demanda l'artiste, que les facéties de l'adolescente amusaient.

— Mademoiselle Prudence a une vie sociale très mouvementée. On me dit que c'est ça, la jeunesse, répondit Antoine.

Emmanuelle sourit du bout des lèvres.

Le lundi matin, Antoine, qui avait peu parlé à Prudence lors de son retour à l'appartement, la veille au soir, se rendit à la galerie *À la Maude*. Il y avait rendez-vous avec sa directrice pour commencer à planifier les différentes étapes du projet « volet québécois » de la galerie.

— T'as vu ? lui demanda Maude, souriante, dès qu'il y fit son entrée.

— Euh… Que devais-je voir ?

— Bon Dieu ! Mon Québécois échevelé dort encore. La vitrine ! Viens que je te montre.

La petite femme entraîna Antoine dans la rue.

— Mon tableau ! Mon tableau merdeux…

— Ben vous saurez, Monsieur l'artiste, que j'ai de bons commentaires sur votre tableau merdeux.

— Sans blague ! Mais personne ne l'a acheté…

— Ça viendra.

Malgré la saga de son tableau maudit, intitulé *Au verger de la vierge Valonée*, Antoine éprouva néanmoins un petit pincement au cœur. Séduite par ce tableau, Prudence avait tout de même dit y reconnaître son lien de sang avec lui.

***

Le samedi précédent, Léo, après avoir longuement hésité, avait finalement accepté de dîner dans un restaurant français du centre-ville en compagnie de Laura, à qui il restait, malgré tout, attaché. Par amour ou par compassion ? Depuis sa récente et troublante rencontre avec elle, il ne savait plus. Quels autres bobards lui avait-elle racontés ? Devait-il ajouter son « Je t'aime » au nombre de ses mythes ? Pour sa part, Laura, charmante ce soir-là, ne semblait pas consciente du fait que Léo ne puisse plus la percevoir de la même manière. En sa compagnie au restaurant, Léo espérait tout simplement que Laura ne lui dévoile pas une nouvelle cicatrice…

invisible. Il avait envie de partager une soirée agréable avec elle, même si ce tête-à-tête devait s'avérer leur dernier.

— Toujours pas de nouvelles de ton audition ?

— Aucune, mais je pense que c'est plutôt favorable. En tout cas, selon mon agent, on n'a pas encore biffé mon nom de la liste des aspirantes. La compétition est par contre très forte. Plusieurs excellentes comédiennes ont auditionné.

— Mais tu es aussi excellente.

En s'entendant ainsi complimenter Laura, Léo se trouva flagorneur. Le regard de Laura lui fit sentir qu'elle le pensait aussi.

— Comment pourrais-tu le savoir puisque tu ne m'as jamais vue jouer ? lui demanda-t-elle, en faisant tournoyer son couteau entre le pouce et l'index de sa main droite.

« Erreur ! » pensa Léo. Il fut tenté de lui rappeler qu'il l'avait vue interpréter un émouvant rôle dramatique dans son salon et qu'il avait d'ailleurs cru en ce personnage de « la fille de la folle » qu'elle avait créé.

— Je t'ai quand même déjà vue dans ces téléromans que tu as un soir mentionnés, mais je ne savais pas que c'était toi. Je veux dire que…

— Oui, oui, j'ai compris. Tu ne m'as pas reconnue et, même si tu avais lu le générique, le nom Laura Lemay ne t'aurait rien dit, précisa-t-elle, amusée.

À son troisième verre de vin, Léo oublia les bizarreries de Laura qui l'avaient tourmenté toute la semaine. Il ne se demandait plus si Laura pouvait être l'une de ces personnes aux effets négatifs que Lennon lui avait conseillé d'éviter. Léo voyait déjà Laura dans son lit, cette nuit-là.

***

En rentrant d'une quatrième rencontre en quatre jours avec Maude, Antoine voulut profiter du congé de cours de Prudence en après-midi pour lui proposer de l'accompagner à l'atelier.

— Une autre fois, Antoine. Je ne peux pas. J'ai rendez-vous.

Si sa mère avait pu le voir, madame Filion lui aurait dit qu'il faisait « une face de carême ».

— Est-ce si important ? Avec qui as-tu rendez-vous ?

— Ho ! Ce que tu peux être indiscret ! Une femme a droit à sa vie privée tu sais…

— Une femme, peut-être, mais toi… répliqua-t-il à la blague.

Prudence bondit de sa chaise et s'emporta.

— Pardon ? Je te signale que j'aurai bientôt dix-neuf ans. Et demande un peu à mes copains si je ne suis pas une femme.

Emmanuelle sortit de sa chambre.

— Que se passe-t-il ici ?

— Antoine veut savoir tout ce que je fais, où je vais et avec qui. Il m'agace à la fin.

Emmanuelle adressa un regard réprobateur à Antoine, bouche bée, puis elle se tourna vers sa fille.

— Tu partais, toi ? Alors pars !

Prudence prit son sac à dos et sortit en claquant la porte. Elle avait blessé son père. Antoine ne reconnaissait déjà plus sa… puce.

— Elle est tombée sur la tête ou quoi ? Prudence n'est plus la même depuis mon retour.

— C'est mal barré, Antoine. Laisse-la respirer un peu quand même !

— Évidemment ! C'est ma faute tout ça. Je te signale que ta fille est devenue très impertinente. La petite Prudence à sa maman n'en fait qu'à sa tête. Elle sèche ses cours, elle rentre à des heures impossibles et elle fréquente Dieu sait qui ! Tu es trop permissive. Si tu n'y vois pas, il lui arrivera malheur un de ces jours.

Antoine venait de franchir une frontière qu'il ignorait lui être interdite. Le fait de commenter la conduite de Prudence, puis d'affirmer qu'elle s'assurait l'impunité grâce au laxisme d'Emmanuelle constituait une faute grave dans le no man's land de la relation mère-fille. La filiation paternelle n'autorisait pas Antoine à s'immiscer dans l'éducation de Prudence. Son rôle se limitait à l'aimer inconditionnellement. Point !

S'avançant vers lui, poings sur les hanches, Emmanuelle sortit de ses gonds.

— Écoute-moi bien, Antoine Filion. « Ma » fille, je l'ai bien élevée, sans toi, et elle ne m'a jamais causé de soucis. Ne te mêle pas de ce qui ne te concerne pas. L'éducation de Prudence, c'est mon affaire. Finalement, c'est peut-être toi le problème.

Furieux, Antoine quitta précipitamment l'appartement en claquant la porte à son tour.

Une trentaine de minutes plus tard, Alain l'aperçut se planter devant son zinc. C'eût été un euphémisme de dire qu'il était de mauvais poil. Reconnaissant sa tête des mauvais jours, le Marseillais comprit qu'il aurait à faire gaffe. Mal interprétée par Antoine, la moindre parole aurait pu le faire exploser. Déjà que le gueulard aviné le coudoyant semblait l'énerver.

— Tu as assez picolé, le Gaston, rentre chez toi, lui ordonna Alain.

— Je t'emmerde… l'Alain…

Antoine se tourna lentement vers lui.

— Hey ! la mouche à marde, fais d'l'air, calvaire !

Alain se tourna pour rire.

Le bonhomme n'avait rien compris, mais le ton menaçant d'Antoine lui fit entendre raison. Il tituba aussitôt vers la sortie.

— Faudrait bien que je me remette au québécois, moi. Ta langue est très persuasive, lança Alain, amusé.

Antoine ne réagit pas. Alain attendit quelques instants avant de rouvrir la bouche.

— Tu veux en parler, Antoine ?

— Parler ? De quoi, Alain ? De quoi veux-tu que j'te parle ? Sers-moi plutôt un demi… Deux demis…

Alain n'insista pas.

Parler… C'est à Léo qu'il aurait voulu parler. C'est à Léo qu'il aurait voulu demander ce qu'il était venu foutre à Paris; ce qu'il avait espéré; ce qu'il avait cru; ce qu'il devait maintenant faire. Antoine était convaincu de s'être laissé exalter par un merveilleux début de conte de fées, garant d'une fin heureuse, tout en omettant de lire l'avertissement en préambule : « Les fées Emmanuelle et Prudence sont des personnages fictifs. Il est donc fortement déconseillé de leur accorder la moindre crédibilité et de s'engager affectivement avec elles. »

— Dis donc, tu habites loin d'ici ?

Alain le vit venir avec ses gros sabots.

— À cinq minutes…

— Je peux crécher chez toi cette nuit ?

— Aucun problème. J'ai un… comment vous dites déjà chez vous ? Un *hide-a-bed* ?

— Chez nous, on dit un divan-lit, mais ça ira quand même avec ton *hide-a-bed*.

Prudence rentra chez elle vers les 21 heures, l'air déconfit. Emmanuelle regardait le film *Touchez pas au grisbi* à la télé.

— Un autre connard !

— Qui ? Lino Ventura ?

L'air désespéré, Prudence regarda sa mère en soupirant.

— Je parle de Philippe...

— Peu importe de qui tu parles, j'apprécierais que tu choisisses mieux tes mots.

— Quelle andouille alors ! Tu as dîné ? J'ai faim... Antoine n'est pas là ?

Emmanuelle se leva, baissa le volume du téléviseur.

— À ton avis, il devrait y être ?

— Ben... oui. Pourquoi ?

— J'ai tout entendu, Prudence. Il plaisantait...

— Ha bon ! Moi aussi alors. Excuse-moi, je vais au frigo faire une razzia sur le poulet.

Emmanuelle la suivit.

— Antoine a raison. Tu es très impertinente depuis quelque temps.

— Il a dit ça ? fit Prudence en s'installant à la table de cuisine.

— Oui, mais je t'ai défendue. Je ne voudrais quand même pas qu'il pense que j'ai élevé une délinquante.

— Moi ? Une délinquante ? Ça va pas ? Et si je te disais que je pars bientôt pour aller à Carrare ? J'y resterai au moins six mois.

Emmanuelle vit rouge.

— Pardon ? cria-t-elle.

— Tu as bien compris. À Carrare, en Italie...

Prudence avait rencontré un sculpteur, de douze ans son aîné, qui l'avait convaincue, semblait-il, qu'elle perdait son temps à l'École des beaux-arts et qu'elle apprendrait beaucoup plus au pays du marbre... avec lui.

Emmanuelle saisit sa fille par les épaules et la secoua.

— T'es folle ?

— Moi ? Non. Et toi ?

Pour la première fois de sa vie, Emmanuelle gifla sa fille.

L'appartement d'Alain ressemblait à la piaule qu'Antoine avait partagée avec ses amis dans les années soixante.

— Ce n'est que temporaire. Je cherche un palace...

— D'ici à ce que tu le trouves, t'aurais pas une bière par hasard ?

— T'aurais pas envie de dormir... par hasard ?

Dormir... Antoine en avait besoin, mais pas envie.

— Tu sais quoi ?... J'en ai vachement marre...

Alain devina que ça n'allait plus avec Emmanuelle et peut-être même avec Prudence.

— Elles te déçoivent et tu penses maintenant retourner à Montréal ?

— Ben, tu ferais quoi, toi, à ma place ?

— Je dormirais puis, demain matin, je mettrais les choses au clair avec Emmanuelle.

Sous les couvertures du divan-lit, Antoine serra les poings comme un forcené. Il vieillissait. Le battant ramollissait. Ses sentiments amoureux, avec lesquels il ne savait pas encore composer, annihilaient son proverbial je-m'en-foutisme. Antoine le savait. Il en rageait.

***

— Laura, Laura, Laura l'aura pas !

Au bout du fil, la comédienne pleurait. Dépourvu, Léo ne sut dire que des banalités.

— Il y aura d'autres rôles. Ce n'est pas la fin du monde…

Pour Laura, ça l'était. Elle avait espéré pouvoir enfin sortir de l'ombre et peut-être même se faire un nom avec ce rôle.

— Est-ce qu'on peut se voir ? lui demanda-t-elle.

Léo n'avait pas très envie de jouer les pourvoyeurs de kleenex, mais il consentit finalement à se rendre chez elle.

Il eut la même impression qu'à sa visite précédente. Le salon de Laura n'était plus ce havre de quiétude où il avait aimé se retrouver avec elle. Il n'y voyait plus que de la frime : une scène avec son décor où Laura présentait une pièce à un personnage. Par ici on joue… Par ici on ment… Et Léo ne voulait plus être spectateur.

— Je n'ai pas décroché le rôle.

— Je sais. Tu me l'as dit.

— Tu t'en fous ?

— Non.

— Si, tu t'en balances totalement ! lui cria-t-elle.

Les yeux de Laura s'embrumèrent de hargne. Sa mâchoire se crispa. Léo entendait presque la rage gronder en elle. Des injures qu'elle n'arrivait pas à cracher lui brûlaient les lèvres. Et puis, soudain, Laura laissa tomber son masque de femme en fureur. Se levant gracieusement, elle se dirigea lentement vers la fenêtre. Léo se leva aussi, avec l'intention de lui fausser compagnie le plus tôt possible.

— Je crois qu'il va neiger, dit-elle d'une voix posée.

Elle se tourna vers Léo. Son visage avait retrouvé ses traits doux. Elle souriait même. Elle reprit place sur la causeuse. Éberlué, Léo se rassit sans même s'en rendre compte.

— Tu sais le beau rôle pour lequel j'ai auditionné ? Eh bien je ne l'ai pas eu.

Léo hocha la tête. « Ça y est, elle a perdu toutes ses billes. » Sans trop savoir ce qui pourrait en résulter, il lança alors, à tout hasard, un appât dans l'abysse du monde imaginaire de Laura.

— Ce ne serait quand même pas une raison pour te lancer du haut du pont Jacques-Cartier...

— Bien sûr que non ! fit-elle en riant. Cela, je l'ai déjà fait, il y a très longtemps.

Laura jouait encore... probablement, sans même s'en rendre compte.

— Tu l'as déjà fait ? Tu as déjà sauté du... ?

— Oui. Antoine ne te l'a pas dit ?

— Euh ! Tu es pourtant ici, bien vivante, devant moi...

— Évidemment ! J'ai survécu, Léo. Laura survit toujours. N'est-ce pas merveilleux ! Et Antoine, lui, il survit sur le boulevard Raspail ?

Léo se raidit.

— Comment sais-tu qu'il habite là ?

Laura se mit à rire.

— Pauvre Léo ! Sur ta table de travail, il y a, depuis des semaines, une grande feuille blanche sur laquelle tu as écrit, de ta belle main, les coordonnées d'Emmanuelle et de Gilbert. J'aurais été aveugle que je les aurais quand même vues !

— Oui... C'est bien ce que je croyais...

— Menteur ! répliqua Laura, doucereuse.

Léo rougit.

21

Le jeudi 9 mars 2000

En début de semaine, Maude avait décidé d'annuler le voyage d'affaires d'Antoine à Montréal. Pour accroître la rentabilité potentielle du volet québécois de sa galerie, elle était maintenant d'avis qu'ils devaient d'abord négocier des échanges d'artistes réputés avec des galeries montréalaises. Antoine partageait son avis, mais ce revirement l'ennuya quand même un peu. Il avait prévu que ce séjour, en compagnie d'Emmanuelle, contribuerait à conforter son couple. L'entretien qu'il avait eu avec elle, au lendemain de sa nuit blanche chez Alain, avait résorbé la crise, mais le mauvais esprit dont faisait preuve Prudence menaçait constamment de fragiliser leurs rapports.

Antoine apprenait son métier de galeriste-adjoint. Il rencontrait les artistes de la maison et il se familiarisait avec leur travail. Il visitait des expositions présentées dans les galeries d'art contemporain reconnues. Maude le renseignait sur ses critères de sélection particuliers puis, sous sa surveillance, il évaluait les dossiers d'artistes qui souhaitaient exposer chez elle. Ses nouvelles occupations le passionnaient.

« N'oublie pas, Antoine, lorsque tu sors de la boutique, tu n'es plus galeriste, tu es peintre. Ne te laisse donc jamais influencer par mes critères de sélection ou par le travail des artistes que je représente. Antoine Filion doit peindre à la manière d'Antoine Filion », lui répétait souvent Maude.

Sa manière… Antoine l'avait depuis longtemps oubliée. De toute façon, il ne voulait plus faire du Filion d'une époque révolue. Il sentait le besoin d'explorer un nouveau vocabulaire pictural, inhérent à son vécu, à sa psyché, à ses nouvelles visions d'artiste. Il reconnaissait que ses premières expériences avaient été timides, pour ne pas dire pénibles, mais il ne s'en souciait guère. Il était conscient que tout était à refaire : sa complicité avec ses médiums; l'osmose avec son mode d'expression; sa confiance.

Antoine peignait seul à l'atelier de Montmartre. Prudence n'y venait plus. Elle passait en coup de vent à l'appartement. La tension entre elle et sa mère ne connaissait aucune détente. Lorsqu'il lui arrivait de saluer Antoine, elle le regardait à peine. La situation, qui minait le moral d'Emmanuelle et qui blessait Antoine, ne pouvait plus durer.

Le manège de Prudence venait encore une fois de se produire. Dès son entrée dans le hall, elle se dirigea vers sa chambre, en ignorant sa mère et Antoine. Quelques minutes plus tard, elle repassa devant eux sans détourner la tête. Clac ! La porte s'était refermée derrière elle.

Teint grisâtre, amaigrie, Emmanuelle pleurait. Antoine prit place près d'elle.

— Emmanuelle, j'en suis venu à la conclusion que je suis de trop dans cette maison. Tu avais raison. C'est moi le problème.

Elle hocha la tête en signe de désaccord.

— Prudence n'est plus la même depuis que j'habite ici. Je pense qu'elle est jalouse, dit-il, en tendant un papier mouchoir à Emmanuelle

— Jalouse ? De qui ? De quoi ?

— De nous. De notre intimité. Avant moi, vous étiez de grandes complices. Elle profitait de toute ton attention. Maintenant, elle croit avoir perdu de l'importance dans ta vie, elle croit que je lui ai volé ton amour. Elle nous provoque en s'insurgeant. Tout ça doit cesser. J'irai donc habiter chez Gilbert… un certain temps. Puis on verra.

— Ça n'a aucun sens, Antoine. Nous sommes un couple maintenant. Elle le sait. Puis c'est à n'y rien comprendre. Prudence a tout fait pour que tu viennes vivre ici avec nous, tu le sais. Tu étais son idole. Elle te suivait partout comme, comme…

— Comme un chien de poche, disait mon père. Oui mais les choses ont changé. J'étais le papa étranger au goût du jour. Je l'amusais. Je faisais ses quatre volontés. Ce qui n'est plus le cas. Prudence ne veut pas d'un père traditionnel qui travaille, qui la réprimande, qui lui vole la vedette auprès de sa mère.

Emmanuelle prit la main d'Antoine. Elle la serra aussi fort que sa propre petite main lui permettait de le faire.

— C'est toi qui avais raison. J'ai trop gâté cette enfant, mais elle était ma raison de vivre.

— Justement ! Elle pense aussi qu'elle l'« était ». Emmanuelle, nous devons agir rapidement. J'ai peur que Prudence se piège à son propre jeu et qu'elle fasse des bêtises.

Emmanuelle regarda Antoine puis elle baissa les yeux.

— C'est déjà fait… ou presque.

Emmanuelle lui annonça que Prudence voulait abandonner ses études pour suivre un inconnu beau parleur en Italie.

— Non ! Ça, je ne le permettrai pas.

Dépassée par les événements, Emmanuelle avait espéré une telle réaction de la part d'Antoine.

— Excuse-moi ! Je me mêle encore une fois de ce qui ne me regarde pas.

La mère couveuse comprit le message.

— Antoine, lorsque je suis venue à toi, dans la soirée du 31 décembre dernier, je t'ai demandé de m'aider, d'aider Prudence. Tu l'as fait et tu lui as donné la force de lutter pour sa vie. Aujourd'hui, je te demande de la sauver… d'elle-même.

Antoine comprit alors qu'il aurait désormais les coudées franches.

— Elle est aussi ma fille, Emmanuelle. Je serais intervenu, avec ou sans ta permission. Je ferai tout en mon possible pour tenter de lui faire entendre raison.

— Merci, Antoine. Mais tu sais que tu feras face à une très vive opposition. Elle est entêtée…

Comme son père ?

Emmanuelle sourit enfin.

— Ça promet ! fit-elle.

Antoine embrassa sa main.

— Que sais-tu de ce mec ?

— Rien du tout, sinon qu'il est sculpteur.

— Bon ! Une autre enquête qui risque de piétiner.

— Tu penses encore à Véronique ?

— Y'a de quoi ! Léo est convaincu que Laura n'a rien à voir avec cette fauteuse de troubles. Alors qui est-elle ? Pour quelle raison a-t-elle cherché à semer la pagaille ? Au fait, veux-tu voir une photo de la Laura Lemay qui, selon ta Véronique, est ma conjointe ?

— Je l'ai vue. Avec le chapeau melon… répondit Emmanuelle sur un ton désabusé.

— Non, une autre photo, plus récente. Viens voir !

Debout devant l'ordinateur portable d'Emmanuelle, Antoine retrouva le site de la pièce *Elles dansent au grenier* que Léo avait découvert. Il pointa Laura du doigt.

— Voilà !

— C'est elle ! murmura Emmanuelle.

— Oui, la comédienne Laura Lemay, dite Choco Latcho…

— Non… Antoine, c'est elle… Véronique…

Antoine se tourna lentement vers Emmanuelle.

— Voyons ! C'est impossible. Tu fais erreur…

Antoine agrandit la photo sur l'écran. Malgré la chevelure blonde de la femme, Emmanuelle restait convaincue qu'elle n'était nulle autre que Véronique.

— Attends ! Regarde cette pub… Laura jouait au théâtre, au Québec, aux dates où tu as rencontré Véronique.

Emmanuelle adressa un regard déterminé à Antoine.

— Je m'en fous de la pub ! Je reconnais très bien cette femme-là qui est, comme tu dis, « ma » Véronique.

— Merde ! Léo… Je dois appeler Léo. Quelle heure est-il à Montréal ?

Emmanuelle regarda sa montre.

— Près de 14 heures.

Léo répondit.

— Léo, je crois avoir trouvé. Emmanuelle a vu la photo récente de Laura sur Internet. Elle affirme que c'est elle, Véronique.

— Vraiment ?

— Léo, tu dois te méfier. Elle est dangereuse.

— Vraiment ?

— Coudonc, calvaire, j't'annonce la nouvelle du siècle pis c'est tout c'que tu trouves à dire ?

Emmanuelle pouffa. Antoine la faisait toujours rire lorsqu'il s'exprimait avec un accent québécois très prononcé, surtout lorsqu'il s'énervait.

— Dans les circonstances… vraiment, oui.

— Ho ! Tu n'es pas seul ?

— Oh non !

— C'est elle ?

— Comme tu dis.

— Alors rappelle-moi dès que tu le pourras… Méfie-toi, Léo.

— D'accord, Gaston.

Léo raccrocha et se tourna vers Laura qui, debout devant lui, pointait une arme de poing dans sa direction.

— Qui était-ce ?

— Gaston… Un ex-collègue de travail. Pour la centième fois, Laura, je n'ai rien à voir avec tout ça. Dépose ton arme.

— Avoue donc ! Je sais que je n'ai pas décroché ce rôle à cause de ta jalousie chronique.

— Ça n'a pas de sens, Laura. Me vois-tu appeler ton réalisateur ou ton producteur pour lui dire de ne pas te donner le rôle parce que moi, Léo Provencher, je ne veux pas que tu joues avec de beaux jeunes comédiens dans leur série ? On m'aurait envoyé promener en moins de deux. Et on t'aurait sûrement fait part d'un appel de ce genre. Ce qui n'est pas le cas.

Laura fixa Léo quelques secondes, elle se rassit puis elle remit l'arme dans son sac. Léo présumait que ce revolver était un accessoire de théâtre, mais il n'aurait quand même pas risqué de tenter de la désarmer. Il ne comprenait d'ailleurs pas pour quelle raison elle avait cru nécessaire de l'affronter, armée. Mais il était maintenant conscient qu'il n'y avait, de toute manière, plus rien à comprendre aux agissements de Laura.

— Bon, maintenant que cet imbroglio est résolu, nous pouvons passer à table. J'ai une de ces faims, moi ! J'ai apporté de la charcuterie, des fromages, du vin…

L'homme qui avait été, quelques instants plus tôt, dans la mire de Laura, était abasourdi. Elle l'invitait maintenant à casser la croûte… La situation était au-delà de tout entendement. Léo, lui, n'était pas en appétit, mais il n'osa pas contrarier Laura. En la regardant se diriger vers la cuisine, tenant le sac à provisions d'une main et de l'autre son pétard, Léo reconnut que l'état mental de Laura se détériorait de jour en jour et qu'elle en était peut-être même rendue à un point de non-retour. Il devait mettre fin à leur relation qui n'avait plus sa raison d'être et qui devenait même dangereuse. N'ayant pas pour autant l'intention de l'abandonner à son triste sort, il décida alors de faire appel aux services du Dr Wiseman, dès que possible.

En grignotant, Léo prit le risque de mentionner, encore une fois, le nom Véronique.

— Je ne te l'ai jamais présentée ? Elle est une amie à moi.

Estomaqué, Léo but une grande gorgée de vin.

— Non, non… Je n'ai pas eu le plaisir…

— Je crois qu'elle est encore à Paris pour son travail.

— Faudrait lui donner les coordonnées d'Emmanuelle…

— Pas la peine. Elle l'a déjà rencontrée.

Léo prit une profonde inspiration.

— Sans blague !

— Oui, en faisant des courses…

— Quel hasard !

— N'est-ce pas !

— Dommage que tu aies été en tournée, tu aurais pu l'accompagner à Paris.

Léo improvisait. Il voulait tout simplement inciter Laura à babiller, en espérant qu'elle se compromette davantage.

— Tu n'as vraiment pas de mémoire, Léo. Tu sais très bien que je n'ai pas participé à cette tournée, que je n'en avais plus envie. Je te l'ai dit, on m'a remplacée.

— Ben oui… Que c'est bête !

— Et, de toute évidence, tu ne te souviens pas non plus que j'ai, justement, rejoint Véronique à Paris.

Il n'y avait plus de doute possible dans l'esprit de Léo. Laura venait de reconnaître sa culpabilité. Si Léo avait pu faire abstraction du tragique de la situation, il se serait sans doute amusé à ce jeu de faire semblant. Il n'avait par contre pas encore réussi à faire dire à Laura que Véronique et elle étaient la seule et même personne.

— Et que fait Véronique à Paris ?

— Elle travaille pour une maison de production.

— Vous êtes amies depuis longtemps ?

— Non, c'est plutôt récent. Goûte à la mortadelle, sublime !

Léo obtempéra.

— J'ignore pourquoi, mais je parierais que Véronique te ressemble…

— Tu n'as peut-être pas de mémoire, mais tu as une bonne intuition. Oui, effectivement, elle me ressemble… mais elle est brune.

Léo n'arrivait pas à confondre Laura. Il en déduisit qu'elle croyait tellement au personnage de Véronique que c'était peine perdue de tenter de la piéger.

— A-t-elle aussi rencontré Prudence ?

— Tu parles ! Elle est vraiment chiante, cette ado. Si tu avais vu les regards qu'elle a lancés à Véronique lorsqu'elle a révélé à Emmanuelle qu'Antoine et moi avions une fille… Rose. Pauvre Antoine, il n'a pas fini avec elle !

Transpirant, Léo épongea son front avec sa serviette de table et se versa un autre verre de vin.

— C'est toi ou Véronique qui a dit ça à Emmanuelle ?

Laura fit un geste d'impatience.

— Moi, Véronique… Quelle importance ! C'est du pareil au même !

— Et la même personne…

— La même personne ? Mais non ! Moi, je suis Laura et Véronique est Véronique. Franchement ! Qu'est-ce qui t'arrive ce soir ? Tu es vraiment bizarre…

— Pour ça, oui, tu as bien raison. Je suis d'ailleurs très fatigué.

— Bon, moi je dois y aller. Mon chat doit mourir de faim.

— Oui, bien sûr, ton chat…

En moins de trente secondes, Laura avait passé la porte sans même saluer Léo qui était venu près de lui signaler qu'elle n'avait pas de chat.

22

Le jeudi 16 mars 2000

Auprès d'une collègue de l'École des beaux-arts, Maude avait trouvé réponse à quelques-unes des questions d'Antoine. Elle lui en fit part dès qu'il arriva à la galerie.

— Si l'on parle du même homme, ce qui semble bien être le cas, il s'appelle Juliano. Même *modus operandi*. Il n'est pas et n'a jamais été sculpteur. Il est proxénète et il exerce son sale métier dans les environs du Forum des Halles.

Antoine frappa du poing sur le bureau de Maude.

— Cet enfoiré n'aura pas ma Prudence. J'vais l'tuer…

— Du calme, Antoine, du calme, lui intima Maude. Écoute-moi ! L'année dernière, il a fait son numéro à l'une de nos étudiantes, Margaux, que je n'ai pas connue, et ça lui a réussi puisque ma collègue m'a appris que cette Margaux n'est jamais revenue à l'École, après avoir annoncé son départ pour l'Italie à son amie Simone qui est aussi l'une de nos étudiantes. En catimini, Margaux, qui est constamment surveillée, a récemment téléphoné à Simone et lui a tout raconté.

— Et la police ? Que fait la police ?

— Rien ! Il est fin renard, ce Juliano. La police n'a aucune preuve qu'il ait obligé Margaux à se prostituer puis à vendre de la came. Par crainte de représailles, la petite ne le dénonce évidemment pas. J'ai parlé à Simone, avec qui Margaux cohabitait. Elle sait où la trouver, mais Margaux lui a ordonné de se tenir loin d'elle, pour sa propre sécurité.

— Cette Margaux n'a pas de parents ?

— Sa mère habite en Guadeloupe et elle ne sait évidemment rien de cette histoire.

— Serait-il possible d'avoir une photo de Margaux ?

Maude ouvrit son agenda puis elle lui tendit la photo demandée.

— Une gamine… Tu crois que je pourrais rencontrer Simone ?

— Elle a tout dévoilé à ma collègue, mais je doute qu'elle veuille parler de cette affaire à un étranger.

— Ouais… Tant pis ! J'ignore comment, mais je le trouverai quand même, ce salopard. J'en fais mon affaire.

Antoine se leva d'un bond et se dirigea vers la sortie.

— Ne joue pas les héros, lui cria Maude, trop tard.

Antoine traversait déjà la rue de Seine en courant.

***

Léo déverrouilla la porte de la maison de Laura. Il l'entrouvrit. Il hésita avant d'y pénétrer. En refermant la porte derrière lui, il frissonna. Dans la pénombre, il sentit sa présence ou plutôt celle d'un fantôme. « C'est idiot ! » se dit-il en cherchant un instant l'interrupteur. Le corridor s'illumina. Il s'avança lentement vers les deux portes vitrées du salon. Il en ouvrit une. L'ordre régnait dans la pièce, où une odeur d'encens flottait encore. Le rideau en voile brodé tamisait la lumière déjà grise de cet après-midi d'hiver. Léo enleva sa canadienne, la déposa sur une chaise de style Louis XV, puis il prit place dans un fauteuil. Il regarda autour de lui. Dans son costume d'Halloween, la mère de Laura le toisait. Il évita son regard.

Laura avait quitté la scène de son monde fantasmagorique.

Deux jours plus tôt, Léo avait appelé Laura pour lui proposer une rencontre avec son « nouvel ami ».

— Et qui est ce Lennon ?

— En fait, son nom est Robert Wiseman.

— Et que fait Robert « Lennon » Wiseman dans la vie ?

— Il est médecin.

— Gynécologue ? Pédiatre ? Oto-rhino-laryngologiste ?

— Psychiatre...

— Comme c'est intéressant ! Et pour quelle raison me proposes-tu de le rencontrer ?

— Ben, parce qu'il est justement... intéressant. Parler avec lui, c'est...

— Je sais... Intéressant ! Bien ! Où et quand ?

Léo se crut béni des dieux ou alors dupé. Comment Laura avait-elle pu aussi aisément accepter de rencontrer un psychiatre ? Un moment de lucidité qui lui avait permis de reconnaître qu'elle avait besoin d'aide ? Une simple fantaisie de sa part ? Léo n'en avait aucune idée. Il était maintenant tout simplement conscient qu'il devait s'attendre à tout avec elle. Puis Laura fut fidèle au rendez-vous.

Les présentations faites, Laura, désinvolte, suivit le Dr Wiseman dans son bureau à porte capitonnée. Léo, qui lui avait raconté les plus récents épisodes dramatiques de sa relation avec Laura, prit place dans l'antichambre, dont les murs étaient tapissés d'affiches de spectacles. On se serait cru dans une agence artistique plutôt que dans le cabinet d'un psychiatre. Parmi les divers magazines posés sur une table console, Léo découvrit le plus récent numéro de la revue littéraire *Nuit blanche*. Bien qu'il s'y intéressât, il lut distraitement un article signé Gérald Godin.

Qui était Laura Lemay ? Qui était-elle vraiment ? D'où venait-elle ? Comment pouvait-elle passer d'un état de grande lucidité à un état de démence, en moins de temps qu'il n'en fallait pour dire… Choco Latcho ? Et dans quelles circonstances avait-elle commencé à faire la funambule sur le mince fil tendu entre sa raison et sa folie ? Léo douta fort de pouvoir un jour élucider le mystère Laura Lemay.

Un peu moins de trente minutes plus tard, Laura réapparut, suivie du Dr Wiseman. Léo, un magazine à la main, se leva. Elle lui sourit puis elle lui annonça qu'elle partait en vacances.

— Ton ami a fait le nécessaire. J'irai me reposer dans une grande maison en bordure d'un lac, entourée d'un verger. Les pommiers seront bientôt en fleurs. Ce sera très beau.

Incrédule, Léo regarda le Dr Wiseman. D'un signe de tête, le psy l'assura qu'elle disait vrai.

Laura ouvrit son sac, remit la clé de sa maison à Léo puis elle lui fit la bise.

— Je compte sur toi pour aller arroser mes plantes et nourrir mon chat pendant mon séjour à la campagne. Fais-moi parvenir des vêtements et quelques recueils de poésie. Je te remercie, Léo. Fais attention à toi et continue à écrire. Tu peux partir maintenant. Le Dr Wiseman s'occupe de moi.

— J'irai te voir, Laura, lui dit Léo, la gorge nouée, hésitant à la quitter.

Le Dr Wiseman intervint.

— J'imagine que tu n'as pas terminé l'article que tu étais en train de lire. Tu peux apporter la revue, Léo. Je t'appellerai ce soir, dit-il en le guidant vers la sortie.

***

Léo se rendit à la cuisine pour remplir un pot d'eau afin d'arroser les plantes de Laura. Sur le comptoir, près de l'évier, il aperçut le revolver. Léo ne connaissait rien aux armes à feu. En manipulant celle de Laura, sur le court canon duquel était gravé Smith & Wesson, il considéra néanmoins que c'était réussi comme reproduction. Il appuya le bout de son index droit sur la gâchette. Bang ! Sursautant, assourdi par la détonation, le poignet cambré sous l'impact, Léo laissa échapper le revolver sur le plancher. Un projectile avait transpercé une porte d'armoire. Ahuri, Léo prit conscience que cette arme, que Laura avait pointée vers lui, à bout de bras, devait être chargée à bloc, ce soir-là.

« Bon Dieu ! Elle aurait pu me tuer… »

S'apaisant peu à peu, Léo ouvrit la porte d'armoire, trouée en son centre et sur laquelle Laura avait peint un cœur bleu. À l'intérieur, il aperçut les éclats de ce qui avait pu être une soupière, ainsi qu'un petit carnet de notes noir qu'elle avait dû contenir. Léo le prit, le regarda puis l'ouvrit. L'écriture était presque illisible.

Un jour de mars 2000.

Aujourd'hui, mon amoureux Léo m'accompagnera chez son psy. Il croit que je suis folle. Ma mère l'était peut-être. Je ne sais pas. Je n'ai jamais connu ma mère. Son ami Wiseman m'enverra dans un asile. J'en suis sûre. Je n'en reviendrai peut-être jamais. Léo croit que je suis folle. Je le suis. Je le sais.

***

Triste, inquiet, rageur, Antoine se présenta chez Alain vers l'heure du midi.

— Léo est encore en retard, lui dit Alain à la blague, avant de se rendre compte que son ami filait un mauvais coton. Quoi encore ?

— C'est Prudence. Je viens d'apprendre qu'un souteneur tente de lui mettre le grappin dessus en lui faisant miroiter la belle aventure d'un cours de sculpture à Carrare. Ce vaurien semble d'ailleurs avoir une prédilection pour les étudiantes en art. Il s'appelle Juliano et il « œuvre » dans le quartier des Halles. Tu le connais ?

— Antoine, je ne fraye pas avec les maquereaux. Mais, attends… tu tombes bien. Il y a justement ici…

Antoine se raidit.

Alain appela un homme chauve d'une cinquantaine d'années qui discutait avec un jeune gaillard à une table. L'homme à l'air bourru fixa Antoine puis il se dirigea vers le comptoir.

— Antoine, je te présente Roger, un ami de la maison.

Antoine constata aussitôt que ce Roger ressemblait, à s'y méprendre, au lutteur Yvon Robert, dont son sosie n'avait sûrement jamais entendu parler. Il tendit la main au colosse qui ne réagit pas.

— Roger, Antoine est mon ami québécois dont je t'ai déjà parlé.

Encore une fois, aucune réaction de sa part.

— Un certain Juliano, dans les environs du Forum, tu connais ?

— J'en ai déjà entendu parler. D'la racaille… Y'a un problème ?

— Il a maintenant jeté son dévolu sur la jeune fille de mon ami.

Roger tendit alors la main à Antoine.

— Il n'y a plus de problème. Quand vous serez prêt, Alain saura où me joindre.

Antoine suivit Roger du regard alors qu'il retournait déjà à sa table. Alain sourit en apercevant l'air hébété de son ami.

— Il est qui lui ? C'était quoi ça ? Comment, il n'y a plus de problème ?

— Je t'explique. Et parle plus bas, il n'apprécierait pas. Viens plutôt par là…

Antoine suivit Alain à l'autre bout du long comptoir.

— Alors ?

— Roger est un ex-béret vert de l'Armée française.

— Un commando ?

— Si tu veux. Au cours de sa carrière militaire, il a participé à plusieurs missions, dont il ne parle jamais. Il a tout vu dans sa vie, surtout le pire. Roger avait un fils qui a un jour eu le malheur de donner une bonne dégelée à un minable qui brutalisait une fille. Quelques jours plus tard, on l'a trouvé assassiné.

— Le minable ? demanda Antoine en haussant le ton malgré lui.

— Chut ! Moins fort !

— Le minable ? murmura-t-il.

— Mais non, le fils de Roger. Les flics n'ont jamais mis la main au collet du coupable. La rumeur veut que Roger ait été plus rapide qu'eux. Bref, disons que Roger et ses trois frères, qui connaissent bien le milieu interlope, sont très sensibles à la cause des victimes de la... racaille. Alors, que veux-tu faire ?

Antoine blêmit.

— Ben... Je ne mettrai quand même pas un contrat sur ce mec-là...

— Qui te parle de contrat ? Roger peut être très persuasif. Encore plus que toi lorsque tu es en colère. Il sait comment s'y prendre avec ces gens-là.

Antoine regarda en direction de Roger.

— Aucun doute ! Dans l'état d'esprit où Prudence se trouve actuellement, Juliano ou n'importe quel autre petit truand pourrait profiter de sa naïveté et de son incompréhensible agitation. Je dois d'abord m'assurer que ce mec-là lui foutra la paix, puis je dois du même coup faire profiter Prudence d'une leçon qu'elle n'oubliera pas de sitôt.

— C'est clair !

Antoine eut alors une idée. Il demanda la permission à Alain de faire un appel puis lui dit qu'il aurait par la suite besoin de parler à Roger.

— Va dans mon bureau, il te rejoint.

En rentrant à l'appartement, Antoine fut étonné d'y trouver Prudence en train de dessiner à la table de la salle à dîner.

— Tiens ! C'est intéressant ça ! dit-il en posant un baiser sur le dessus de sa tête.

— Tu trouves ? demanda-t-elle sur un ton ravi qu'il ne lui avait pas entendu depuis un certain temps déjà.

— Tout à fait ! Tes rehauts sont magnifiques. Quel beau personnage !

— Je l'ai imaginé.

Prudence retrouvait son allure « petite fille » qui avait enchanté Antoine.

— Emmanuelle est sortie ?

— Rendez-vous chez son coiffeur.

— Bien ! Prudence, que dirais-tu de faire une petite sortie avec ton père ce soir ?

— Pour aller où ?

— C'est une surprise.

— Agréable ? demanda-t-elle en refermant son cartable.

— Disons… formatrice.

Prudence grimaça.

— Ça ne m'inspire pas beaucoup.

— Fais-moi confiance.

— Bien ! Mais je fais d'abord une petite sieste.

Ce qui facilita la tâche à Antoine. Il lui restait deux appels à donner pour s'assurer que la « surprise » puisse se concrétiser.

En rentrant chez elle, Emmanuelle fut étonnée de trouver Antoine et Prudence en train de jouer au backgammon, jeu auquel Bernard avait initié sa fille. Les joueurs furent pour leur part agréablement surpris d'apercevoir Emmanuelle portant ses cheveux plus courts.

— Emmanuelle… Tu es ravissante, lui dit Antoine en se levant pour aller l'embrasser.

— Manu, tu ressembles à l'autre Emmanuelle…

— Celle des films érotiques ?

— Plutôt à Emmanuelle Béart, rectifia Prudence en riant.

Antoine fit un clin d'œil à Emmanuelle pour lui signifier que tout allait bien.

— Ce soir, ta fille et moi sortons. Nous dînerons plus tard. Je peux prendre ta voiture ?

Étonnée, Emmanuelle adressa un regard interrogateur à Antoine, tandis que Prudence se dirigeait vers sa chambre pour changer de pull.

— Antoine, que se passe-t-il ?

— Il se passe que ta fille semble vouloir rentrer dans le rang. Je pense qu'elle renoncera même à son projet de voyage en Italie.

— Mais Antoine…

Voulant éviter qu'elle ne se morfonde d'inquiétude, Antoine se retint de révéler sa machination à Emmanuelle.

Prudence revint au séjour puis, souriante, fit une théâtrale révérence. Emmanuelle et Antoine se regardèrent en riant. La cabotine Prudence semblait enfin de retour parmi eux.

— Tu es prête, ma puce ?

— Prête à quoi, je l'ignore, mais me voici.

Antoine embrassa Emmanuelle. Prudence, prise de remords à la suite de ses récentes frasques, s'approcha de sa mère et se glissa entre ses bras.

— Excuse-moi, maman, je ne voulais pas te peiner.

Mère et fille partagèrent une longue étreinte.

***

Antoine se gara boulevard de Sébastopol. Prenant la main de Prudence, il l'entraîna dans des rues où elle n'était jamais allée.

— Que vient-on faire dans ce quartier, Antoine ? demanda-t-elle, s'y sentant presque en pays étranger.

Antoine regarda sa montre.

— Tu verras !

— Je vois déjà… Des clubs vidéo XXX, des boîtes de strip-tease, une librairie érotique et des putes… Charmante sortie ! rechigna-t-elle alors qu'ils arrivaient à l'intersection des rues Rambuteau et Saint-Denis.

Antoine la reconnut, même si elle ne ressemblait plus beaucoup à la jeune femme de la photo.

— Margaux ?

— C'est moi… La reine Margaux…

Prudence resta bouche bée. Comment Antoine pouvait-il connaître cette fille dont le métier était évident. Elle agrippa le bras de son père pour l'entraîner plus loin. Il prit le sien pour la retenir.

— Margaux, voici ma fille, Prudence.

— Salut ! C'est donc toi ! Ça ne m'étonne pas. Jolie fille… Mais tu aurais intérêt à être plus prudente… Prudence.

L'adolescente des beaux quartiers s'énerva.

— Bon, il se passe quoi ici exactement ?

L'angoisse de sa fille peina Antoine, mais il tint bon.

— Margaux, dis-lui qui tu es.

Grelottante dans sa minijupe, la jeune inconnue posa une main sur l'épaule de Prudence.

— Il y a presque deux ans, j'étais, comme toi, étudiante à l'École des beaux-arts. Puis un beau parleur m'a un jour vanté les bienfaits d'un stage à Carrare, mais je n'y suis jamais allée, à ses mines de marbre. Mon Pygmalion m'a plutôt encanaillée et c'est ici que je me suis retrouvée, après avoir subi des sévices et des menaces dont je te fais grâce. Donc, si tu veux devenir pute de rue comme moi, continue à fréquenter Juliano. Ça ne devrait pas tarder. Moi, contrairement à toi, je n'ai pas eu un père aimant pour me sortir de ce merdier.

Prudence se mit à sangloter. Antoine mit un bras autour de ses épaules. L'air terrifié, Margaux recula d'un pas.

— Ça y est ! Avec vos histoires, je suis maintenant vraiment dans la merde. Deux gars de Juliano viennent vers nous.

— T'inquiète, j'avais prévu cette éventualité. Ne bouge pas d'ici, lui dit calmement Antoine.

Portant de longs manteaux noirs, les deux hommes abordèrent Antoine.

— Alors, pépé, on fait causette à la minette ? demanda le plus grand des deux à Antoine en agrippant son bras libre.

Semblant sortir de nulle part, deux taupins s'avancèrent vers eux et neutralisèrent les deux hommes manu militari. Ce qui sembla être un jeu d'enfants pour eux. Antoine entraîna Prudence, tremblotante, et Margaux, presque souriante, un peu à l'écart. Il fut touché lorsqu'il aperçut Prudence prendre la main de Margaux.

— On fait les gentils garçons maintenant, dit l'un des deux justiciers en faisant un clin d'œil à Antoine. On ne voudrait pas que vous ratiez l'édifiante petite réunion de famille qu'on vous a préparée.

Le second taupin menotta les deux malfrats l'un à l'autre.

Les deux plus jeunes frères de Roger firent si discrètement leur boulot que l'opération n'attira aucunement l'attention des passants.

— C'est lui, murmura Prudence.

Roger et son autre frère s'avançaient vers eux, escortant le dénommé Juliano.

— Regardez le chat de gouttière que nous avons découvert dans le caniveau, dit Roger en rejoignant le groupe.

— Vous ne savez pas à qui vous avez affaire, répliqua Juliano.

— À des moins que rien.

Juliano aperçut soudain Prudence.

— Et toi, que fais-tu là, salope ?

Roger lui asséna un coup de poing au bas du dos. Juliano plia les genoux et se tordit de douleur.

— Dans le langage médical, je crois qu'il s'agit d'une hernie discale. Tes vertèbres quatre et cinq te feront souffrir durant quatre ou cinq ans, mais après ça ira peut-être un peu mieux. Maintenant, écoute-moi bien, vermine. Nous ne sommes pas des flics. Donc, on n'en a rien à foutre de vos droits de bons petits citoyens. Si tu veux aller retrouver ton copain Jackie qui, si tu l'ignores, nage avec les poissons au fond de la Seine, tu n'as qu'à présenter ta sale gueule sur la rive gauche ou tenter de contacter Margaux ou Prudence. Le message s'adresse aussi à tes deux bouffons. Au fait, Margaux est maintenant sous notre protection et on l'emmène avec nous. À bien y penser, si jamais l'une de ces deux filles-là attrape un rhume, ce sera ta faute et nous viendrons te cueillir. Tu piges, connard ? Bon, on y va, maintenant, les amis. On a mieux à faire.

— Hé, enlevez-nous ça, implora presque l'un des deux sbires de Juliano.

— Quoi donc ? fit Roger, l'air innocent.

— Les menottes…

— Ha ! ça… On vous les laisse en souvenir.

En raccompagnant Antoine et les deux filles vers leur voiture, Roger se retourna et se mit à rire en apercevant le duo menotté se débattre alors que Juliano les giflait.

— Tiens, les Three Stooges ! Moi, je suis plutôt du genre Obélix. Lorsque je me frotte aux Romains, ça me creuse l'appétit. On va chez Alain. Nous vous suivons, Antoine.

Fébrile, Margaux prit place sur la banquette arrière avec Prudence. Son calvaire venait de prendre fin, grâce à des inconnus qu'elle suivait avec joie, même si elle ignorait où ils l'emmenaient.

— Merci, monsieur…

— Tu peux aussi l'appeler Antoine, je te le permets, dit Prudence, tout sourire.

— Merci à toi, Margaux. Tu as été très généreuse et très courageuse.

— J'avoue que j'ai eu la trouille lorsque Simone, qui a pris le risque de venir me parler, m'a demandé de vous rencontrer.

Margaux ignorait qu'Antoine avait fait en sorte que Simone soit discrètement surveillée par deux des frères de Roger au cours de cette brève rencontre.

— Je ne pouvais plus vivre de cette façon, poursuivit-elle. Plutôt mourir ! Mais je fais quoi maintenant, monsieur Antoine ? Je n'ai rien…

— Tu viens habiter chez Emmanuelle, la mère de Prudence, un certain temps…

— Chouette ! s'écria Prudence. Chez Manu, c'est aussi chez Antoine, mon papa d'amour. Puis tu reviendras à l'École avec moi.

Prudence pensa soudain à sa mère.

— Mais, Antoine, Manu savait tout ça ?

— Non, mais elle le saura bientôt. Appelle-la et demande-lui de venir nous retrouver chez Alain. Mais ne lui dis rien d'autre.

En voyant arriver Antoine, suivi de Prudence et de Margaux, Alain se précipita à leur rencontre.

— Alors ?

— Merci, Alain. De vrais professionnels. Ils m'ont émerveillé. Je me croyais dans un film policier, mais avec eux ce n'était pas du chiqué.

Alain fit la bise à Prudence, qui s'empressa de lui présenter son « amie » Margaux. Roger et ses trois frères les rejoignirent. Alain lui posa la même question qu'à Antoine.

— Routine ! Les amis, on reste discrets. Il ne faut jamais attirer l'attention plus que nécessaire.

Les six hommes prirent place à une table et les deux filles à une table voisine.

— Messieurs Breillat, je ne sais comment vous remercier. Vous venez de sauver deux jeunes vies, leur dit Antoine, sincèrement reconnaissant. Que puis-je faire pour vous remercier ?

— Un jour, et ce jour ne viendra peut-être jamais, je vous appellerai pour vous demander de me rendre un service. Mais, jusqu'à ce que ce jour arrive, acceptez cette justice rendue comme un cadeau.

La réponse de Roger déclencha les rires de ses frères. Antoine regarda Alain qui ne comprenait pas davantage la raison de cette soudaine hilarité. L'un des frangins leur expliqua alors que Roger aimait bien, en de telles circonstances, citer le personnage de Don Corleone du film *Le Parrain*. Antoine comprit alors que ce n'était pas la première fois que Roger et ses frères se faisaient les auteurs d'une « justice rendue ».

— Mais j'y pense... Lorsque vous avez dit à Juliano que Jackie nageait avec les poissons...

— Bonne mémoire ! Oui, ça vient aussi du *Parrain*. J'ai beaucoup aimé ce film.

Les frères de Roger s'esclaffèrent encore une fois.

— Mais qui est… ou plutôt était ce Jackie? lui demanda Antoine.

— Vous ne voulez pas le savoir, répondit l'aîné des frères Breillat.

Antoine regarda Alain. Ils se bidonnèrent à leur tour.

Emmanuelle ne tarda pas à arriver. Prudence accourut pour l'accueillir.

— Manu, viens que je te présente ma nouvelle amie.

Emmanuelle regarda autour d'elle, l'air médusé.

— Mais… Je ne comprends pas, dit-elle en apercevant Antoine attablé en compagnie d'Alain et de quatre hommes au physique de videurs.

— Maman, voici Margaux. Elle vient habiter à la maison, lui annonça Prudence.

La rejoignant aussitôt, Antoine ne lui laissa pas le temps de réagir. Il l'entraîna à l'écart. Quelques minutes plus tard, Emmanuelle, visiblement émue, revint à la table de Prudence et de cette jeune inconnue. Elle y prit place, regarda tendrement Prudence puis tendit la main à la rescapée.

— Bienvenue, Margaux.

23

Le jeudi 23 mars 2000

Les mesures expéditives entreprises par le Dr Wiseman avaient surpris Léo. Il croyait que Laura ressortirait de son cabinet avec une ordonnance pour des médicaments et non avec un laissez-passer pour une... maison de repos. En rentrant chez lui, il se sentit coupable d'avoir contribué à priver Laura de sa liberté. En parlant au psy, plus tard dans la soirée, il reconnut néanmoins que son internement était inévitable. Elle était devenue un danger pour elle-même et pour les autres. Elle présentait des symptômes de schizophrénie, mais elle devrait passer une batterie de tests avant que le Dr Wiseman puisse se prononcer sur son cas, qu'il considérait « particulier ».

Antoine ne fut pas étonné lorsque Léo lui annonça la nouvelle.

— Laura a presque réussi à chasser Emmanuelle et Prudence de ma vie, mais puisqu'elle était... dérangée, je ne peux pas lui en vouloir. À l'époque, elle racontait des histoires invraisemblables dont elle était souvent l'héroïne ou la victime. Je pensais qu'elle jouait, qu'elle fabulait pour amuser la galerie. Si elle avait constamment agi de la sorte, j'aurais eu des doutes sur son équilibre mental, mais non. Elle pouvait aussi être d'une logique et d'un naturel étonnants. Très intelligente, il lui arrivait même de confondre nos profs. Faut croire que sa condition s'est aggravée avec les années.

— Et sa mère ? lui demanda Léo.

— Après son histoire de la mère internée, à laquelle j'ai longtemps cru, elle m'avait un jour dit comme ça, à propos de rien, que sa mère, infirmière, se dévouait bénévolement en Afrique.

— L'avais-tu confrontée avec ses deux histoires ?

— Bien sûr ! Elle avait alors réussi à me faire croire que son récit original n'avait été qu'un exercice d'interprétation, imposé dans le cadre de ses cours d'art dramatique qu'elle suivait parallèlement à ses cours aux Beaux-arts.

— Son histoire de rechange à mon intention fut celle d'une mère qui travaillait dans l'industrie du tabac. Moins originale, mais bon… J'ai par contre récemment découvert, si ce qu'elle a écrit est vrai, qu'elle n'a jamais connu sa mère.

— Va savoir !

— C'est bien mon intention…

Antoine ne raconta pas son aventure avec les frères Breillat à Léo. Il n'avait pas envie d'associer le nom de Prudence à celui d'un proxénète. À son sens, il n'y avait d'ailleurs pas à faire un plat d'une crise de fille gâtée dont la mésaventure s'était révélée finalement bénéfique, pour elle et pour Margaux.

Des secrets… Antoine en avait aussi qu'il ne révélerait jamais à Prudence. Il s'interdisait surtout la transparence par rapport à la débâcle de *La Ruche* et à sa descente aux enfers.

Antoine était par ailleurs persuadé que le changement d'attitude de Prudence, survenu dans les heures précédant leur petite balade dans le quartier des Halles, cachait aussi un secret bien gardé.

« Prudence va très bien, Antoine. Le passé est le passé. Ne risquons pas d'ouvrir une boîte de Pandore », avait tranché Emmanuelle lorsqu'il lui avait proposé de la questionner au sujet de sa docilité soudainement retrouvée.

Prudence n'avait pas dit à ses parents que lors de sa dernière rencontre officielle avec Juliano, elle avait eu de sérieux doutes à son sujet. Ses propos avaient trahi son ignorance au sujet de Carrare, de la sculpture et des arts en général. Elle avait donc dès lors décidé de prendre ses distances d'avec cet homme au regard fuyant. Prudence n'avait d'ailleurs jamais eu l'intention d'aller à Carrare. Ignorant la dangerosité de ce projet, elle s'était tout simplement amusée, lors de ses rares rencontres avec Juliano, à le laisser la baratiner. L'attitude négative de l'adolescente et ses propos à l'emporte-pièce résultaient plutôt d'une crise provoquée par une tout autre rencontre, qui avait entraîné une situation qui la minait. Contrairement à ce que son père avait cru, Prudence ne s'était jamais sentie négligée par Emmanuelle et jamais elle n'avait été jalouse du bonheur de ses parents.

Bien qu'elle eût accepté d'accueillir Margaux chez elle, Emmanuelle s'était néanmoins inquiétée qu'elle exerce une mauvaise influence sur Prudence. Elle était consciente que cette pauvre fille n'avait pas choisi d'exercer le plus vieux métier du monde, mais elle craignait tout de même qu'elle n'ait adopté de mauvaises habitudes dans le milieu sordide où elle avait été plongée. Elle constata assez rapidement que ce n'était pas le cas. La mulâtresse l'avait d'ailleurs, de son propre chef, rassurée à ce sujet : « Les petites quantités de came que Juliano me donnait pour mon usage personnel, afin que je devienne accro et conséquemment dépendante de lui, je ne les consommais pas, je les vendais. Je cachais mon petit pécule, dans l'espoir qu'il me servirait un jour à lui échapper. »

Avec l'intervention de Maude et une permission spéciale de la direction de l'École des beaux-arts, Margaux avait repris ses cours. Prudence, elle, avait repris goût aux siens. Le dimanche précédent, les deux filles accompagnèrent Antoine à l'atelier. Leurs propos l'amusaient. Leur amitié le touchait. Leur sérieux au travail l'enthousiasmait. Prudence avait trouvé la sœur qui lui avait toujours manqué. Antoine redoutait d'ailleurs le jour où Margaux, de trois ans l'aînée de Prudence, les quitterait. La Guadeloupéenne avait d'ailleurs confié à Emmanuelle qu'elle voulait éventuellement retourner chez elle pour enseigner les arts plastiques aux enfants du Gosier.

* * *

Léo n'avait pas revu Laura. Le Dr Wiseman l'en avait dissuadé. Il était encore trop tôt. Il lui avait donc fait parvenir quelques-uns de ses vêtements, sélectionnés avec un pincement au cœur. Après les avoir déposés dans sa valise blanche, il trouva, en glissant quelques recueils de poésie dans son compartiment, une carte d'embarquement récente pour un vol Montréal-Paris.

Léo s'était remis à l'écriture. Ses prétentions philosophiques et poétiques y étaient proscrites. Il voulait totalement se libérer de cet alter ego anonyme qui avait été le seul personnage de son roman inachevé, déchiré et mis au panier. Pour s'en assurer, il aborda un genre littéraire qui lui était étranger : le polar. Son héros, Évariste Maillet, était postillon. Amateur de films policiers, Évariste découvrirait, alors que l'enquête policière piétinait, l'identité du voleur d'œuvres d'art que les médias surnommaient « le Lupin des musées ». Sa nouvelle orientation littéraire, qu'il savait passagère, lui procurait néanmoins un divertissement insoupçonné.

Pour tenter de défiler son mauvais coton, Léo alla marcher au cimetière Notre-Dame-des-Neiges. À la fin de l'adolescence, il avait pris l'habitude de se rendre à son sommet pour écrire des poèmes, à l'ombre des grands chênes. Des vers de jeunesse dont il avait dû faire son deuil. Il avait alors prêté son « cahier de poèmes » à Béa qui l'avait malencontreusement égaré. En déambulant dans une allée du cimetière, il se souvint que Béa lui avait prédit qu'il deviendrait un jour un grand poète. Accroc à sa modestie, il l'avait crue. Il s'arrêta devant la pierre tombale de Nelligan. Un alexandrin du poète lui revint alors à l'esprit : « Je sens voler en moi les oiseaux du génie... » « Ouais... Mes oiseaux ont probablement suivi Béa et mon cahier de poèmes. »

À son retour du cimetière, Léo poursuivit un instant l'écriture de son polar qui le divertissait tant, mais il abandonna bientôt le clavier de l'ancien ordinateur d'Antoine pour saisir un stylo et une tablette de papier à lettres. « Est-ce que je pourrais modifier ma vie en la réécrivant ? En fait, je n'aurais qu'à en changer quelques mots. Quelques malheureux mots. Si j'invertissais quelques oui et quelques non ? Que c'est bête ! Ma vie serait tout autre si j'en avais mieux choisi les mots. »

Léo éteignit l'ordinateur puis il déchira la feuille sur laquelle il avait griffonné sa pensée.

24

Le jeudi 30 mars 2000

En rentrant chez elle, Emmanuelle laissa tomber son petit sac de toile beige sur la moquette brune du hall. D'un pas chancelant, elle se dirigea vers sa chambre, puis se laissa choir en larmes sur son lit.

***

Le restaurant *Au Saint Benoît* était bondé. Une table pour deux personnes fut néanmoins bientôt libérée et montée. Prudence et Margaux y prirent place.

Ce matin-là, Margaux avait eu cours avec Maude.

— Quelle femme extraordinaire ! s'exclama Prudence.

— Je sais. Sans son intervention auprès de mon amie Simone, je serais encore en train de faire le tapin…

— Alors raconte… Tu avais quelque chose à me dire, non ?

Margaux soupira.

— Je devrai partir bientôt…

— Tu veux retourner vivre chez Simone ?

— Je dois rentrer chez moi, en Guadeloupe.

— Rien ne presse... J'irai avec toi, si tu veux, pendant nos vacances estivales. Ce serait cool...

— Tu ne comprends pas. Je dois rentrer maintenant. Hier, j'ai parlé à mon jeune frère. Ma mère est au plus mal.

Le garçon vint prendre la commande. Consternée, Prudence venait de perdre l'appétit. Pour la forme, elle fixa son choix sur l'assiette de melon au jambon. Margaux fit de même.

Mon cousin à l'emploi d'Air France s'occupe de mon billet.

— Quand ?

— Le plus tôt possible. Il doit me rappeler ce soir.

— Mais tu reviendras...

— Je ne crois pas, Prudence. Je ne terminerai pas mes études. Quoi qu'il advienne de ma mère, je devrai travailler et m'occuper de mon frère qui n'a que seize ans.

Prudence éprouva une profonde tristesse. Elle avait cru que sa « sœur adoptive » et elle ne se quitteraient jamais.

— Tu me manqueras beaucoup...

— Nous nous reverrons, Prudence. Comment pourrait-il en être autrement ! Tes parents et toi, vous êtes ma deuxième famille, mes anges gardiens. Je vous dois tout et je vous aime.

Une pluie torrentielle s'abattit sur la rue Saint-Benoît.

***

En descendant de sa voiture, Emmanuelle se rappela la nuit où elle avait retrouvé Antoine chez ses amis de la rue d'Assas. Elle avait eu l'impression d'apercevoir un fantôme qui, comme tous les êtres d'outre-tombe sans doute, n'avait pas vieilli. La tignasse grisonnante et les pattes d'oie d'Antoine n'avaient en rien altéré l'image qu'elle avait conservée de son amant. En sonnant chez Maude, Emmanuelle crut soudain comprendre la raison pour laquelle le destin avait ramené le Québécois dans sa vie.

Emmanuelle prit place dans la cuisine aux couleurs de la Provence. Maude servit un café à sa visiteuse qui, constata-t-elle, n'avait pas bonne mine. Prudemment, tout en s'excusant, elle lui en fit la remarque.

— Je sais. Un peu de fatigue, c'est tout. Puis je suis peinée pour Prudence. Elle vient de m'apprendre que Margaux retournera très bientôt chez elle. Sa mère est très malade.

— Quelle tristesse !

— C'est le moins que l'on puisse dire. Puis, auprès de Margaux, je pense que Prudence a acquis de la maturité. J'espère qu'elle ne réagira pas négativement à son départ. Le moment serait vraiment mal choisi…

— C'est-à-dire ?

Emmanuelle haussa les épaules puis elle inclina la tête.

— Rien !

Maude lui adressa un regard dubitatif.

— Alors, tout fonctionne comme prévu pour jeudi prochain ? s'empressa de lui demander Emmanuelle.

— Parfaitement !

— Ce sera la première fois que père et fille fêteront leurs anniversaires ensemble. C'est aussi la première fois que Prudence ne m'a pas rappelé, des semaines à l'avance, que ce serait « bientôt » son anniversaire.

— Une preuve ultime de maturité, dit Maude en riant.

— La puce d'Antoine aura dix-neuf ans. Je veux que ce soit l'une des plus belles journées de sa vie.

Maude regarda Emmanuelle avec stupéfaction.

— Mais pourquoi pleures-tu, ma belle ?

— Faut croire que je suis un peu émotive aujourd'hui, répondit Emmanuelle en se levant.

En lui faisant la bise, Maude fut alarmée de sentir Emmanuelle si fragile.

***

Après lui avoir bien précisé qu'il devrait éviter de lui rappeler certains incidents, le Dr Wiseman avait permis à Léo de parler brièvement à Laura au téléphone.

Assis à sa table de travail, Léo, nerveux, décrochait et raccrochait le combiné. Comment réagirait-elle ? L'entraînerait-elle encore dans l'une de ses troublantes fantaisies ?

Il avait été convenu qu'il appellerait à la clinique à 14 heures. Laura serait alors dans le bureau du Dr Wiseman. Le psy pourrait ainsi observer le comportement de sa patiente dans le cadre d'une communication avec Léo.

— Léo, quelle bonne surprise ! Tu vas bien ? Oui, oui… Je suis actuellement en compagnie de Laura. Aimerais-tu lui dire quelques mots ?

Le Dr Wiseman regarda Laura. Souriante, elle tendit le bras, en attente du combiné.

— Léo ? Comment vas-tu ?

— Je vais bien, Laura. Et toi ?

Elle regarda le Dr Wiseman et elle hocha la tête comme pour lui signifier son contentement.

— Je vais merveilleusement bien. J'ai de nouveaux amis et le personnel est très gentil avec moi. Merci pour les vêtements, les beaux livres et la magnifique hydrangée que tu m'as fait parvenir. Et chez moi, ça va ?

— J'y vais régulièrement. Tout est en ordre.

— As-tu vu mon cœur bleu ?

Léo ne s'attendait pas à cette question.

— Sur la porte d'armoire ? Oui, je l'ai vu.

— Il contient tous mes chagrins. Tu dois prendre le revolver et le tuer…

— …

Le Dr Wiseman fit signe à Laura de lui remettre le combiné.

— Je dois te laisser maintenant, Léo. À bientôt !

Laura avait déjà l'esprit ailleurs. Tout en la regardant murmurer des paroles incompréhensibles, le psy informa Léo qu'il communiquerait avec lui plus tard.

Léo avait accidentellement exaucé le vœu de Laura, avant même qu'elle ne lui demande de la libérer de ce cœur bleu chagriné. L'aspect ésotérique de cette coïncidence le perturba. Il ressentit alors un curieux besoin de se rendre chez elle… pour voir !

***

En franchissant le seuil de l'appartement du boulevard Raspail, Antoine reconnut aussitôt, à leurs expressions, trois femmes en peine. Emmanuelle, Margaux et Prudence étaient assises côte à côte sur le divan. Billie Holiday chantait *As Time Goes By,* du film *Casablanca.*

— Tiens… *Les trois Grâces* de Botticelli. Vous faites vraiment un joli tableau, lança Antoine, voulant se faire amusant.

Aucune réaction. Il se dirigea vers le cellier.

— Antoine, Margaux doit partir, lui annonça Prudence.

— Partir ? Pour aller où ? demanda-t-il, bien qu'il ait anticipé et redouté l'événement.

— La mère de Margaux est hospitalisée, répondit Prudence.

— Et sa place est maintenant auprès d'elle, ajouta Emmanuelle.

Antoine tira une chaise et prit place devant le triste trio.

— Je suis vraiment navré, Margaux. Peut-on faire quelque chose pour toi ?

— Vous avez tout fait pour moi. Je vous en remercie et je vous en serai éternellement reconnaissante.

Margaux venait d'apprendre que son cousin lui avait réservé une place sur le vol du vendredi 7 avril.

— Elle ne reviendra pas, Antoine, lui dit Prudence, larmoyante.

Emmanuelle détourna la tête.

— Bon, écoutez. La Guadeloupe, ce n'est quand même pas sur une autre planète. Au cours de l'été, nous irons rendre visite à Margaux. N'est-ce pas, Emmanuelle ?

— Oui, Antoine, ce serait souhaitable…

Margaux força un sourire.

— Après avoir vécu le pire, j'ai, auprès de vous, connu le meilleur. Vous m'avez appris qu'il y a toujours de l'espoir, qu'il existe encore des gens de cœur, dit-elle en prenant les mains d'Emmanuelle et de Prudence.

Ému, Antoine tenta néanmoins aussitôt de secouer ses trois Grâces.

— Mes amours, voici ce que je propose… Nous sortons. Nous allons chez Alain et nous fêtons.

— Et on va fêter quoi ? lui demanda Prudence, la mine désespérée.

Antoine but son verre d'un trait puis il se leva.

— Nous fêterons… nous. Nous célébrerons l'amitié et l'amour. Nous fêterons… la vie quoi !

— Antoine a raison, les filles. Moi, j'ai follement envie de fêter la vie. Allons-y ! entérina Emmanuelle.

***

Léo posa le bout de son index droit sur le cœur bleu troué de Laura.

« Tes chagrins sont maintenant morts... »

Léo cherchait des réponses. Il était persuadé que la « maison-théâtre » de Laura les révélerait.

Il ouvrit la porte du frigo. Il huma, puis versa le reste d'un litre de lait suri dans l'évier. Il saisit le revolver puis, ne sachant trop qu'en faire, il le glissa dans une poche de son imperméable. En se retournant, il s'appuya sur le comptoir. Une petite surface de linoléum ensoleillée lui rappela celles qui brillaient sur le plancher fraîchement ciré de la cuisine de la rue Marquette.

« La cuisine presque normale d'une femme anormale... »

Au salon, Léo regarda, de loin, la photo de la mère de Laura.

« Et toi, parle-moi ! Qui es-tu ? Qui est ta fille ? » murmura-t-il en enlevant son imperméable.

Il s'approcha du cadre. Il enleva ses lunettes, les frotta contre sa chemise de coton puis les remit. Il examina la photo de plus près. Stupéfaction ! Il crut alors reconnaître Laura, maquillée, costumée.

« Pas possible ! Laura doit tout simplement ressembler à sa mère... »

Il décrocha le cadre ovale. Au dos, il aperçut une inscription : « Je suis maintenant toi. » Abasourdi, il raccrocha le cadre, puis il recula de quelques pas avant de se laisser tomber dans un fauteuil.

« Ça rime à quoi ? Je devrais le raconter à Lennon… »

Léo décida alors d'entreprendre une chasse aux indices. Coûte que coûte. Il concentra ses recherches au salon. Il retira méticuleusement le contenu du premier des deux tiroirs du secrétaire. Il y découvrit un programme de théâtre puis quelques photographies anciennes, dont l'une de Laura, enfant souriante, en maillot de bain. « Plage Mon Repos, juin 1956 », avait-on écrit au verso du cliché. Aucune photo avec sa mère ou avec qui que ce soit d'autre. Il remit les documents à leur place, puis il procéda à la même opération avec le contenu du deuxième tiroir. Il y trouva la facture d'une agence de voyage pour l'infâme séjour de Laura à Paris; son passeport, récemment renouvelé; puis son baptistaire… Léo tenait un document officiel lui révélant l'identité de Laura. Le papier jauni lui apprit que Marie Thérèse Laura Lemay, née le 16 mars 1946, était la fille illégitime de Juliette Lemay. « Née de père inconnu », y avait-on précisé.

L'air dégoûté, Léo hocha la tête.

« Pour la belle charité chrétienne, on repassera… »

La date de naissance de Laura le fit soudain frémir.

« Le 16 mars… Le jour de son internement… »

Elle ne lui avait jamais révélé la date de son anniversaire. Léo fut encore une fois pris de remords.

« Et moi, pour son anniversaire, je lui ai offert l'asile… »

Léo ignorait ce qu'il cherchait exactement, mais il savait qu'il ne l'avait pas encore trouvé. Il résolut alors que ce serait peine perdue de poursuivre des recherches sans savoir ce qu'il cherchait vraiment. Sinon pour son « illégitimité », Laura conservait son mystère.

Dans le corridor, Léo endossa son imperméable. Il lui vint alors à l'idée que Laura aurait sans doute bientôt besoin d'un manteau printanier pour marcher dans le parc de la clinique. En ouvrant la porte de la penderie, il aperçut le vêtement tout désigné. Se souvenant d'avoir vu un sac de voyage dans la garde-robe de la chambre de Laura, il s'y rendit en pliant soigneusement le manteau. Le sac de voyage était lourd. Il le déposa sur le lit puis il l'ouvrit. Sous une pile de scénarios, il aperçut une enveloppe brune de format légal, anonyme et cachetée. Il la retira du sac. Il l'examina, la soupesa, la tâta. Il eut alors le pressentiment qu'elle contenait ce qu'il cherchait. Il remit l'enveloppe dans le sac, vidé du reste de son contenu, puis la couvrit du manteau de drap beige.

***

Décachetée, l'enveloppe brune de Laura reposait sur la table à café de Léo. Il avait longuement hésité avant de se résoudre à commettre son indiscrétion par effraction. Assis dans son fauteuil, il relut la lettre qu'il tenait à la main.

Ma très chère Laura,

J'ai bien réfléchi avant de t'écrire cette lettre.

Lorsque j'ai appris qu'il me restait peu de temps à vivre, j'ai pensé que je devais alors te révéler ce qui a été écrit au sujet de la mort de ta mère, de ma chère sœur. J'ai donc demandé au notaire Leroux de te remettre cette lettre et d'autres documents en main propre, après lecture de mon testament. Si je l'ai fait, c'est par crainte qu'une tierce personne te révèle un jour, hors contexte, le triste événement qui est survenu lorsque tu étais âgée de onze mois.

Juliette t'adorait et je t'ai moi-même aimée comme ma propre fille.

Ta mère qui, comme tu le sais, fut une grande comédienne, ne vivait que pour toi et son métier. C'est la trahison de ton géniteur, aujourd'hui décédé, qui a causé sa perte. La version des coupures de journaux, ci-incluses, n'est pas la mienne. Ce n'est pas la vérité. Tu le sais maintenant puisque je t'ai expliqué tout ça de vive voix avant de partir.

Ma chère Laura, tu es belle, intelligente et talentueuse comme ta mère. J'ai confiance en toi. Tu nous feras honneur, à Juliette et à moi. Vis ta vie, ma fille, et ne laisse rien ni personne la troubler.

Jeanne qui t'aime…

Léo déposa la lettre sur la table.

Il se souvint alors de la signature d'une Jeanne Lemay sur le baptistaire de Laura, à titre de marraine. De toute évidence, Laura n'avait effectivement jamais connu sa mère. En lisant les coupures de journaux, Léo avait appris que la comédienne Juliette Lemay s'était suicidée après avoir assassiné un policier du nom de Marcel Gagné avec sa propre arme de service. Publié quelque temps après la tragédie, un article révélait que ce Gagné avait probablement provoqué la comédienne dont le visage portait des marques de violence. Un autre article affirmait que Juliette Lemay avait donné naissance, onze mois plus tôt, à une fille dont Gagné était le père.

Léo venait de découvrir, avec un profond chagrin, ce qui avait, sans aucun doute, chamboulé l'esprit et la vie de Laura.

25

Le jeudi 6 avril 2000

Rieuse comme une fillette, Prudence s'élança sur le lit de ses parents pour faire la bise à Antoine.

— Joyeux anniversaire, mon beau jeune papa adoré…

— Joyeux anniversaire à toi, petite puce de mon cœur…

Ainsi réveillée, Emmanuelle pouffa.

— Et moi, à travers tous ces mamours, je fais quoi, je sèche ?

Prudence et Antoine étreignirent Emmanuelle en riant.

— Joyeux anniversaires, mes deux amours. Mais arrêtez, vous êtes en train de m'étouffer…

Emmanuelle se retrouva aussitôt couchée entre sa fille et son amoureux. Un silence de bien-être suivit jusqu'à ce que…

— Et les cadeaux, on se les fait maintenant ? demanda la « fillette » en chemise de nuit.

Antoine lui frotta délicatement les oreilles.

— Aïe !

Emmanuelle annonça alors à ses deux « plaies de lit » qu'ils étaient attendus chez Maude et Gilbert à 15 heures et que les cadeaux viendraient plus tard.

— C'est vrai ? Qui sera là ? s'enquit aussitôt Prudence.

— Ben, nous quatre, Alain et quelques amis j'imagine… Je ne sais pas moi, ce sont Maude et Gilbert qui nous reçoivent et qui ont fait les invitations. Maintenant, ouste ! Tout le monde debout !

***

Antoine, Emmanuelle, Prudence et Margaux se présentèrent chez leurs amis à l'heure convenue. Pour l'occasion, Gilbert avait décoré le jardin avec de grands mobiles métalliques accrochés aux arbres. Une nappe blanche qu'il avait peinte de motifs floraux recouvrait la grande table dressée entre la maison et l'annexe. En prévision d'une longue soirée, il avait de plus installé un réseau d'éclairages parmi les sculptures puis un chauffage de terrasse.

Il faisait bon ce jour-là. Emmanuelle, qui portait une jupe longue et une blouse blanche paysanne découvrant ses épaules, retrouvait un certain air de jeunesse. Prudence, dont la très courte jupe étriquée avait fait sourciller Antoine, donnait dans le genre chanteuse pop à scandale. Avec son jean et son tee-shirt noir, Antoine, lui, faisait… Antoine.

Aucun autre invité n'était encore arrivé.

— Je voulais que vous soyez là plus tôt pour que nous ayons le temps de prendre un p'tit verre ensemble, bien tranquilles, dit Gilbert à son ami.

Prudence et Margaux choisissaient déjà les CD qui animeraient la fête.

Emmanuelle suivit Maude à la cuisine.

Au jardin, Antoine dégustait une bière que Gilbert lui avait servie dans un bock.

— Qu'est-ce que c'est ?

— Une *Blanche de Lille*, créée par une brasserie artisanale située tout près d'ici, rue des Cannettes.

— Ils ont de la suite dans les idées... Pas mal, mais il n'y a rien pour m'enlever ma *Black Label.*

— Puisque tu en parles... Il y a justement quelques bouteilles de ta bière préférée à l'atelier.

Antoine afficha un large sourire.

— Où les as-tu dénichées ?

— Alain me les a offertes, il y a déjà quelque temps.

— Et c'est maintenant que tu me le dis !

— J'avais oublié. Va te servir. Moi, je dois voir Maude.

Antoine monta à l'atelier en sifflotant. En s'avançant vers le minifrigo, il entendit une voix derrière lui : « L'amour te va bien... »

En se retournant vivement, Antoine eut un choc. Un heureux choc !

— C'est pas vrai ! Mais que fais-tu là, vieille fripouille ?

Antoine et Léo se firent l'accolade en riant à gorge déployée.

— Tu ne pensais quand même pas que je raterais les anniversaires de mon ami Antoine et de ma nièce Prudence !

— Et tu as pris l'avion... J'hallucine !

— Bien sûr que non ! Je suis venu à la nage.

Les deux amis se firent encore une fois l'accolade. Pour Antoine, la présence de Léo à Paris représentait un cadeau d'anniversaire inespéré. Pour Léo, s'y retrouver en compagnie de son meilleur ami tenait d'un rêve qu'il avait jusqu'à récemment cru impossible.

— Mais viens t'asseoir quelques minutes avant que je te présente Emmanuelle et Prudence. Elles seront aussi agréablement surprises que moi. Et dire que je suis monté ici en croyant y découvrir quelques bouteilles de *Black*...

— Dans le frigo... Je les ai apportées pour toi dans mes bagages.

— Et tout ça en connivence avec Bébert...

— Évidemment !

Deux bouteilles furent aussitôt décapsulées.

— Comment vas-tu, Antoine ?

— C'est la grande forme.

— T'es heureux ?

— Comme jamais je ne l'ai été. Emmanuelle est une femme merveilleuse. Et Prudence... Ben Prudence est encore une adolescente, avec tout ce que ça comporte de mystères et de crisettes, mais c'est une bonne fille et je l'adore. Et toi, Léo ? Raconte...

— J'écris...

Antoine se mit à rire.

— Des mots, des phrases ?

— Et même beaucoup de pages... pour m'amuser.

— Et Laura ?

— C'est une longue histoire. Je te raconterai...

Arrivé à Paris le matin même, Léo avait été émerveillé en apercevant, au loin, la tour Eiffel. Gilbert, qui avait été le chercher à l'aéroport, lui avait offert une petite visite touristique, en passant notamment par l'avenue des Champs-Élysées. Léo avait reconnu et même nommé tous ces endroits qu'il avait vus d'innombrables fois dans des films et en photo. Il avait d'ailleurs eu l'impression de circuler sur le plus grand plateau de tournage au monde.

— Mais où est Antoine ? demanda Emmanuelle à Gilbert en revenant au jardin.

— Je crois qu'il est monté à l'atelier pour récupérer quelques bouteilles de bière canadienne.

— Mais où as-tu trouvé ça, toi ? lui demanda Alain, arrivé quelques minutes plus tôt, en même temps que quelques autres invités.

— Ce n'est pas toi qui me les avais offertes ? répondit Gilbert en riant.

Antoine apparut bientôt à la porte de l'annexe.

— Mesdames et messieurs, permettez-moi de vous présenter…

Léo apparut à son tour.

— Monsieur Léo… murmura Alain, visiblement ému.

Intriguée, Prudence regarda sa mère.

— Qui est-ce ?

— Ce Monsieur Léo est, de toute évidence, le grand ami québécois d'Antoine dont il t'a parlé plusieurs fois.

— Sans blague ! Tonton Léo ? s'écria-t-elle alors, parmi les rires de son entourage.

Léo se dirigea aussitôt vers elle pour lui faire la bise.

— J'avais très hâte de te rencontrer, belle Prudence. Depuis le temps que j'entends parler de toi ! C'est incroyable comme tu ressembles à ton père.

— Je n'avais pas vraiment le choix, dit-elle en riant.

Puis ce fut au tour d'Alain de faire l'accolade à l'arrivant.

— Tu m'as manqué, Léo.

— J'aimerais pouvoir en dire autant, rétorqua son ami, à la blague.

Antoine saisit Léo par le bras et l'entraîna vers Emmanuelle.

— Léo, j'ai le plaisir et l'honneur de te présenter la femme de ma vie.

Consciente que Léo était l'homme qu'Antoine considérait comme un frère, Emmanuelle lui tendit les bras.

— Je suis vraiment heureux de pouvoir enfin vous rencontrer, Emmanuelle.

— Le plaisir est pour moi, vraiment. Antoine m'a tellement parlé de vous, le grand ami qui aidait notre cancre à faire ses devoirs.

— Pardon ! Qui faisait ses devoirs.

— Voilà ! Antoine m'a encore menti, commenta-t-elle, amusée.

Léo lui fit la bise.

Antoine présenta son ami, tour à tour, aux invités.

Margaux lança alors le menu musical de la fête avec la chanson *Celebration,* de *Kool & The Gang*.

En début de soirée, Maude invita la vingtaine de convives à prendre place à la grande table, où deux serveuses leur présentèrent des plats préparés par un traiteur de renom. À un bout de la table, Prudence était entourée de Margaux et de quelques filles et garçons de l'École que Maude avait demandé à Margaux d'inviter. À l'autre bout de la table, Antoine racontait des anecdotes de sa jeunesse à Emmanuelle. Léo acquiesçait. Bébert et Alain se marraient. Les regards d'Antoine et de Prudence se croisèrent. Les sourires qu'ils échangèrent exprimèrent leur bonheur d'être ensemble pour célébrer leur anniversaire commun. Le père trouvait que son adolescente devenait rapidement femme. La fille trouvait que son père avait encore le charme d'un jeune homme… ou presque !

***

Au cours de l'avant-midi, Laura avait demandé à voir le Dr Wiseman. Le psy la fit donc venir à son bureau, dès son arrivée à la clinique, vers les 14 heures.

— Je veux consulter un notaire, lui annonça-t-elle d'entrée de jeu.

Il lui fit signe de s'asseoir.

— Vraiment ? Ça ne cause aucun problème. En connaissez-vous un ?

— Oui, mais il est décédé depuis longtemps, dit-elle en prenant place devant le bureau.

— Alors je vous présenterai le mien si vous y consentez...

— Je veux qu'il rédige mon testament.

— C'est toujours plus sage d'en avoir un.

— À Léo, je laisse meubles et immeuble plus la somme de...

Le Dr Wiseman leva la main en signe d'arrêt.

— Laura, c'est au notaire qu'il faudra faire part de vos dernières volontés, pas à moi.

— Je veux que vous sachiez quand même. À Prudence, la fille d'Antoine, à qui j'ai fait du mal...

— Arrêtez, Laura. Je suis certain que vous ferez les bons choix.

— Oui, je le pense, mais vous devrez probablement les valider puisque je suis folle. Ne vous inquiétez pas, je ne fabule pas.

Le Dr Wiseman ne put retenir un sourire. De toute sa carrière, jamais une patiente ne l'avait autant amusé, malgré la gravité de sa psychose. Son intelligence vive avait malheureusement été perturbée par une maladie qu'il croyait pouvoir peut-être un jour enrayer, du moins il l'espérait.

Laura sortit un petit bout de papier de la poche de son cardigan et le tendit à son médecin.

— Qu'est-ce ?

— Le nom et le numéro de téléphone du courtier qui s'occupe de mes affaires depuis plusieurs années. Vous pouvez l'appeler…

Laura adressa un petit sourire taquin au psy.

— Vous êtes bien discret ! Vous devez sûrement vous demander comment une comédienne sans envergure peut se permettre de défrayer son séjour dans une clinique privée puis prévoir laisser un héritage quand même important.

L'aplomb de la patiente réjouit son psychiatre.

— Dois-je vous le demander ?

— Pas la peine ! J'ai eu la chance d'être élevée par une tante fortunée qui avait été bien mariée. Docteur, croyez-vous que je sois maintenant apte à réintégrer notre belle société ?

— Et vous, Laura, croyez-vous l'être ?

— Oui, mais je ne veux pas sortir d'ici. C'est-à-dire pas maintenant, pas tout de suite.

— C'est normal d'éprouver des craintes lorsque…

— Docteur Wiseman, le danger pour moi n'est pas à l'intérieur, mais bien à l'extérieur de ces murs. Dehors, c'est le cirque. Ici, c'est le repos du funambule tombé.

Funambule… Bizarrement, Laura avait utilisé le même mot qui était venu à l'esprit de Léo lorsqu'il s'était demandé comment elle en était arrivée à avancer sur le mince fil tendu entre sa raison et sa folie.

— Vous avez raison, Laura, mais la vie est un cirque pour tout le monde, pas uniquement pour vous. Depuis quelques semaines, votre réaction à la médication et à la thérapie est très positive. Nous pourrions donc songer à vous accorder de petits congés qui vous permettraient d'apprivoiser votre quotidien, à votre rythme.

— Je ne sais pas…

— Vous pourrez communiquer avec moi en tout temps. Disons que je serai votre filet de sécurité.

— Je verrai. Merci, docteur.

***

Vers les 22 heures, Prudence et ses amis, avec la bénédiction d'Emmanuelle et les consignes d'Antoine, étaient partis de la rue d'Assas pour aller terminer la soirée en boîte. Une heure plus tard, il ne restait plus que la garde rapprochée d'Antoine : Bébert, Léo et Alain. Une dizaine de minutes plus tôt, Emmanuelle, épuisée, les avait quittés pour rentrer chez elle.

— On monte à l'atelier, les mecs ? demanda Bébert.

Alain prit alors congé.

— Je dois me lever tôt demain. Les rénovations au bar ne sont pas encore terminées. Et on doit repeindre.

— Pas couleur saumon j'espère ! fit Léo.

— Bien sûr que non ! Rouge à pois verts…

À l'atelier, Antoine se retrouva donc en compagnie de ses deux plus anciens amis. Il voulut savoir dans quelles circonstances Léo avait finalement résolu de « s'envoyer en l'air ».

— Pas compliqué, mon cher. J'ai un jour tout simplement décidé qu'il était temps pour moi, à mon âge, de procéder à mon baptême de l'air. J'ai suivi des cours pour m'aider à le faire puis j'ai communiqué avec Gilbert pour lui faire part de mon désir de venir à Paris.

— Je suis fier de toi, mon vieux. Et Laura... en clinique...

— Oui, Antoine. En clinique psychiatrique privée.

— Crois-tu qu'elle en ressortira un jour ?

Léo n'en savait rien. Il en doutait parfois, mais il l'espérait souvent.

— Son psy a confiance. Selon lui, Laura est atteinte d'une forme rare de schizophrénie. Il croit pouvoir, non pas la guérir, mais du moins l'aider à éventuellement fonctionner normalement, si elle suit rigoureusement ses recommandations.

— C'est souhaitable !

***

Dans sa chambre, Emmanuelle, les larmes aux yeux, boucla sa valise Vuitton.

26

Le jeudi 13 avril 2000

Prudence et Margaux n'avaient pas respecté la consigne d'heure de rentrée d'Antoine, mais il ne s'en était pas formalisé, puisque leur sortie en boîte était la dernière qu'elles partageaient avant le départ de Margaux.

Le vendredi, Margaux se leva quand même tôt. Sa famille d'accueil aussi. La jeune Guadeloupéenne voulait se rendre seule à l'aéroport, mais Antoine l'avait convaincue d'accepter l'offre de Gilbert de l'accompagner. Consciente qu'elle ne les reverrait probablement pas avant longtemps, Margaux fit donc des adieux déchirants à sa chère « petite sœur », à Antoine, son sauveur, puis à Emmanuelle, qui avait été une deuxième mère pour elle. Valise à la main, Margaux se dirigea lentement vers la porte du hall, puis se tourna vers ses amis. Émue, elle les salua d'un signe de tête et elle disparut. Prudence craqua. Antoine la serra dans ses bras. Emmanuelle se dirigea vers sa chambre. Moins d'une minute plus tard, elle en ressortit avec, elle aussi, une valise à la main.

— Mais… Où vas-tu comme ça, Emmanuelle ? lui demanda Antoine, perplexe.

— À l'hôpital. Ce n'est que pour quelques jours. Un examen médical complet en raison de ma grande fatigue et de mon mal de dos.

Antoine sentit qu'Emmanuelle leur mentait.

— Mais pourquoi ne pas nous en avoir parlé plus tôt ?

— À quoi bon ! Puis je ne voulais pas risquer de rater votre fête d'anniversaire.

Antoine réfléchit un instant.

— Emmanuelle, as-tu reporté ton hospitalisation pour t'assurer d'être avec nous hier soir ?

L'air inquiet, Prudence regarda sa mère qui tardait à répondre à cette simple question.

— Maman ?…

— Quelques jours de plus ou de moins ne changeront rien.

Les regards de Prudence et d'Antoine, effarés, se croisèrent. Éprouvant soudain de la difficulté à respirer, Emmanuelle prit place sur une chaise.

— Nous devrions peut-être partir maintenant, Emmanuelle…

— Attendez ! Je dois d'abord vous dire…

Prudence sentit qu'elle ne voulait pas entendre, qu'elle ne voulait pas savoir ce que sa mère voulait leur révéler.

— De quoi s'agit-il ? lui demanda Antoine, qui avait aussi un mauvais pressentiment.

— En fait, c'est plus qu'un bilan de santé. Je ne voulais pas vous affoler. Je… C'est le cancer du poumon. Un cancer fulgurant.

***

Portant des verres fumés, Laura descendit d'un taxi. Elle rentrait chez elle pour la première fois depuis sa rencontre avec le Dr Wiseman, près d'un mois plus tôt. Comme pour s'assurer qu'elle était seule, elle s'arrêta dans le vestibule et tendit l'oreille. Au salon, elle enleva ses lunettes, les enfouit dans une poche de son manteau et alluma son vieil appareil radio *Philco*. Un animateur cita le chroniqueur Jean Dion du journal *Le Devoir* : « Dans la vie, il y a deux drames : la naissance et la mort; entre les deux, tout est à se rouler par terre. »

« De rire ou en pleurs ? » murmura Laura en se dirigeant vers la cuisine, où elle remarqua aussitôt sa porte d'armoire trouée. Elle se souvenait du cœur bleu, mais non de sa demande à Léo de le « tuer ». Elle ouvrit la porte agressée. Elle ne se rendit pas compte que la soupière et le bloc-notes avaient disparu. Ignorant que Léo séjournait à Paris, elle appela chez lui.

« Bon, tu n'es pas là. C'est Laura. Je suis à la maison. Rappelle-moi dès que possible. »

En entrant dans sa chambre, elle referma spontanément la porte de sa garde-robe, se figea un instant, puis la rouvrit. Des scénarios étaient empilés sur le plancher et son gros sac à secrets avait disparu. Laura s'affola. Elle se précipita vers le téléphone du salon. Léo était encore absent. Elle composa un autre numéro.

« Docteur Wiseman, Laura à l'appareil. Quelqu'un cherche à me faire du mal. Je rentre au bercail. »

Elle raccrocha sans laisser le temps au psy de dire quoi que ce soit, puis elle sortit dans la rue pour héler un taxi.

* * *

Aussitôt arrivée à l'hôpital Pitié-Salpêtrière, Emmanuelle avait été conduite à une salle d'examen. Antoine et Prudence furent invités à se rendre à un petit espace d'attente, où un médecin, leur dit une infirmière, les retrouverait dans quelques minutes.

— Ce n'est pas vrai. C'est impossible. Je ne veux pas. Antoine, dis-moi qu'elle ne va pas mourir, Manu.

— Mais non, ma puce. Ici, on la soignera aussi bien qu'on t'a soignée.

— Mais un cancer fulgurant, c'est sûrement très grave, non ?

— Je ne sais pas.

Antoine mentait à sa fille. Quelques mois après le décès de son père, sa mère avait été emportée par un cancer fulgurant, moins d'un mois après le diagnostic. Bouleversé, Antoine tentait de se faire rassurant, mais il s'attendait au pire. Une question épouvantable le hantait même : « Combien de temps lui reste-t-il à vivre ? »

Le médecin d'Emmanuelle se présenta.

— Vous êtes le conjoint de madame Portal ?

Antoine hésita. Il regarda Prudence. Elle lui rappela alors que Portal était le nom de femme mariée d'Emmanuelle.

— Oui… Enfin, son fiancé. Et Prudence est sa fille… Notre fille.

L'oncologue regarda la jeune femme aux yeux larmoyants, d'un air apparemment impassible. Puis il se tourna vers Antoine.

— Nous devons parler… monsieur.

Prudence comprit qu'il avait l'intention de s'entretenir seul à seul avec Antoine.

— Je reste. Elle est tout de même ma mère. J'ai aussi le droit de savoir.

— Très bien ! Je ne vous cacherai pas que l'état de santé de madame Portal se détériore rapidement, déclara le jeune médecin qui se mit à parler rapidement, en termes médicaux hermétiques, comme pour escamoter l'essentiel, comme pour éviter la question qui brûlait les lèvres d'Antoine. Question qu'il ne poserait pas, de crainte que la réponse n'anéantisse Prudence.

Antoine et Prudence avaient finalement compris que le cancer du poumon gauche d'Emmanuelle s'était métastasé à son poumon droit. Ils avaient par ailleurs interprété le froncement de sourcils du médecin comme un aveu d'impuissance médicale.

— Que pouvez-vous faire pour elle maintenant ? demanda Antoine.

— Nous ferons en sorte qu'elle ne souffre pas.

— Pour un court moment de vie volé à la mort, répliqua Prudence, en larmes.

Antoine grimaça.

— Peut-on la voir ? demanda-t-il.

— Elle a besoin de repos. Puis la situation risque d'être trop... émotive. Demain !

— Parce que la « situation » sera moins émotive demain, vous croyez ? rétorqua Antoine.

Entraînant Prudence par le bras, il se dirigea aussitôt vers la sortie.

— Monsieur... Monsieur Antoine...

En se tournant, Antoine reconnut Joséphine, qui marchait rapidement vers lui.

— Bonjour ! J'ai d'abord reconnu Prudence. Comment vas-tu, petite ?

Prudence, elle, ne reconnut pas Joséphine, qui avait rejoint sa fille en Belgique alors que son ex-patiente sortait à peine de son coma.

— Prudence, Joséphine est l'infirmière qui a pris grand soin de toi et dont Emmanuelle t'a parlé.

Prudence s'avança vers elle, puis lui fit l'accolade en pleurant.

— Que se passe-t-il ? Que faites-vous ici ? demanda l'infirmière, émue.

— C'est Emmanuelle... Cancer !

— Mon Dieu !

Ne sachant à quel saint se vouer, Antoine s'en remit à la bonne infirmière.

— Vous avez été l'ange gardien de Prudence... Je vous en prie, aidez Emmanuelle à passer à travers ce cauchemar.

Joséphine n'était pas en poste dans ce service, mais elle se rendit aussitôt au chevet d'Emmanuelle.

***

Antoine fit démarrer l'auto d'Emmanuelle. Prudence croisa les bras puis elle inclina la tête, les yeux fermés.

— Que fait-on maintenant ? Où veux-tu aller, Prudence ?

Déboussolés, père et fille se sentaient perdus sans Emmanuelle.

— Je veux aller chez Maude.

— D'accord ! Je m'arrête d'abord pour faire un achat.

Abasourdie, Prudence regarda son père comme s'il eût dit une énormité.

— Tu crois que c'est vraiment le moment de faire du shopping ?

— Je veux acheter une alliance. Je veux épouser Emmanuelle.

Pour Prudence, le mariage n'était qu'une formalité pour changer d'état civil. Sa réaction ne fut donc pas très enthousiaste.

— Pourquoi ?

— Comment pourquoi ? Parce que je l'aime, parce que ce sera mon premier et dernier mariage, parce que tu seras la fille de l'époux de ta mère et, officiellement, de ton vrai père, même si je dois t'adopter.

Prudence eut alors une pensée troublante.

« Et si Antoine voulait épouser Manu pour tenter de s'avantager financièrement ! »

Honteuse, elle écarta aussitôt cette présomption.

— Et tu l'épouseras à l'hôpital ?

Antoine soupira.

— À l'hôpital, à la mairie de Paris, n'importe où, le plus tôt possible. Tu crois qu'elle voudra ?

— Pourquoi pas ! Tu as confiance ?

— Qu'elle m'épousera ?

— Non, qu'elle... « survivra » pour qu'on l'aime encore longtemps...

— Nous devons croire, répondit le non-croyant.

***

Mi-furieuse, mi-paniquée, Laura se dirigea vers le bureau du Dr Wiseman. Faisant fi de l'objection de sa secrétaire, elle y entra en trombe.

— Ma première sortie dans ce monde de fous fut vraiment une belle réussite !

— Calmez-vous, Laura. Racontez-moi, calmement...

— Calmement dites-vous ? Il y a un trou de projectile dans l'une de mes portes d'armoire, on m'a volé des documents personnels et confidentiels et Léo est Dieu sait où !

Léo avait tout raconté au psy, mais ce dernier ignorait qu'il n'avait pas rapporté le « coffre-fort » de Laura chez elle.

Le Dr Wiseman présuma que, dans sa hâte et son énervement à l'idée de s'envoler pour Paris, Léo avait tout simplement oublié de le faire.

— Laura, Léo est à Paris, mais il reviendra bientôt.

— Vous ne me l'aviez pas dit.

— Asseyez-vous je vous en prie. Effectivement ! Désolé ! Un oubli de ma part. Laura, possédez-vous une arme à feu ?

— Une arme à feu, moi ? Je… Je ne sais pas. Je ne me souviens pas, mais c'est peu probable. Que voudriez-vous que je fasse avec une arme à feu ?

— Bien sûr !

— J'y pense… Il n'y a pas eu d'entrée par effraction chez moi. Donc, Léo est la seule personne qui ait pu prendre mes documents.

— Si c'est lui, ce fut sans doute pour vous protéger contre un vol éventuel.

— En me volant lui-même ? Et comment aurait-il pu savoir que ces documents, dans une enveloppe cachetée et cachée au fond de ma garde-robe, étaient importants pour moi ? Il a fouillé dans mes affaires.

— Et, selon vous, pour quelle raison l'aurait-il fait ?

Laura hocha la tête en soupirant.

— Dr Wiseman, c'est vous ou moi le psychiatre ? C'est pourtant clair ! Parce qu'il voulait du même coup fouiller dans ma vie privée, dans mon passé.

— Alors c'est peut-être parce qu'il aime une femme qu'il a l'impression de ne pas vraiment connaître, mais qu'il veut aider. Vous savez très bien que Léo ne vous ferait jamais de mal.

Laura s'apaisa.

— Je sais. Mais il s'y est quand même pris d'une curieuse façon pour m'aider, vous ne pensez pas ?

— Que voulez-vous faire maintenant ? Retourner chez vous ou rester ici ?

— Je resterai… jusqu'au retour de Léo. Mais qu'est-il allé faire à Paris ?

— Une surprise à Antoine et à sa fille dont c'étaient les anniversaires.

— Ouf ! Léo me rendrait cinglée si je ne l'étais pas déjà.

Le psy et sa patiente se mirent à rire.

— Vous êtes loin d'être folle, Laura. La lumière au bout de votre tunnel est de plus en plus claire.

Le Dr Wiseman n'avait pas « oublié » de dire à Laura que Léo était à Paris. Il avait voulu évaluer sa réaction face à une absence qu'elle ignorait, face à sa découverte du trou dans le cœur bleu. Il n'avait par contre pas prévu que Laura aurait de plus à composer avec la disparition de ses précieux documents. Dans les circonstances, elle avait donc, à son avis, assez bien réagi. La médication expérimentale et les traitements peu conventionnels du psychiatre avaient, à sa grande satisfaction, produit des résultats positifs.

27

Le jeudi 20 avril 2000

Antoine et Prudence visitaient Emmanuelle plusieurs fois par jour. Craignant que sa demande en mariage n'indispose Emmanuelle, Antoine, malgré l'insistance de Prudence, n'en avait jusqu'alors pas soufflé mot.

Deux jours plus tôt, Léo, tel que prévu, retourna chez lui. Il avait manifesté le désir de rester auprès de son ami en cette période difficile, mais Antoine s'y était objecté.

« Ta compassion me touche, Léo, mais tu ne peux rien pour moi et encore moins pour Emmanuelle. En cas de coup dur, je préfère rester seul… avec Prudence. »

Le lendemain de l'admission d'Emmanuelle à l'hôpital, Antoine et Prudence avaient revu Joséphine.

« J'ai parlé à Emmanuelle. Elle a une force de caractère inouïe. C'est un médicament très puissant, vous savez ! Tu en es la preuve vivante, Prudence. Emmanuelle est prête à se battre, à subir tous les traitements nécessaires. De l'encouragement et des sourires de votre part feront le reste. Allez, Emmanuelle attend votre visite. »

Depuis son hospitalisation, la malade avait évidemment dépéri, mais jamais elle ne s'était, du moins devant Antoine et Prudence, apitoyée sur son sort. Elle faisait même preuve d'humour et d'autodérision. Antoine et Prudence n'étaient pas dupes. Ils étaient parfaitement conscients qu'Emmanuelle tentait ainsi de dissimuler ses craintes et ses angoisses.

Antoine et Prudence dînaient tous les soirs rue d'Assas. Gilbert et Maude s'étaient donné pour mission de réconforter leurs amis, sans pour autant les gaver de faux espoirs. Un peu à la manière d'Emmanuelle, ils tentaient aussi de divertir leurs invités. Père et fille souriaient poliment, mais rien ni personne ne pouvait les soustraire à leur triste réalité.

***

— Tu dois le faire aujourd'hui, ordonna Prudence à Antoine, alors qu'ils se dirigeaient vers la chambre d'Emmanuelle.

— Oui, répondit-il faiblement. Tu n'avais pourtant pas l'air très enthousiaste lorsque je t'en ai parlé la première fois.

— Je sais. Désolée ! Honnêtement, je trouvais que ça faisait mauvais cinéma.

— Et c'est la raison pour laquelle j'hésite encore à le faire.

— N'hésite plus. Je pense maintenant que c'est une belle preuve d'amour et que Manu sera heureuse de devenir ton épouse, peu importe les circonstances. Lorsque je m'excuserai pour aller aux toilettes, ce sera ton feu vert pour faire ta grande demande.

Ce n'était pas toujours le cas mais, cette fois, l'art de manigancer de sa fille fit sourire Antoine.

***

— Pourquoi as-tu fait ça, Léo ? s'enquit calmement Laura, assise dans un fauteuil berçant.

Le Dr Wiseman avait permis à Léo de visiter la patiente dans sa petite chambre. Bras croisés, regardant le jardin, en contrebas de la fenêtre à barreaux, Léo se tourna vers Laura.

— Je suis désolé, mais je t'assure que mon indiscrétion ne fut aucunement malsaine, même si j'ai éprouvé des remords en la commettant. Je cherchais tout simplement à comprendre ce qui te faisait parfois agir de façon si, si...

— Irrationnelle ? Troublante ? C'est la maladie, Léo. La maladie dont je ne guérirai jamais, mais que je pourrai néanmoins contrôler. Tu m'as parlé de ton problème de bipolarité... C'est un peu la même chose, non ? Sauf que je joue, moi, dans les ligues majeures.

— Je comprends, mais je tentais de découvrir ce qui avait peut-être pu déclencher cette maladie chez une femme aussi intelligente et sensible que toi.

Laura regarda Léo en hochant légèrement la tête.

— Tu serais bien naïf de croire que l'intelligence est un antidote à la maladie dont je souffre et que le Dr Wiseman n'a pas encore réussi à clairement identifier. Je suis un « cas » semble-t-il. La sensibilité y est par contre possiblement pour quelque chose. La mienne a souvent été éprouvée. Mais mon désordre mental n'est peut-être finalement dû qu'à une bizarrerie chimique dans mon cerveau. Le Dr Wiseman pourrait t'expliquer mieux que moi.

Léo prit place dans un fauteuil de cuir près de la fenêtre.

— Alors, Léo... satisfait ? Crois-tu maintenant tout savoir de mes antécédents familiaux ?

— Je ne sais que ce que j'ai lu.

— Moi, j'en sais beaucoup plus, même si j'étais bébé lorsque ces événements se sont déroulés. Longtemps après le décès de ma tante, survenu dans la maison où je vis encore, j'ai aussi commis une indiscrétion. J'ai un jour trouvé dans l'un de ses vieux coffres au sous-sol, un gros cahier ou plutôt un livre à couverture rigide, verrouillé, sur lequel le mot *Diary* était gravé. Ce qui m'avait permis de croire que j'y ferais des découvertes au sujet de ma mère. Je n'avais donc pas hésité à faire sauter le petit cadenas du fermoir qui assurait la confidentialité du contenu de ce… *diary*.

Laura se leva puis elle prit place à son tour devant la fenêtre.

— Le jardin commence à fleurir. C'est magnifique !

Puis elle marqua une pause.

— Les journalistes de l'époque sont allés au plus simple ou au plus sensationnel : « Une comédienne tue son amant et se suicide ». Ils n'ont pas écrit qu'elle devait être une traînée puisqu'elle avait assassiné un « bon » policier, mais, si j'en jugeais par le ton employé, ils le pensaient.

— Peut-être bien.

La mère de Laura avait donc un jour rencontré ce beau policier qui, selon sa tante, avait toujours été d'une extrême gentillesse lorsqu'il allait prendre Juliette au logement où les deux sœurs cohabitaient. Au bout de quelque temps, il avait promis le mariage à Juliette. Promesse qu'il ne tiendrait pas, mais Laura naîtrait quand même…

— Pendant sa grossesse et après ma naissance, ma mère le voyait de moins en moins souvent parce qu'il avait, disait-il, des horaires insensés. Un soir, après un rendez-vous avec mon géniteur, ma mère était rentrée à la maison, le visage tuméfié. Son « amoureux » était un homme violent et… déjà marié. Lorsque ma mère a découvert le pot aux orties, elle a refusé de le revoir. Insulte suprême ! Un matin, très tôt, il a donc forcé la porte du logement. Ma tante a écrit qu'il avait crié à tue-tête : « J'vas t'régler ton cas, ma maudite vache ! »

Laura reprit sa place dans la berçante. Léo se rendit compte qu'elle peinait à raconter le drame qui avait marqué sa vie.

— J'ai compris, Laura. Ce n'est pas la peine de continuer.

— Il le faut, Léo. En me confiant à toi, je réussirai peut-être à m'exorciser des démons qui rongent mon cœur et mon esprit depuis trop longtemps déjà. J'abrégerai, mais tu pourras lire tous les détails écrits par ma tante… si tu le désires.

Laura toussota puis elle poursuivit son récit.

— Cet homme commença alors à tabasser ma mère. Lorsque ma tante se précipita pour tenter de venir à sa rescousse, le monstre lui asséna un coup de poing en plein visage. Elle tomba sur le plancher de la cuisine, sonnée, mais elle aperçut néanmoins l'agresseur qui retirait son arme de service de son étui. Tout en retenant ma mère, dont il serrait la nuque de sa grosse patte, il posa le bout du canon sur sa joue. Puis la pauvre femme réussit, j'ignore comment, à repousser l'arme. Un coup de feu retentit. L'arme était en quelque sorte coincée entre la main de ma mère et celle du policier qui tressaillit. Puis ma tante entendit aussitôt un deuxième coup de feu. Ma mère et son agresseur tombèrent. L'arme se retrouva sous la main ou près de la main de Juliette, ce n'est pas clair. Ma mère était une petite femme qui pesait un peu plus de cent livres. Ce n'est donc pas elle qui aurait réussi à maîtriser le matamore, à retirer son arme de l'étui puis à tirer sur lui, si près du cœur. Et, quelques secondes plus tard, elle aurait retourné ce maudit *gun* contre elle-même pour se suicider ? Voyons donc ! Ridicule !

— Je vois, dit Léo, profondément troublé.

Laura le regarda.

— Tu vois quoi ?

— Enfin, je présume que le policier a appuyé à deux reprises sur la gâchette. La première fois, à n'en pas douter, accidentellement. La deuxième fois... en s'écroulant, je ne vois pas.

Comme pour s'assurer que Léo croyait vraiment à cette hypothèse, elle l'observa un moment.

— Les policiers et le coroner ont « vu » autrement. Selon eux, ma mère aurait délibérément assassiné son « amant » avant de se suicider.

— Et les empreintes digitales sur l'arme, sur la gâchette ?

— Lesquelles ? Celles de Gagné, celles de ma mère ou celles du jeune policier inexpérimenté qui fut le premier à se présenter sur les lieux ? En apercevant l'arme, sur le plancher, près de la main de Juliette, il l'avait aussitôt jugée. Il saisit l'arme à main nue et, selon ma tante qui se relevait péniblement, il posa même machinalement l'index sur la gâchette. Pas peu fier d'avoir découvert la « coupable », le jeunot tendit l'arme au détective qui se présenta quelques minutes plus tard et qui, ahuri, l'engueula vertement, sans se préoccuper de la présence de ma tante. Elle entendit alors le policier fautif affirmer, pour tenter de se disculper, que la femme qui gisait morte sur le plancher tenait l'arme « dans » sa main.

Jeanne avait bien sûr témoigné, mais le témoignage de la sœur de la présumée meurtrière, mi-consciente au moment de l'incident, était, à l'avis du coroner, irrecevable. De plus, dans l'état où elle se trouvait dans les jours qui avaient suivi la mort de Juliette, on avait, selon Laura, aisément réussi à la confondre.

— Voilà ! Tu sais maintenant vraiment tout, trancha Laura.

Un long silence s'ensuivit.

Dans son esprit de cinéphile, Léo imaginait déjà le synopsis, non pas d'un film policier, mais bien d'un drame psychologique.

Laura interrompit bientôt les visualisations sur grand écran de Léo.

— Je pense parfois que l'élément déclencheur de ma maladie provient des gènes que j'ai hérités de ce « père inconnu » que je hais depuis que j'ai découvert son existence. Je crois que le sang du monstre qui coule dans mes veines a court-circuité mes neurones. Ce fut aussi un choc dévastateur d'apprendre, vers l'âge de dix-huit ans, que ma mère était morte dans des circonstances aussi horribles.

— Tu... tu as dit ça au Dr Wiseman ?

— Bien sûr, c'est mon confesseur.

Son tic lui revenant, Léo tenta encore une fois de repousser sa mèche depuis longtemps disparue.

— Laura, il y a une autre chose qui me chicotte.

— Dis !

— Je ne comprends pas pour quelle raison ta tante ne t'a pas légué son journal avec les coupures de journaux que le notaire t'a remises lors de la lecture de son testament.

— Je me suis déjà posé la même question. J'en étais arrivée à une conclusion que je crois encore être la seule plausible.

— Attends, je me souviens maintenant. Dans sa lettre, ta tante avait écrit qu'elle avait une autre version des faits dont elle t'avait parlé.

Laura sourit.

— Bingo ! Plutôt dont elle aurait voulu me parler. Jeanne a rapidement dépéri dans les jours qui ont suivi sa rencontre avec le notaire et elle est décédée avant de pouvoir me livrer son secret, comme elle aurait voulu le faire, c'est-à-dire de personne à personne.

Léo réfléchit.

— Je pense aussi que ta conclusion est la bonne. Mais… tu ignorais donc tout de la version de ta tante lorsque tu as lu sa lettre…

— Évidemment ! Cette version m'est restée inconnue jusqu'au jour où j'ai découvert son journal. J'ai vécu des mois d'enfer avant d'apprendre que ma mère n'était pas une meurtrière et qu'elle ne s'était pas enlevé la vie. Ce qui ne fut par contre qu'un baume sur mes plaies.

Léo retrouvait avec étonnement la Laura au discours rationnel qu'il avait connue au début de leur relation. Elle n'était plus celle qui travestissait la réalité et qui se livrait à des actions agressives et destructrices. Il était émerveillé que le Dr Wiseman ait pu réussir à métamorphoser sa patiente en si peu de temps.

— Es-tu fatiguée, Laura ? Préfères-tu que je te laisse maintenant ?

— Non, ça va. Tu me fais du bien.

— Laura, que comptes-tu faire en sortant d'ici ?

— J'ignore quand je quitterai la clinique, mais je sais que j'aurai alors besoin de temps pour me refaire une vie, une vraie vie. Ne pas me souvenir, entièrement ou partiellement, de certains faits et gestes que j'ai posés, c'est dur. Plus tard, lorsque les choses iront mieux, tu pourras sûrement m'en évoquer quelques-uns.

Léo grimaça. Il espérait ne pas avoir à le faire.

C'est alors que Laura lui parla de Laurette. Au cours des jours précédents, Laura avait communiqué avec cette amie comédienne de longue date, à la retraite depuis quelques années et vivant depuis lors dans sa fermette à Petite-Rivière-Saint-François. Léo écouta attentivement Laura lui faire part de l'historique de son lien d'amitié avec Laurette, mais il ne comprenait pas pourquoi elle lui parlait de cette amie qui lui était inconnue. Ce qui le rendit un peu anxieux.

Laura fit une pause, puis elle lui annonça que Laurette lui avait proposé d'aller habiter chez elle, aussi longtemps qu'elle le souhaiterait.

— J'en ai très envie. J'ai besoin d'un changement de décor. J'ai besoin de voir des volées d'oies blanches, des couchers de soleil sur le fleuve. Puis j'aimerais aussi écrire. Une espèce de thérapie personnelle, tu comprends ?

— Parfaitement ! Et moi, Laura ?

— Je t'écrirai sur du vrai papier, comme tu aimes, puis tu pourras venir me voir. Ce serait bien, non ?

— Oui… Ce serait vraiment bien.

Laura comprit la tristesse que la perspective de son éventuel départ infligeait à Léo qui lui semblait toujours aussi énamouré.

— Léo, nous nous retrouverons peut-être un jour, si tu le veux, lorsque je pourrai t'offrir une relation stable, sans inquiétudes, sans mauvaises surprises, sans problèmes.

— Je le voudrais.

— Je ne fais encore que mes premiers pas dans cette direction. Mettons-y le temps nécessaire.

— Je t'attendrai, Laura.

Laura observa Léo qui, lentement, marchait dans le jardin, en direction de la sortie. Il se retourna, l'aperçut à sa fenêtre, puis il la salua longuement de la main avant de disparaître de son champ de vision.

En s'étendant sur son lit, Laura ferma les yeux, puis elle éprouva un choc. Dans son esprit, des images se succédèrent en accéléré. Elle se souvint.

« J'avais… Je possède une arme à feu. Mon Dieu ! »

***

Prudence regarda son père avec insistance, puis elle se leva.

— Je vous prie de m'excuser. Un petit besoin de la nature m'appelle au bout du corridor. Soyez sages, je reviens…

Emmanuelle sourit.

— Ma petite Prudence ! Elle me fera sourire jusqu'à la fin. Quelle fille nous avons, Antoine !

— Je ne la changerais pour rien au monde. Te souviens-tu de m'avoir dit, la nuit de nos retrouvailles, que nous avions une fille bien spéciale ? Eh bien tu avais raison.

Emmanuelle prit la main de son homme.

— Antoine, que feras-tu de Prudence lorsque… la nature m'appellera, moi aussi, mais beaucoup plus loin qu'au bout du corridor ?

Depuis le premier jour de son hospitalisation, c'était la première fois qu'Emmanuelle faisait référence à sa mort.

— La nature ne veut pas encore de toi, mon amour. Tu guériras…

Emmanuelle ferma les yeux.

— Antoine, que feras-tu de Prudence ? Elle aura, plus que jamais, besoin de toi.

Ébranlé, Antoine se pencha sur elle et l'embrassa sur le front.

— Emmanuelle, quoi qu'il advienne, jamais je n'abandonnerai Prudence. Elle est ma fille. Je l'aime. Je veillerai toujours sur elle.

— J'en étais sûre, mais je voulais te l'entendre dire.

— Emmanuelle, je t'aime et, si tu y consentais, j'aimerais que tu deviennes ma femme. Emmanuelle, veux-tu m'épouser ?

Emmanuelle se mit à pleurer de joie.

— Je t'aime aussi, Antoine, et je deviendrai madame Emmanuelle Filion, avec bonheur. Mais on doit faire vite…

— Demain ?

— Attends, je vais consulter mon agenda, répondit-elle en forçant un sourire puis en caressant le visage d'Antoine.

Prudence, que la nature n'avait appelée qu'à un mètre du seuil de la porte de la chambre de sa mère, et qui avait entendu des bribes de la conversation de ses parents, les retrouva alors qu'ils s'embrassaient.

— Et moi qui avais pris la peine de vous dire d'être sages, lança-t-elle en faisant un clin d'œil à son père.

— Prudence, ton père m'a demandée en mariage, annonça Emmanuelle à sa fille.

— J'espère que tu as refusé, Manu, rétorqua-t-elle en tentant de dissimuler ses larmes dans un éclat de rire.

Prudence embrassa sa mère puis son père.

— Vous êtes les meilleurs parents qui soient. Je ne vous échangerais pour rien au monde, dit-elle en adressant un regard entendu à Antoine.

« La p'tite peste… Elle écoutait aux portes… » pensa-t-il, sans trop savoir s'il devait en rire ou s'en offusquer.

Emmanuelle demanda à Antoine s'il voulait bien les excuser quelques minutes puisque sa fille et elle devaient se parler seule à seule.

— Justement, je dois aller au bout du corridor… moi aussi.

En sortant de la chambre, Antoine adressa un sourire complice à Prudence.

— Viens plus près de moi, Prudence. Tu n'es plus ma petite fille maintenant, tu es ma grande fille. On peut donc parler entre femmes, n'est-ce pas ?

— Oui, maman.

Emmanuelle prit la main de sa fille.

— Je suis très malade, Prudence. À ce stade-ci de la maladie, il y a peu de chances que je sois avec vous encore bien longtemps.

Prudence fit un effort surhumain pour ne pas pleurer devant sa mère. Elle était consciente que cette déclaration d'Emmanuelle lui avait déjà été assez pénible à faire.

— Depuis mon départ de la maison, comment t'entends-tu avec Antoine ?

— Très bien, maman. Tu n'as pas à t'inquiéter.

— Prudence, ton père t'aime énormément tu sais.

— Je sais. Et je l'aime aussi.

— Bien ! Écoute-moi, ma belle Prudence… Lorsque je ne serai plus là, vous aurez besoin de votre soutien réciproque. Vous aurez parfois les nerfs à fleur de peau, mais je ne voudrais pas qu'il y ait de brouilles entre vous pour quelque raison que ce soit. Vous êtes les deux personnes que j'aime le plus au monde et je souhaite ardemment que vous soyez toujours unies. Prudence, Antoine prendra bien soin de toi, je le sais.

— Et moi je prendrai soin de lui, maman.

Bien qu'elle parlât avec son cœur, Prudence eut soudain l'impression de le faire de façon convenue. Elle voulait avant tout rassurer sa mère, dont la requête sema curieusement des doutes dans son esprit. Et si Antoine rencontrait une autre femme ? Et si Antoine retournait vivre au Québec, sans elle ?

28

Le jeudi 27 avril 2000

En moins d'une semaine, Léo avait, à son sens, remporté deux grandes victoires. Il détenait, pour la première fois depuis vingt-cinq ans, un permis de conduire. Le lendemain de son obtention, il avait en plus fait l'acquisition d'une voiture neuve.

Dans ses conversations téléphoniques avec Antoine, Léo n'avait rien mentionné. Tout cela lui semblait finalement banal par rapport à ce que son ami vivait à Paris.

— Léo, j'ai demandé à Emmanuelle de m'épouser.

— Honnêtement, j'étais certain que tu le ferais.

— Pas par pitié ou pour toute autre considération liée à son état de santé plus que précaire…

— Inutile de le préciser, Antoine. J'en suis convaincu.

— Parce que je l'aime, Léo.

— Je sais.

— C'était d'ailleurs mon intention de le faire, avant même que…

— Et Prudence ?

— La p'tite est atterrée, mais elle reste forte… pour sa mère et pour moi. La nuit, je l'entends pleurer dans sa chambre. Ça me brise le cœur.

— Antoine, je peux retourner à Paris si tu veux…

— Merci, Léo, j'apprécie, mais non… Et toi, mon vieux, ça va ?

— Rien à signaler…

***

Pour s'aider à composer avec certains événements de sa vie que son inconscient, probablement stimulé par les médicaments, lui rappelait par flash-back, Laura consultait quotidiennement le Dr Wiseman. Le psy fut notamment réconforté lorsqu'elle lui déclara se souvenir d'avoir déjà possédé une arme à feu.

— De quel type est cette arme, Laura ?

— Ouf ! Un revolver, je crois. Oui, c'est ça, un revolver.

— Que comptiez-vous en faire ?

— Je n'en ai aucune idée. Sûrement pas de m'en servir à mauvais escient, docteur. J'ignore même où il est maintenant.

— Léo l'a trouvé et l'a emporté chez lui.

— Vraiment ? Parfait ! Bon débarras ! Et j'imagine que c'est aussi Léo qui a troué ma porte d'armoire…

— Un accident. Dans quelles circonstances en êtes-vous venue à posséder ce revolver ?

— Je voudrais bien le savoir !

Le Dr Wiseman la rassura en lui signalant qu'elle ne devait pas s'angoisser à cause de cet oubli.

— Même avec le temps, vous ne vous souviendrez pas de tout. Comme on dit, la mémoire est une faculté qui oublie, maladie ou non. Laissez les choses venir d'elles-mêmes. Et tant pis pour celles qui ne viendront pas.

— Vous avez sûrement raison, mais j'ai maintenant peur que des gens me reprochent éventuellement certaines de mes paroles ou des actions dont je ne me souviendrai pas.

— Vous pourrez toujours invoquer la maladie, mais eux, quelles seront leurs excuses pour se montrer aussi désagréables et méchants ?

Laura sourit.

— Vu comme ça !... Attendez ! Incroyable ! Je me souviens maintenant... Le revolver... Je l'ai trouvé en même temps que le *diary* de ma tante... dans son coffre. Il devait appartenir à mon oncle. En tout cas, ce n'est sûrement pas moi qui en ai fait l'acquisition. J'ai horreur des armes à feu. Voilà ! Un autre poids de moins sur ma conscience...

Laura se réjouit d'avoir retrouvé une autre pièce du casse-tête de sa vie. Puis elle profita de cette rencontre pour révéler son projet de départ au Dr Wiseman.

— Si votre amie est psychologiquement stable, de bonne compagnie, fiable, sobre... enfin, vous voyez ce que je veux dire, je n'ai pas d'objection. Au contraire, je pense que le changement d'air pourra vous être bénéfique.

— Aucune inquiétude pour ce qui est de Laurette. Son père était psychologue.

— Je ne suis pas certain que ce soit une bonne référence, commenta le psy en riant.

Laura reprenait confiance en ses moyens. Elle sentait qu'elle pourrait bientôt fonctionner normalement.

— Dr Wiseman, croyez-vous que je suis maintenant prête ?

— À poursuivre votre vie ailleurs que dans ce château aux fenêtres à barreaux ? Qu'en pensez-vous, Laura ?

— J'aimerais d'abord effectuer une autre sortie en ville, un peu plus longue que la première.

— Avez-vous l'intention de profiter de l'occasion pour revoir Léo ?

— Bien sûr ! Il me manque...

— Congé accordé !

***

La sonnerie du téléphone réveilla Prudence. Elle se leva péniblement, enfila le peignoir de ratine provenant de l'hôtel Westminster à Nice, puis, encore somnolente, se présenta dans la cuisine, où Antoine, qui avait peu dormi, préparait le café.

— Qui a l'audace d'appeler à cette heure-ci ?

— Ah, c'était Maude... Croissant et café ?

La voix d'Antoine sonnait faux. Prudence regarda son père qui lui sembla soucieux.

« C'est n'importe quoi ! » pensa-t-elle.

— Papa... La vérité !

Il hésita un instant.

— C'était l'hôpital.

Prudence blêmit.

— Maman...

Antoine tourna le dos à sa fille.

— Pour Emmanuelle, il ne reste plus que les soins palliatifs... Peu de temps...

Prudence se précipita vers sa chambre en pleurant. Antoine crut bon de ne pas la rejoindre. Il pensa qu'elle préférait, tout comme lui, rester seule pour tenter d'absorber le choc de la nouvelle.

Une vingtaine de minutes plus tard, Prudence retrouva son père au séjour. Elle se blottit contre lui.

— J'ai compris, papa. Maman nous quittera vraiment bientôt, n'est-ce pas ?

La gorge serrée, Antoine caressa les cheveux de sa fille.

— Je le crains, ma puce.

— Je ne veux pas qu'elle souffre. Tu me le promets ?

Antoine tenta de maîtriser le tremblement qui sévit au niveau de sa mâchoire.

— Promis ! Les médecins, les infirmières et Joséphine y veillent.

— Qu'allons-nous faire sans elle, papa ?

— Nous ferons ce qu'Emmanuelle voudrait que l'on fasse. Nous n'aurons qu'à penser à elle pour le savoir.

— Tu ne me quitteras pas ?

La question ébranla Antoine.

— Jamais de la vie ! Prudence, fille ou femme, tu seras toujours ma puce, mon trésor le plus précieux. Je resterai toujours près de toi.

— M'adopteras-tu ? Si la vie n'accorde pas le temps à maman de changer son nom pour le tien, moi je veux quand même devenir Prudence Filion.

— Tu le seras, ma fille.

En serrant Prudence dans ses bras, Antoine se rendit compte que la vie l'avait, en quelques mois, transformé, du libre-penseur sans attaches qu'il avait toujours été, en amoureux fidèle et en père consacré au bonheur de sa fille.

***

En fin d'après-midi, alors qu'elle s'apprêtait à commander un taxi à la réception de la clinique, Laura eut la surprise de voir apparaître Léo.

— Mais que fais-tu là ?

— Ben je suis venu te prendre !

— En taxi jusqu'ici, uniquement pour venir me prendre ?

— Non.

— Tu es venu en autobus ?

— Non plus.

— À pied ? demanda finalement Laura en riant.

— Non, madame. Je suis maintenant l'heureux propriétaire d'une automobile neuve, lui annonça fièrement Léo.

— Ha ! Oui ? Félicitations ! De quelle couleur ?

— Quelque part entre le noir et le blanc.

— Laisse-moi deviner... Grise ?

— Ça ressemble à ça !

Léo serra Laura dans ses bras.

— En route ?

— Partons ! Cendrillon a hâte de monter dans ton carrosse.

Léo était ravi de se retrouver en compagnie d'une Laura qui ne donnait aucun signe de trouble mental. Lorsqu'il avait demandé à son ami Lennon comment il devrait agir avec elle, le psy lui avait répondu de se comporter comme il le ferait avec tout autre personne dite « normale ». Pour éviter toute responsabilité dans une éventuelle rechute de Laura, Léo pesait néanmoins ses mots.

— Comment va notre ami à Paris ?

La question embêta Léo, qui n'avait pas eu l'intention de lui parler du malheur d'Antoine, mais il sentit que le mensonge aurait été une inconvenance ou presque.

— Antoine ? Pas très bien depuis qu'Emmanuelle est malade.

— Malade ?

— Oui. Tu peux changer de poste si cette musique t'ennuie.

Laura éteignit la radio.

— Tu peux préciser ?
— Hein ?
— De quelle maladie Emmanuelle souffre-t-elle ?
— Cancer du poumon…
Ce qui était vrai, mais Léo préféra ne pas préciser davantage. Une heure et demie plus tôt, Antoine avait communiqué avec Léo pour lui annoncer que le cancer d'Emmanuelle était maintenant généralisé et qu'on ne pouvait plus rien pour elle.
— Pauvre Antoine ! Je suis prise de remords pour tout le tort que je lui ai causé. Oui, Léo, certains détails en moins, je me souviens maintenant de mon voyage à Paris et de… Véronique.
— Tout ça, Laura, ce n'était pas toi, c'était ta maladie.
— Du pareil au même… pour mes victimes.
— Pas du tout ! Emmanuelle l'a compris et elle t'a pardonné.
— Comment le sais-tu ?
— Antoine me l'a dit.
— Vraiment ? Quelle brave femme ! Je me sens un peu mieux.
Antoine ne lui avait jamais rien dit de tel, mais Léo, dans les circonstances, ne trouva rien d'immoral à son mensonge.

***

Plus tôt ce jour-là, Prudence chercha Joséphine du regard dans le corridor de l'étage où elle et Antoine la rencontraient à heure fixe, lors de chacune de leurs visites de jour. L'infirmière n'y était pas. Pour Prudence, ce fut de mauvais augure.
— Ça va, Prudence ?
— J'ai peur, papa.

Depuis que sa mère était hospitalisée, Prudence n'appelait plus que rarement son père par son prénom.

— Emmanuelle a besoin de nous, Prudence.

— Je sais, mais je crains de ne pas avoir la force de la regarder dans les yeux.

— Regarde-la et dis-lui que tu l'aimes.

Emmanuelle leur apparut comme une morte en sursis. Elle avait peine à parler.

— Prudence... Ce que tu es belle, ma fille...

— Toi aussi, maman.

Je te souhaite beaucoup de bonheur, ma chérie. Antoine, mariage ou non, tu es mon mari et je t'aime.

Larmoyant, Antoine lui glissa au doigt l'alliance qu'il avait achetée pour elle.

Épuisée, Emmanuelle, souriante, ferma les yeux.

Prudence regarda son père.

— Elle a besoin de dormir. Nous reviendrons plus tard, ma puce. Viens !

Père et fille embrassèrent Emmanuelle puis ils se dirigèrent vers la sortie.

***

Léo et Laura étaient attablés à un restaurant provençal de la rue Roy. L'ambiance y était feutrée. Le regard de Laura était limpide. Elle se réjouissait de réintégrer la société sans trop d'angoisse. Elle éprouvait même un sentiment de bien-être réconfortant. Elle posa une main sur l'avant-bras de Léo puis elle lui annonça qu'elle avait finalement décidé d'aller vivre chez son amie Laurette. Elle était convaincue que le dépaysement lui serait bénéfique. Léo approuva sa décision.

Laura refusa de boire du vin.

— Ordre de ton ami Lennon. Mes médicaments et l'alcool ne font pas bon ménage.

— Quand même extraordinaire mon doc excentrique, non ?

— Je comprends maintenant pour quelle raison des patientes tombent amoureuses de leur psy.

Pour plaisanter, Léo fit la moue.

— Tu l'es ?

— Je ne suis quand même pas folle. Léo, c'est toi que j'aime.

— Alors tu es vraiment folle.

Laura rit de bon cœur. Léo en fut touché. Les tristes mascarades maladives de Laura étaient peut-être enfin révolues.

— Sans toi, Léo, je me serais sans doute retrouvée dans le cachot d'une prison ou dans un asile pour le reste de mes jours.

Cette nuit-là, Laura se blottit entre les bras de Léo.

29

Le jeudi 4 mai 2000

À pied, Antoine, Prudence, Maude, Gilbert, Alain, Joséphine et quelques proches suivirent le corbillard à l'intérieur des murs du cimetière du Montparnasse. La Mercedes noire s'arrêta devant la pierre tombale des membres de la famille Portal. Emmanuelle toutefois n'y retrouverait pas le seul homme qu'elle eut officiellement épousé, car dans la semaine qui avait précédé son hospitalisation, elle avait acquis un lot situé tout près de celui des Portal.

Vêtue d'un tailleur noir et portant un chignon classique, Prudence, traits tendus, semblait avoir vieilli de quelques années. Des larmes ruisselaient sur ses joues blanches.

« Pauvre Manu, pauvre maman... » murmura-t-elle en prenant le bras d'Antoine.

Des images hantaient Antoine, dont celle d'Emmanuelle et lui, amoureux, partageant une dernière danse sur l'air de *La Javanaise* lors de cette mémorable soirée des anniversaires. Tout près de là, le compositeur de cette chanson, Serge Gainsbourg, reposait depuis neuf ans déjà.

Prudence n'arrivait pas à concevoir que plus jamais elle ne pourrait discuter, rire et rêver avec sa mère, que plus jamais sa Manu ne serait là pour la border, la consoler, la cajoler. Suivie de son père, elle déposa une rose blanche sur le cercueil de bronze qu'elle avait elle-même choisi. Antoine y déposa une rose rouge.

« Je reviendrai te voir, maman. Veille sur nous. Je t'aime. »

***

— Antoine, j'essaie de te joindre depuis quelques jours. Je t'ai laissé des messages...

— Je sais. Désolé, Léo. Emmanuelle a été inhumée ce matin.

— ...

— Léo ?

— Sacrement !

Antoine n'avait jamais entendu Léo blasphémer.

— On dit... *sacrament* ! Merci, Léo.

— Antoine, mon ami, ça me peine énormément.

— ...

— Et maintenant, que feras-tu ?

— As-tu des suggestions ?

— Et Prudence ?

— Elle fonctionne en pilote automatique.

— Je peux faire quelque chose pour toi ?

— Oui, ressuscite Emmanuelle, répondit-il, d'une voix chevrotante. Je te rappellerai. Prudence vient de sortir de sa chambre.

En peignoir, yeux rougis, teint livide, elle prit place à la table de la salle à dîner.

— À qui parlais-tu, papa ?

— À Léo.

— Tu m'en veux de ne pas avoir voulu aller chez Maude et Gilbert après…

— Quelle idée ! Mais non, ma puce.

Prudence fixa soudain son père d'un regard qu'il lui avait déjà connu et qui l'inquiéta aussitôt.

— Je ne me sens plus très « puce », figure-toi ! Mon univers vient de basculer dans celui très chiant des adultes. Je préférerais d'ailleurs que tu ne m'appelles plus ta puce, trancha-t-elle.

Antoine ne fit rien paraître de sa déception. Il était sûr que Prudence, profondément affligée, n'avait pas voulu le blesser, que c'était une façon à elle de se révolter contre cet « univers chiant » dont la mort des personnes aimées fait partie. Antoine espéra néanmoins que le courroux de Prudence ne s'amplifie pas.

— As-tu faim… Prudence ?

Sa fille se leva puis elle retourna à sa chambre sans lui répondre. Antoine pensa à Emmanuelle.

« Je te demande déjà de m'aider, de l'aider. Je n'arriverai pas à tenir le coup si elle a l'intention de me refaire son manège de la tête forte. »

* * *

En compagnie de Joséphine, restée à l'hôpital après son quart de travail, Antoine et Prudence étaient au chevet d'Emmanuelle lorsqu'elle est décédée dans la soirée du 29 avril 2000.

Les dernières images de sa mère encore vivante, ou presque, hantaient Prudence. La belle femme dynamique qu'elle avait toujours connue était devenue, en peu de temps, la victime d'une insidieuse maladie qui l'avait rendue cadavérique et sans défense. Prudence n'était pas croyante, mais elle se demandait tout de même comment un Dieu dit de bonté aurait pu permettre à cette sale maladie de faire ainsi disparaître sa mère qui n'avait jamais fait de tort à qui que ce soit. Du plus profond de son être, Prudence criait vengeance. La vie était devenue son ennemie. Elle déclarait la guerre au monde entier. Le combat d'une jeune kamikaze sans cause venait de débuter.

***

Léo n'annonça pas la mauvaise nouvelle à Laura lorsqu'elle l'appela de chez elle, en fin d'après-midi.

— Léo, j'ai pris une autre décision. Je vends meubles et immeuble. Si tu as envie de certaines de mes choses, elles sont à toi.

— Mais, Laura, que feras-tu lorsque tu reviendras à Montréal ?

— Léo, j'ignore quand je reviendrai. Lorsque ce jour arrivera, j'achèterai un condo avec un grand balcon et vue sur le fleuve et la montagne. Je le meublerai en neuf. Que du moderne ! Terminé, les vieilleries. Pour toi et moi, Léo, et malgré notre âge, c'est comme l'a écrit Stéphane Venne, « le début d'un temps nouveau ».

— Est-ce que je te verrai avant ton départ ?

— Bien sûr ! Au fait, j'ai donné ton numéro de téléphone à l'agent immobilier, en cas de besoin. Dernière petite chose, j'ai détruit le journal de ma tante. J'apprécierais que tu en fasses autant avec sa lettre et les coupures en ta possession.

Léo prit place devant l'écran de son ordinateur.

« Le jeudi 4 mai 2000. C'est le début d'un roman nouveau. Histoire et titre à suivre. »

30

Le jeudi 11 mai 2000

En raison de ses absences répétées et de ses travaux incomplets, Prudence échouerait sa première année à l'École nationale des beaux-arts, où elle ne voulait plus retourner. Déçu, Antoine ne s'objecta pas à sa décision. Une protestation de sa part n'aurait fait qu'envenimer sa relation déjà tendue avec sa fille.

L'appartement du boulevard Raspail était un capharnaüm. Prudence s'étourdissait en boîte avec des amis. Elle découchait. Antoine buvait seul à la maison ou à *L'Attrait Bistro B'Art*. N'arrivant plus à dialoguer avec lui, Alain crut bon d'alerter Gilbert qui fit de même auprès de Maude.

Ce jeudi-là, Maude invita donc père et fille à dîner, en des termes qui leur firent comprendre qu'un refus de leur part serait mal venu. Maude était la plus avenante et sympathique des femmes, mais lorsque certaines turbulences l'y obligeaient, elle savait remettre les pendules à l'heure de façon non équivoque. Maude imposait un respect qu'Antoine et Prudence lui vouaient d'ailleurs déjà.

Antoine rejoignit Gilbert à l'atelier. Maude entraîna Prudence, qui était sur ses gardes, à la cuisine. La jeune femme n'avait pas du tout envie de se faire sermonner.

— Que préfères-tu, Prudence, rognons ou cassoulet ?

— Cassoulet...

— Alors cassoulet *it shall be*...

Prudence sourit.

— Tu parles anglais, Maude ?

— Après mes études à l'école où j'enseigne maintenant, que tu as fréquentée cette année et où l'on espère ton retour éventuel, j'ai étudié en histoire de l'art et muséologie en Angleterre. University of East Anglia, à Norwich.

Prudence fut ébahie.

Maude prit place à la table près d'elle, attendant qu'une occasion se présente dans la conversation pour exprimer à Prudence, tout en douceur, les propos qu'elle voulait lui tenir.

— Et toi, parles-tu la langue de Shakespeare ?

— Moi ? Bien sûr ! *Parking*, *People*, *News*, Brad Pitt et *All you need is love*, répondit-elle en riant.

Maude n'aurait pu espérer réponse plus adéquate pour élaborer le message qu'elle voulait communiquer à Prudence.

— Les Beatles... J'adore ! Particulièrement cette chanson de John Lennon.

— Moi aussi.

Souriante, Maude tapota l'épaule de Prudence.

— Bien ! *All you need is love*, Prudence. De l'amour, il faut savoir en recevoir et en donner.

La jeune femme crut alors comprendre où Maude voulait l'entraîner.

— Et de l'amour, tu en as reçu et tu en reçois encore beaucoup. Selon toi, qu'est-ce qui a fait la force de ta mère, jusqu'à la toute fin ? L'amour, Prudence. L'amour qu'elle partageait avec toi, avec Antoine, avec ses amis.

Prudence parut piteuse.

— Je sais, mais je suis tellement bouleversée, fâchée, malheureuse…

— Je comprends. Et c'est normal. Tu l'ignores sans doute, mais j'ai aussi perdu ma mère à un jeune âge. Crois-tu que c'est en tournant le dos à Antoine, qui donnerait sa vie pour toi, en te détruisant physiquement et moralement, puis en trompant la confiance que ta mère avait en toi que tu la ramèneras, que tu retrouveras le bonheur ?

— Je ne crois plus au bonheur.

— Mais le bonheur croit encore en toi et il n'attend qu'un peu de bonne volonté de ta part pour te revenir. Prudence, ma petite fille, *all you need is love…*

Prudence regarda Maude, comme une fillette perdue.

— Que dois-je faire ?

— Je pense que tu sais très bien ce que tu dois faire.

Maude fit une pause.

— Et maintenant, est-ce qu'on se le fait, ce cassoulet ?

Prudence se leva et étreignit Maude, en qui elle reconnaissait une deuxième mère, tout comme Emmanuelle l'avait été pour Margaux.

***

Laura avait organisé le transport de ses effets personnels jusqu'à Petite-Rivière-Saint-François. Après le départ de la camionnette, elle fit une dernière fois le tour de la maison qu'elle avait habitée presque toute sa vie. « Jamais plus je n'aurai un cœur bleu », se dit-elle en éteignant la lumière de la cuisine. Elle verrouilla la porte, puis elle monta dans le taxi qui l'attendait. Un dernier regard en direction de sa demeure puis elle indiqua l'adresse de Léo au chauffeur.

Malgré le départ prochain de Laura, Léo n'éprouvait pas de tristesse, plutôt une très grande tendresse. Il savait qu'elle avait fait un bon choix pour elle-même, pour eux.

Léo avait assumé le fait qu'il vivrait désormais seul, loin de Laura et encore plus loin d'Antoine. Seul devant trois écrans : le grand du cinéma; le moyen du téléviseur; et le petit de l'ordinateur. Le grand et le moyen lui permettaient de découvrir des histoires, alors que le petit lui permettait d'en écrire.

Le romancier dilettante n'avait pas l'intention de donner suite au *Lupin des musées*. Il voulait encore créer des personnages mais, cette fois, moins farfelus que son Évariste Maillet. Il commença donc à écrire de nouveau une histoire, sans plan, débutant avec une phrase qui lui vint spontanément à l'esprit.

— « Un dimanche après-midi du mois de mai 1946, mon frère aîné est revenu de l'aut'e bord, comme disait mon père. »

L'arrivée de Laura interrompit son écriture. Il l'embrassa tendrement.

— Ce que tu as l'air bien, Laura.

— Physiquement ou psychologiquement ?

— Les deux !

Puisque Léo avait « oublié » de luncher et que Laura était en appétit, elle prit charge de la cuisine.

— Elle est bonne, ta soupe aux pois...

— Alors remercie monsieur *Habitant*.

Hésitant, Léo regardait Laura en se disant que le moment était probablement venu de ne plus la surprotéger comme si elle eût été une enfant attardée.

— Laura, je dois te dire… Emmanuelle est décédée.

Surprise et visiblement attristée, Laura déposa sa cuillère dans son bol.

— Pauvre femme ! Comment s'en tirent Antoine et Prudence ?

— À ce que j'ai pu comprendre, pas très bien.

— Crois-tu que ?... Est-ce que je pourrais ?...

— Faire quelque chose ? Non !

Léo craignit aussitôt que Laura ne se mette en tête d'aller consoler Antoine à Paris.

— Allô ? À quoi penses-tu, Léo ?

— Hein ? Rien…

Léo se reprocha alors sa mauvaise foi.

***

Rue d'Assas, le dîner était convivial.

On n'évitait pas de parler d'Emmanuelle, mais on ne tombait pas dans le mélo. Maude signala qu'elle avait été une amoureuse de la vie et qu'elle ne serait jamais oubliée.

— Emmanuelle est comme une œuvre d'art que nous admirerons toujours dans le musée de nos plus beaux souvenirs, précisa-t-elle.

Malgré sa grande tristesse, ces paroles commencèrent à réconcilier Prudence avec la vie.

— Puis-je dire quelque chose ? demanda celle qui n'avait pas dit un mot depuis le début du repas.

Le ton doux de sa voix émut Antoine.

— Tu peux dire ce que tu veux, Prudence, nous t'écoutons.

— Ma chère maman est partie et j'en suis très malheureuse. Mais j'ai eu la chance que mon papa Antoine revienne à Paris pour me sauver lorsque j'étais presque rendue dans un autre monde. Et il est encore là... avec moi, pour moi. Papa, je t'aime et je souhaite que nous restions toujours ensemble, toi, moi et Manu. Et tu peux encore m'appeler ta puce...

Silence !

Antoine se tourna pour étreindre sa fille. Maude regarda Gilbert qui vida son verre d'un trait. Mine de rien, Maude se leva en chantonnant... *All you need is love... ta-ta-ta-ta-ta...*

Le dessert servi, Prudence demanda officiellement à Antoine de l'adopter. Il y consentit avec joie. Maude s'empressa alors de leur proposer les services de son avocat qui, s'abstint-elle de le rappeler, avait en vain entamé les procédures afin de légaliser l'union d'Antoine et d'Emmanuelle, le plus tôt possible. Prudence, elle, deviendrait donc une Filion.

***

Léo et Laura se blottissaient l'un contre l'autre sur le sofa en écoutant un vieux disque de Mouloudji.

« Un jour tu verras, on se rencontrera, quelque part n'importe où... »

— Dis-moi, Laura, avons-nous un avenir, toi et moi ?

— Je te l'ai dit, Léo. Je reviendrai un jour. Et si tu veux encore de moi, nous vivrons ensemble ou, du moins, chacun de notre côté, mais ensemble.

— Allons-nous dormir, Laura ?

— Non... Allons nous coucher...

31

Le jeudi 18 mai 2000

Se sentant de plus en plus près de Maude, Prudence lui rendit visite à quelques reprises au cours de la semaine. Ce jour-là, Maude lui proposa de l'accompagner au cimetière du Montparnasse.

— Crois-tu que Manu me voit, Maude ?

La question de Prudence, qui n'avait jamais été une adepte d'ésotérisme, ne la surprit pas pour autant. Elle savait fort bien que la mort d'une personne aimée suscite toujours des questionnements, si étranges soient-ils.

— Te voir, je ne sais pas, mais je suis certaine qu'elle veille sur toi, à sa manière, c'est-à-dire comme les esprits doivent le faire. J'ignore comment tes pensées et tes paroles peuvent se rendre à elle, mais j'ai la conviction qu'elle les entend.

Caressant la pierre tombale sur laquelle le nom d'Emmanuelle n'avait pas encore été gravé, Prudence dit à Maude qu'elle voulait maintenant parler à Bernard, puis à Manu.

Maude sourit et s'éloigna. Prudence se dirigea vers la pierre tombale de la famille Portal.

— Bonjour, papa Bernard. Je te demande de bien accueillir Manu, là où tu t'es retrouvé avant elle. Je ne suis pas inquiète. Tu as toujours été un bon mari et un bon père. Merci pour tout ce que tu as fait pour moi, même si tu savais que je n'étais pas ta fille… de sang.

Prudence retourna « chez » sa mère.

— Maman, j'espère que tu es heureuse où tu es. Je devrai m'absenter pendant un certain temps, mais je penserai quand même à toi très fort. Peu importe où j'irai… enfin, toi tu sais sûrement déjà où, je te parlerai et tu m'entendras. Je t'aime et je t'embrasse très fort.

Antoine était déjà revenu de la galerie lorsque Prudence rentra à l'appartement.

— Salut, papa. Ça va ?

Antoine regarda tendrement sa fille qui avait retrouvé son teint de pêche.

— Oui, ma puce. Cet après-midi, un jeune artiste s'est présenté à la galerie avec des photos de ses œuvres. Je suis peut-être le premier galeriste qui reconnaît le talent de cet éventuel Picasso. Je ne l'ai pas encore dit à Maude, mais avant qu'il n'aille se faire découvrir ailleurs, je lui ai fait signer une entente d'exposant.

Prudence se mit à rire.

— Tu aimes vraiment ton boulot, n'est-ce pas ?

— Ben, oui, je pense… Qui sait ! Ce garçon sera peut-être un artiste célèbre un jour… comme tu le seras peut-être aussi…

— Comme tu dis… Qui sait ! acquiesça-t-elle en faisant un clin d'œil à son père.

Prudence décida alors de profiter de la bonne humeur d'Antoine.

— Bon ! J'ai quelque chose à te dire.

Antoine se demanda s'il était prêt, lui, à entendre ce que son imprévisible fille voulait lui dire.

— Papa, je veux partir.

Antoine inclina la tête, l'air découragé.

— Prudence... Quoi encore ?

— T'inquiète ! Je veux partir avec toi.

— Avec moi ? Mais pour aller où ?

— Où crois-tu ? Chez toi ! Au Québec ! À Montréal ! Nous devions y aller avec Manu. Je pense que c'est maintenant que je dois aller découvrir le pays natal de mon père.

Antoine prévoyait bien sûr d'effectuer tôt ou tard un séjour chez lui avec sa fille, de lui faire visiter sa ville, mais il ne comprenait pas ce qui incitait Prudence à vouloir s'y rendre, de toute évidence, très prochainement. Il n'osa cependant pas trop s'objecter au projet de sa fille.

— Oui, peut-être ! Combien de temps ? Une semaine, deux semaines ?

— Plus ! Je pense plutôt en termes de mois.

— De mois au singulier ou au pluriel ?

— Plutôt au pluriel, genre maintenant, juin, juillet, août...

Ahuri, Antoine ne souriait plus.

— Prudence, tu ne penses pas que tu exagères un peu là ?

— Pas vraiment...

— Mais pourquoi si longtemps ?

— Ben c'est grand le Québec, non ? Montréal, Québec, la Gaspésie, l'Abitibi, Natashquan...

Antoine, malgré lui, pouffa de rire.

— Des mois ! Tu n'y penses pas ! Et où habiterions-nous ?

— Chez tonton Léo bien sûr !

— Non, c'est impossible. Nous y serions trop à l'étroit. Et n'oublie pas que Léo a ses habitudes de vieux garçon. Je ne pourrais quand même pas lui demander de nous héberger durant… des mois.

— Il m'a dit que je serais toujours la bienvenue chez lui…

— Pour dîner peut-être…

Prudence soupira d'impatience.

— Tu te butes à des détails. On y va, oui ou non ?

— Et mon travail à la galerie ?

— Il sera toujours là quand tu reviendras. T'occupe ! J'en ai déjà parlé à Maude.

Antoine se rendit alors à l'évidence que sa fille ne plaisantait pas.

— À Maude ?

— Oui, oui à Maude. Et elle pense que c'est une excellente idée.

— Et l'appartement ?

— Il sera encore sur le boulevard Raspail lorsque nous reviendrons.

— Ouais…

— Papa, tu as tout chambardé dans ta vie pour venir vivre ici avec Manu et moi. Et maintenant tu considères qu'un petit séjour au Québec est une mission impossible ? C'est Paris qui te rend ringard ?

Antoine, encore une fois, se mit à rire.

— Je me demande ce que ta mère dirait de tout ça !

— Elle le sait déjà, elle aussi. Je lui ai rendu visite cet après-midi. Aucune objection de sa part.

Antoine lui sourit tendrement.

— Prudence…

Elle s'élança entre les bras de son père.

— Merci, papa. N'oublie pas d'appeler tonton Léo…

* * *

Laura n'avait pas voulu que Léo l'accompagne au terminus. Elle avait préféré s'y rendre en taxi.

— Continue d'écrire, Léo. Je t'appellerai demain. Tout ira bien, je te le promets, lui avait-elle dit avant de le quitter, très tôt le matin.

Laura l'appela en fin de soirée pour le rassurer.

— L'endroit est magnifique, Léo. De ma chambre, j'ai une vue sur le fleuve. Et mon amie Laurette est toujours aussi charmante. Je ris beaucoup avec elle. Demain, nous irons nous balader.

— Je suis content pour toi, Laura. Au fait, ton agent immobilier m'a déjà appelé. Demain, il fera visiter ta maison à un jeune couple de professionnels. S'il y a vente, tu devras revenir à Montréal pour les signatures d'usage chez le notaire.

— Aucun problème. Un aller et retour, quoi !

— Et ton mobilier ? Tu me laisses toujours carte blanche ?

— Toutes les cartes blanches que tu voudras. Tu en disposeras à ta guise.

* * *

Léo rentrait de sa virée quasi mensuelle à Ahuntsic lorsqu'il reçut l'appel d'Antoine.

— À Montréal ? Avec Prudence ? Quelle bonne nouvelle ! Quand ?

— Si je l'écoutais, nous partirions demain matin, mais ce sera plutôt vers la fin de la semaine prochaine, si je réussis à trouver des places. Depuis que j'ai consenti à sa demande, elle bourdonne constamment autour de moi avec ses livres sur le Québec. « Et ceci et cela, tu connais, papa ? »

— C'est drôle.

Antoine, lui, regrettait d'avoir acquiescé aussi rapidement aux exigences de Prudence. Le voyage initiatique de la fille au pays de son père lui causait quand même un sérieux problème. Il devait trouver un endroit où se loger et il ne pouvait pas se permettre la vie d'hôtel pendant des mois ou, du moins, jusqu'à ce que Mademoiselle Prudence décide de rentrer à Paris. Léo le rassura un peu en lui promettant de tenter de lui dénicher un petit meublé pour la durée de leur séjour à Montréal.

En raccrochant, Léo tenta aussitôt de s'acquitter de sa mission. Alors qu'il feuilletait les pages des petites annonces du journal, l'idée qui lui trottait déjà en tête le fit sourire et l'enthousiasma même.

32

Le jeudi 25 mai 2000

Assis au séjour, Antoine sourit en entendant Prudence rouspéter dans sa chambre.

— Tu as bientôt terminé avec tes bagages, ma puce ? Maude et Gilbert seront là dans cinq minutes…

— Oui, oui… Aller au Québec avec seulement trois bagages, c'est insensé…

— Ce n'est quand même pas une expédition au pôle Nord !

La veille, Prudence avait reçu un courriel de Margaux lui annonçant le décès de sa mère.

Si le paradis des Blancs est le même que celui des Noirs, nos mères veillent ensemble sur nous. Je te souhaite bon voyage au Canada, ma chère petite sœur. Si tu en as l'occasion, viens me voir dans mon île. Je t'attends !

En regardant les billets d'avion avant de les remettre dans son sac, Antoine prit conscience que six mois avaient passé depuis qu'il avait annoncé à Léo qu'il séjournerait à Paris pour la période des Fêtes.

Prudence avait insisté pour qu'Antoine réserve des places en classe affaires.

— Si Manu partait avec nous, ce serait ainsi, avait-elle argué.

Antoine avait abdiqué.

Gilbert déposa Antoine et Prudence au terminal 2A de l'aéroport Charles-de-Gaulle. En descendant du véhicule, Maude entraîna Prudence à l'écart pendant que les deux hommes s'occupaient des bagages, puis elle la serra dans ses bras.

— Donne-moi des nouvelles aussi souvent que tu le pourras, petite.

— Pour ce que tu sais… je ne me crée pas d'attentes. Je suis prête à tout. Je t'enverrai un *mail* dès que nous serons installés là-bas.

Père et fille prirent place dans leurs sièges. Esquissant un sourire fait sur mesure pour les passagers de la classe affaires, l'agente de bord leur offrit aussitôt un mimosa. Antoine accepta. Prudence refusa.

— As-tu joint tonton Léo hier soir ?

— Oui, il nous a trouvé un logement, mais j'ignore où. Il devait partir et il était trop pressé pour me donner plus de détails. Où que ce soit, ne t'attends pas à retrouver ton appartement du boulevard Raspail.

— Ça m'est égal. Il nous prendra à l'aéroport ?

— Léo n'a pas d'auto. Nous nous rendrons chez lui en taxi.

— Ça y est. On bouge…

— Bon vol, ma puce.

Prudence, qui avait peu dormi la nuit précédente, s'assoupit dès que l'appareil atteignit sa vitesse de croisière. Antoine étendit une couverture sur elle puis il contempla les traits angéliques de la jeune femme. Il se réjouissait de retourner à Montréal avec elle… même pour une période indéterminée. Parce que sa fille venait de perdre sa mère, il se sentait dans l'obligation de céder à ses moindres caprices. Prudence avait peut-être ressenti le besoin de s'éloigner de Paris pour mieux vivre son deuil.

L'agente de bord offrit un quotidien montréalais de la veille à Antoine. Il sortit ses lunettes de lecture puis se mit à le feuilleter en commençant par le cahier des sports. En s'éveillant, Prudence s'étira.

— Où sommes-nous rendus ?

— Dans les nuages, sans doute au-dessus de l'Atlantique, à quelque trente-sept mille pieds d'altitude.

Prudence, regardant son père, se mit à rire.

— Mais c'est quoi ça ? Tu portes des lunettes, toi ?

— Ben oui… Des lunettes de lecture.

— Je ne t'ai jamais vu avec ces demi-lunes…

— Probablement parce que tu ne m'as jamais vu lire.

— Tu feras un beau papy…

— Ouais, ben on a l'temps. Ce n'est pas pour demain.

Antoine continua à feuilleter son journal.

— Non, ce n'est pas pour demain.

Antoine plia son journal.

— Six mois… poursuivit Prudence.

— Hein ? Tu veux rester à Montréal six mois ?

Prudence regarda son père puis fit un « Ouf ! »

— Papa, t'énerve pas, je suis enceinte de presque trois mois.

Regardant droit devant lui, Antoine ne réagit pas. Prudence posa une main sur la sienne.

— Tu ne dis rien ?

Il se tourna vers elle.

— Dis-moi que ce n'est pas vrai…

— Papa, je suis certaine que je donnerai naissance à une petite fille en novembre prochain. Je l'appellerai Emmanuelle. Emmanuelle Filion…

Estomaqué, Antoine n'en finissait plus de hocher la tête.

— Mais Prudence, tu n'es toi-même qu'une enfant. Tu es beaucoup trop jeune pour devenir mère. Nous retournerons à Paris la semaine prochaine.

— Non, papa. Je veux que ma petite Manu naisse à Montréal. Ta petite-fille sera Canadienne et Française.

Antoine appela l'agente de bord.

— Puis-je avoir une bière… et un verre de lait pour ma fille, je vous prie.

Regardant l'hôtesse qui reconnut un certain trouble chez le passager, Prudence lui sourit puis acquiesça d'un signe de tête.

— Mais qu'allons-nous faire, Prudence ? Cette situation est inconcevable. Tu es encore étudiante. Tu veux gâcher ta vie ?

— Ma mère n'a pas gâché la sienne en me mettant au monde.

Antoine haussa un peu le ton.

— Réplique prévisible et trop facile. Ta mère n'était pas âgée d'à peine dix-neuf ans.

— Relaxe, Antoine. Nous prendrons les choses comme elles viendront, une à la fois.

Antoine soupira longuement.

— Ma pauvre fille, tu es vraiment inconsciente.

— Eh oui, comme Emmanuelle qui est un jour tombée amoureuse d'un Québécois de passage à Paris.

Le visage d'Antoine s'empourpra.

— Arrête ! Assez ! L'as-tu fait exprès uniquement pour imiter ta mère ? Et tu crois peut-être qu'Emmanuelle serait fière de toi ?

Prudence conserva son calme.

— Papa, je n'ai pas voulu faire comme Manu. Bien au contraire. C'est arrivé, c'est tout. Je pense que maman serait aussi déçue que toi, mais qu'elle comprendrait ma décision de garder mon enfant. Mais toi, papa, vas-tu me renier maintenant ?

Énervé, Antoine, transpirant, porta une main à son front.

— Prudence, tu sais bien que non. Tu es ma fille et je t'aime, mais c'est normal que je sois perturbé, déçu, inquiet, tu ne penses pas ?

L'agente servit une bière à Antoine et un verre de lait à Prudence. Quelques secondes plus tard, Prudence reprit le fil de leur discussion.

— Ça m'étonne que tu ne m'aies pas encore demandé qui est le père.

— Est-ce vraiment nécessaire ? Ça me semble assez évident, affirma Antoine, qui n'aimait pas du tout le garçon que sa fille fréquentait depuis… il ignorait combien de temps.

— Ne me dis pas que tu crois que c'est Julien ! lança Prudence, amusée.

— Ben…

— Mais non ! Julien est tout simplement un copain que je vois occasionnellement et depuis seulement deux mois. Alors…

La révélation qu'Antoine attendait ne venait toujours pas.

— Bon, on fait quoi là ? Je suis concurrent à un quiz du genre *Qui est le papa ?*

— Tu ne le connais pas. Donc, lancer son nom comme ça, comme un magicien sort un lapin de son chapeau, ça ferait quand même un peu trivial, avoue. Permets-moi de premièrement t'informer des faits.

D'un geste vague, Antoine lui signifia qu'il était prêt à l'écouter.

— Mais dois-je d'abord m'assurer que notre gentille hôtesse s'y connaît en réanimation cardiaque ?

Prudence souffla.

— Ne sois pas si négatif. Mon histoire n'en est quand même pas une d'horreur. C'est une histoire d'amour.

Prudence inspira profondément, puis posa la main sur le bras de son père.

— Tu te souviens du jour où tu es revenu à Paris et que nous nous sommes retrouvés devant la porte de Camille Claudel ?

— Comment pourrais-je l'oublier ! Tu m'as alors dit que ma fille ne serait plus jamais dans la tourmente.

— Oui, mais tourmente il y a eu, n'est-ce pas ? Bref, ce soir-là, voulant vous laisser seuls à la maison, Manu et toi, je suis allée dormir chez mon amie Esther…

— Ce soir-là et le vendredi et le samedi…

Comme si elle n'avait pas entendu Antoine, Prudence enchaîna.

— Esther avait invité quelques-uns de ses amis à dîner. C'est là que je l'ai rencontré. Esther ne m'avait même jamais parlé de lui.

Antoine, agité, but une gorgée de bière.

— Peux-tu au moins me dire son prénom, question de faciliter ta narration et ma compréhension de ton récit ?

— Marc-André.

— Quel âge a-t-il ?

— Vingt-cinq ans… Presque vingt-cinq ans.

Se souvenant alors du sourire narquois d'Emmanuelle lorsqu'il s'était énervé parce que Prudence fréquentait un garçon de quatre ans son aîné, Antoine se dit qu'elle devait quand même, dans le cas présent, se marrer.

— Que fait-il dans la vie ?

— Tu m'écoutes ou tu m'interroges ?

— Désolé ! Je t'écoute.

— Alors tu devras patienter cinq minutes. Je m'absente.

Antoine regarda Prudence se diriger vers les toilettes, un minuscule toutou suspendu à une ganse de son jean.

— Calvaire ! C'est pas possible. Une p'tite fille ! Ma puce enceinte ! Adieu l'heureux temps de ses sautes d'humeur prémenstruelles. Que fera-t-elle avec un bébé ? Elle ne sait même pas changer une couche. On est dans la merde…

Souriante, Prudence réintégra bientôt sa place.

Et elle sourit en plus !

— Tu vas bien, Prudence ?

— Bien sûr ! Je continue ?

— Oui… Avant, une simple question. As-tu consulté un médecin ?

— Évidemment ! Un très bon médecin qui était un jeune ami de Bernard. Il a même communiqué avec un confrère français établi à Montréal qui s'occupera de moi. Via Internet, je me suis aussi inscrite à un cours prénatal que je suivrai là-bas. Je ne suis pas une future mère irresponsable, tu sais !

— Ha. Mais non, mais non… Je n'en doute pas.

Prudence était néanmoins consciente qu'elle venait d'étonner son père.

— Marc-André... Il m'intriguait. Jeune homme sérieux, mais à la fois plaisant. Mystérieux, mais pas du genre ténébreux. Avenant, mais pas dragueur. Puis son accent me l'a rendu encore plus sympathique.

Antoine sourcilla.

— Il n'est pas Français ?

— Non, mais francophone. Il est Québécois.

Antoine se tortilla sur son siège.

— Quoi ?

— Ne dis pas un mot de plus, Antoine. Je lis dans tes pensées. Encore une fois, non. Ce n'était pas, comme tu le crois, avec l'intention d'« imiter » Manu. Bref, sentant que je pourrais aisément tomber amoureuse de Marc-André, j'ai ce soir-là même conclu que je devais renoncer à le revoir. Pourquoi ? Justement parce que je n'avais pas du tout envie d'expérimenter ce que Manu a dû vivre loin de toi, après ton retour à Montréal. Mais l'attrait que Marc-André exerçait sur moi fut plus fort que tout. Le lendemain, j'ai accepté une première invitation à l'accompagner au cinéma. Ce soir-là, nous avons beaucoup parlé. J'étais curieuse. Je l'ai questionné. Et j'ai bientôt reconnu que nous étions, malgré notre commune réticence à nous engager, amoureux l'un de l'autre. C'était plus qu'un coup de foudre...

— C'est lui que tu veux fuir en quittant Paris ?

— Marc-André est retourné chez lui la veille du décès de Manu.

— Alors c'est lui que tu veux retrouver à Montréal...

— Papa, tu voulais connaître son prénom, alors remplace ton « lui » par son prénom, s'il te plaît. Marc-André n'est pas un aventurier, un vaurien.

— Excuse-moi !

— Pour répondre à ta question, je le reverrai si je juge à propos de le faire. Il ignore que je suis enceinte. Je n'ai pas voulu lui dire parce que je savais qu'il devait partir. J'ai cru que ma grossesse pourrait nuire à ses ambitions, à ses projets, à sa vie. Je ne veux présumer de rien et je n'ai pas l'intention de l'obliger à quoi que ce soit. C'est quand même bizarre... Manu a gardé son secret parce que tu te cherchais encore, alors que moi, j'ai, à ce jour, gardé le mien parce que Marc-André, lui, s'est trouvé, sur le plan professionnel du moins.

Antoine apprit alors que ce Marc-André, diplômé en administration, travaillait pour son père dans le domaine de l'imprimerie et qu'il avait fait un stage à Paris parce que son père avait des ambitions internationales pour son entreprise familiale. Ce qui, au sens d'Antoine, ne justifiait pas la décision de Prudence de ne pas annoncer à ce garçon qu'elle était enceinte de lui.

— Il t'aime ou il ne t'aime pas ?

— À Montréal, Marc-André fréquentait déjà une fille de famille fortunée dont le père fait commerce avec le sien, si tu vois ce que je veux dire...

— Il doit l'épouser ?

— Si j'ai bien compris, c'est bien sûr ce que ses parents et ceux de cette fille souhaiteraient. Tu vois, sa vie est réglée au quart de tour.

— Ouais... Peut-être plus par son père que par lui-même.

Prudence tourna la tête vers le hublot.

— Il aime son travail.

— Et cette fille, qui semble faire partie de « son » plan de carrière, il a l'intention de l'épouser ?

Prudence détourna la tête, puis elle regarda Antoine, l'air résolu.

— C'est bien ce que je découvrirai au cours des prochaines semaines ou des prochains mois.

L'aplomb de Prudence étonna Antoine qui voyait encore en elle cette insouciante et rêveuse jeune fille qui s'était, à l'île Saint-Louis, délectée d'une glace de chez Berthillon. Il comprit alors que les dernières révoltes de Prudence n'avaient peut-être pas été causées uniquement par le décès d'Emmanuelle.

— Mais avant son départ de Paris, Marc-André t'a-t-il promis mer et monde ?

— Ni mer, ni monde. Il m'a tout simplement dit qu'il devait régulariser la situation par rapport à sa relation avec cette fille et qu'il resterait en contact avec moi.

— Il sait que tu viens à Montréal ?

— Nous échangeons des courriels, mais ça, je ne lui ai pas dit non plus. Je vais continuer à lui écrire jusqu'à ce que je sois fixée au sujet de ses intentions.

Si Prudence apprenait que Marc-André avait décidé d'épouser la Montréalaise, elle avait déjà planifié de néanmoins donner naissance à son enfant et de retourner à Paris par la suite, sans en faire part à Marc-André.

Prudence ferma les yeux, puis elle s'endormit bientôt.

Le futur grand-père prit conscience qu'il ne pourrait plus jamais dire à Léo, même à la blague, qu'il n'avait pas encore commencé à vieillir.

Rêvant, Prudence commença à marmonner. L'agente de bord s'approcha.

— Excusez-moi, la petite a un malaise ?

— Non, la « petite » va très bien, merci.

***

Poussant leur chariot, Antoine fut surpris d'apercevoir Léo dans la salle des arrivées de l'aéroport de Mirabel.

— Prudence, regarde qui est là...

La « petite » s'élança aussitôt en direction de son tonton pour lui faire la bise.

— Bienvenue à Montréal, ma belle Prudence.

Léo ne lui offrit pas aussitôt ses condoléances. Ce n'était pas, jugeait-il, le moment opportun pour le faire,

— Mais je ne m'attendais pas à te voir ici, lui dit Antoine en rejoignant sa fille.

— Je sais. Mais je n'ai jamais eu l'occasion de t'annoncer que je suis redevenu automobiliste.

— Sans blague ! Ben bravo !

Les deux amis se firent l'accolade.

***

— C'est le périf ici ? demanda Prudence qui avait pris place sur la banquette arrière.

— Pour nous, c'est plutôt l'autoroute des Laurentides, répondit Léo, amusé.

— Les Laurentides... Oui, je connais. Ce sont vos Alpes à vous, n'est-ce pas ?

— En beaucoup plus petit, ma puce. Alors, Léo, où allons-nous crécher demain ?

— Tu n'as pas à t'inquiéter.

— Bon, si tu le dis.

Léo s'engagea bientôt sur la bretelle de la sortie Henri-Bourassa.

— Mais où vas-tu comme ça ? Je croyais qu'on allait chez toi ce soir.

— Tu as bien cru. Nous allons effectivement chez moi. Dis donc, Prudence, ton père pose toujours autant de questions ?

— Toujours ! répondit-elle en empruntant un ton désespéré.

Plus Léo approchait de sa destination, plus Antoine souriait.

— Je le savais ! dit-il lorsque Léo se gara rue Marquette. Tu étais impatient de jouer le guide touristique de Prudence, pas vrai ?

— Ho ! Vous parlez de quoi au juste ? Nous sommes où ici ?

Antoine se tourna vers sa fille, souriant et ému.

— Tu voulais voir où j'habitais lorsque j'étais enfant, ben nous y sommes. La première maison de l'autre côté de la rue... C'était là, au rez-de-chaussée. Et juste ici, sur ta gauche, Léo habitait à l'étage de cette maison.

— C'est vrai, tonton ?

— Partiellement...

Antoine se tourna vivement vers Léo.

— Comment, partiellement ?

— Oui, j'ai habité là où tu dis, mais je dois préciser que j'y habite de nouveau, depuis hier.

Antoine sursauta.

— Pardon ?

— Oui, Antoine, j'ai acheté la maison, comme tu l'avais prédit, il y a déjà plusieurs années.

— C'est pas vrai !

Prudence, fatiguée, impatiente, réagit.

— Puisque tonton te le dit, oui, c'est vrai, Antoine ! Alors, on descend maintenant ?

Souriants, les deux hommes se regardèrent. Ils partageaient à peu près les mêmes pensées. La fille d'Antoine descendit dans la rue dont ils avaient connu les tout débuts, où ils avaient appris à faire du vélo, où ils avaient fait leur *Guerre des tuques*, où ils étaient devenus adolescents.

Léo ouvrit le coffre de sa voiture. Ému, Antoine regarda de l'autre côté de la rue, puis il aida Léo à en retirer les bagages.

Suivi d'Antoine et de Prudence, Léo déverrouilla la porte d'entrée de sa maison, vieille de quarante-sept ans.

— Tu habites au rez-de-chaussée, Léo ?

— Non, à l'étage, comme à l'époque.

Léo ouvrit la porte du logement du rez-de-chaussée.

— Vous êtes ici chez vous, aussi longtemps que vous le désirerez.

— Mais ce logement est occupé, non ? demanda Antoine en apercevant des meubles dans le petit hall.

— Non. Je t'expliquerai.

— Chouette ! De beaux vieux meubles, dit Prudence.

Pour Antoine, la configuration du logement était familière puisqu'elle était la même que celle du lieu où il avait grandi. Les deux voyageurs y déposèrent leurs bagages, puis ils suivirent Léo à l'étage, où Antoine reconnut le mobilier de son ami.

— J'imagine que vous devez avoir faim…

— Pour ça, oui, s'empressa d'acquiescer Prudence, qui ne pouvait pas deviner ce que représentait ce moment pour Antoine et Léo.

— Parfait ! Antoine, initions Prudence au poulet Saint-Hubert.

La jeune Parisienne écarquilla les yeux.

— Hein ? Du poulet d'un saint ?

Fatigue et émotions aidant, les deux amis furent pris d'un fou rire.

Prudence dormait au rez-de-chaussée dans une chambre identique à celle qui, de l'autre côté de la rue, avait été celle d'Antoine, enfant et adolescent. Les deux amis causaient dans la cuisine de Léo à l'étage.

— Je pense que nous avons beaucoup de choses à nous dire, mon vieux Léo.

— C'est clair ! Pour ce qui est de cette maison, je ne te dirai par contre pas toute la gymnastique que j'ai eu à faire pour l'acquérir et y emménager en une semaine. Mais c'est grâce à toi, à ton appel pour m'annoncer que tu venais à Montréal avec Prudence que le miracle s'est produit.

Antoine semblait médusé.

— Tu ne me diras quand même pas que tu as acheté cette maison tout simplement pour nous accueillir ?

— Non, mais disons que ce fut un incitatif. Jeudi dernier, je venais de rentrer chez moi lorsque j'ai reçu ton appel. Dans l'avant-midi, lors de l'une de mes fréquentes balades à Ahuntsic, j'ai découvert que cette maison était à vendre. Curieux, rêveur incorrigible – tu me connais –, j'ai alors appelé l'agent immobilier. Le propriétaire, qui vivait au rez-de-chaussée, et sa mère, qui habitait à l'étage, avaient déjà quitté la maison. Mon offre a été acceptée, puis voilà.

— Et l'ex-propriétaire t'a aussi vendu ses meubles ?

— Non, la maison était vide et très propre lorsque j'en ai pris possession. Je n'ai même pas eu à faire repeindre les deux logements. Comment dit-on ? Clé en main ?

Antoine sourit.

— Léo, les meubles ?

— Ha ! Oui... Ne le dis pas à Prudence, mais votre mobilier est une gracieuseté de Laura. Elle a vendu sa maison. Elle vit maintenant chez l'une de ses amies dans Charlevoix. Elle est même revenue à Montréal pour m'aider à emménager ici.

Léo raconta alors à Antoine ce qu'il ignorait au sujet de sa relation souvent houleuse avec Laura.

— Quelle histoire ! J'expliquerai éventuellement à Prudence.

— Antoine, le décès d'Emmanuelle m'attriste profondément.

— Léo, j'ai été très heureux de la retrouver, de finalement former un couple avec elle, mais ce fut trop tard, de trop courte durée. J'ai vraiment toujours aimé cette femme.

— Il te reste quand même une fille.

— Oui, une fille et une petite-fille ou un petit-fils à venir. Léo, Prudence est enceinte.

Léo resta muet.

— J'ai eu la même réaction que toi lorsque je l'ai appris, il y a quelques heures.

— On ne peut pas dire que tu exultes...

— Ça viendra sans doute, mais pour l'instant... Je ne veux pas que Prudence souffre... moralement, affectivement...

Antoine révéla à Léo ce que Prudence lui avait appris au sujet de sa relation avec Marc-André.

— Ne désespère pas, Antoine. Prudence est une jeune femme intelligente et, si je peux en juger par ses décisions et ses démarches, elle sait très bien ce qu'elle fait et ce qu'elle veut. Tu ne peux que respecter ses choix, être à son écoute et l'aider. Et son Marc-André... Sait-on jamais !

— Je veux tout simplement qu'elle soit heureuse.

Souriant, Léo regarda Antoine en hochant la tête.

— Ouf ! Qui aurait cru qu'un jour, toi et moi, dans la cuisine de ce logement où j'ai grandi, nous parlerions de ta fille et du bébé qui est dans son ventre ?

Dépassé par les événements, Antoine, les yeux rougis, but une dernière gorgée de rouge.

33

Le jeudi 1er juin 2000

Depuis son arrivée à Montréal, Prudence n'avait plus parlé de sa grossesse ni de Marc-André. Voulant éviter d'agacer sa fille, Antoine n'avait pas davantage abordé ces sujets.

Joyeuse, Prudence se levait tôt et, à leur grand amusement, pressait ses deux guides afin de poursuivre sa découverte de la ville. Elle voulait tout visiter, tout voir. Les lieux auxquels Antoine et Léo se sentaient personnellement liés suscitaient particulièrement son intérêt. Après avoir eut droit, dès son premier matin à Montréal, à une petite balade sur le chemin des écoliers de son père et de son tonton, elle avait demandé à voir l'ancienne École des beaux-arts que son père avait fréquentée avec Monsieur Bébert. « C'était donc là… » avait-elle tout simplement dit, souriante. Antoine, qui avait craint qu'elle n'évoque le nom Choco Latcho, s'était empressé de lui désigner les fenêtres de ce qui avait été sa salle de cours de dessin. Rue Sherbrooke, Léo s'était par la suite dirigé vers le local vide de *L'Attrait*.

— Qu'est-ce que c'est ?

— C'était le bar tenu par Alain. Ton père et moi y avions nos rendez-vous hebdomadaires.

— Pourquoi ?

— Pour rien. Pour tout. Pour nous retrouver. Pour nous rappeler nos souvenirs de jeunesse. Pour ne pas tenter de refaire le monde, mais de tout simplement essayer de le comprendre.

Et c'est même dans ce petit local qu'Antoine m'a, un soir de décembre dernier, révélé ton existence. Tu ne pouvais pas le savoir, mais nous avons alors trinqué à ta santé.

— Et c'est ce soir-là que Léo, ému, est devenu le tonton de ma puce.

Prudence avait regardé la façade de ce local désaffecté dans un état de quasi-contemplation. C'était quand même là que son père avait, pour la toute première fois, parlé d'elle à Léo.

***

Antoine mangeait ses toasts au beurre de pinottes.

— Déjà habillée, Prudence ?

— Oui, j'ai rendez-vous chez le gynéco à 9 heures 30.

— Tu ne me l'avais pas dit. Je m'habille et je t'accompagne.

— Pas la peine, c'est près d'ici, boulevard Gouin. Je prendrai l'autobus.

Antoine parut catastrophé.

— Seule, dans une ville qui t'est étrangère, dans ton état ?

Prudence se mit à rire.

— Pauvre papa ! Je suis en parfaite santé et je suis très capable de me déplacer seule. Si ça peut te rassurer, tu pourras me joindre sur mon portable.

— Je préfère, oui… Assieds-toi, je t'apporte ton petit déjeuner.

— Et qu'est-ce qui te fait sourire maintenant ? lui demanda-t-elle.

Antoine lui servit un café et des brioches.

— Ça me fait tout drôle d'entendre ma fille, la petite Parigote du boulevard Raspail, me dire qu'elle doit se rendre près d'ici, sur le boulevard Gouin, comme si elle connaissait, comme si elle avait toujours habité ici.

— Je m'adapte rapidement.

— Et ça m'amuse aussi de t'entendre prononcer des noms de rues que je connais depuis mon enfance. Boulevard *Goueeen*…

— Je sais, c'est maintenant moi l'étrangère au drôle d'accent. Bon, trêve de plaisanteries, j'ai à te parler.

Le sourire d'Antoine tomba.

— Quelque chose ne va pas ?

— Papa, pourquoi dois-tu croire que quelque chose ne va pas chaque fois que j'ai à te parler ?

— Euh ! Ça ne fait pas partie de mon rôle de père ?

Prudence fit signe à Antoine de s'asseoir.

— C'est au sujet de Marc-André. Je lui ai parlé. Il sait maintenant que je suis à Montréal.

— Et il sait aussi pour ?…

— Non. Il ignore encore que je suis enceinte. Il a rompu avec, comme vous dites, sa « blonde ». Papa, je partirai la semaine prochaine. Je serai absente environ une semaine.

Antoine se leva d'un bond.

— Et pour aller où ?

— En Guadeloupe. Je rendrai visite à Margaux.

— Et tu partiras seule, comme ça, en avion ?

Prudence porta les mains à ses joues en riant.

— Ah, là, là ! L'avion, papa, ce n'est finalement qu'un autobus avec des ailes tu sais. Et, oui, je t'appellerai ou je t'enverrai des *mails* tous les jours, cher père poule. Y'a pas de soucis, Marc-André m'accompagnera. Il voulait me rencontrer, me parler de… nous. J'ai alors eu l'idée de lui proposer ce petit séjour et il a accepté. Il s'occupe de tout. À mon retour, je serai fixée au sujet de mon avenir, avec ou sans lui.

Antoine se rassit et prit la main de Prudence.

— Ma puce, tu me rendras totalement dingue…

Malgré les attentions parfois malhabiles de son père, Prudence, consciente de ses bonnes intentions, lui sourit tendrement.

— Et toi, tu me rends heureuse.

À sa première sortie seule à Montréal, Prudence ne s'égara pas. En attente des résultats de son test sanguin, son nouveau médecin lui confirma provisoirement son bon état de santé général. Au cours de l'après-midi, ses deux ombres et elle visitèrent l'exposition *De Renoir à Picasso : les chefs-d'œuvre du Musée de l'Orangerie* présentée au Musée des beaux-arts.

Ce soir-là, Prudence demanda à Antoine de lui accorder quelques minutes pour s'entretenir avec Léo avant le dîner. Elle se rendit à l'étage.

— Que fait Antoine ? Le dîner sera bientôt prêt.

— Il suivra... Tonton, Antoine t'a tout raconté n'est-ce pas ?

Léo tapota les épaules de sa « nièce », puis il l'invita à prendre place dans la berçante de sa mère qui avait retrouvé sa place originale dans la cuisine de la rue Marquette.

— Ça t'ennuie, Prudence ?

— Au contraire ! Rien de plus normal. Tu es son plus grand ami et confident et, pour moi, tu es l'oncle que je n'ai jamais eu. Antoine t'a aussi dit que je m'en vais en Guadeloupe ?

— Avec Marc-André, oui.

Prudence adressa un regard interrogateur à Léo.

— Je pense que c'est bien. Tu dois faire le point. Quoi qu'il advienne, tu dois te préparer à mettre ton enfant au monde, l'esprit tranquille.

L'approbation de Léo réjouit Prudence.

— Tonton, je suis consciente que je n'ai pas toujours rendu la vie facile à Antoine et je comprends parfaitement bien qu'il puisse s'inquiéter à mon sujet. J'ai par contre acquis de la maturité depuis le décès de ma mère. Je ne suis plus une adolescente frivole et rebelle. Je suis une mère en devenir et heureuse de l'être. J'ai maintenant une autre vision de ma vie. Durant mon absence, tonton, j'aimerais que tu veilles sur papa, que tu le rassures.

— C'est chose faite, Prudence. Tu peux partir en paix.

Prudence et Léo entendirent bientôt la voix d'Antoine.

— On peut entrer ou est-ce encore le huis clos ici ?

Comme tous les soirs, le dîner, ponctué d'anecdotes à l'intention de Prudence, se déroula dans la bonne humeur.

34

Le jeudi 8 juin 2000

Depuis le départ de Prudence pour la Guadeloupe, Antoine et Léo se retrouvaient tous les soirs au sous-sol, où Léo avait aménagé son bureau et sa bibliothèque. Il y avait aussi installé la table à dessin d'Antoine qu'il avait récupérée lorsque son ami était retourné vivre à Paris. Les propriétaires précédents y avaient conservé le bar datant des années 1950. Dans cette même pièce que le propriétaire original appelait son *play-room* le père de Léo se joignait parfois à ce dernier, pianiste amateur de talent, pour faire de la musique.

Antoine, qui n'avait jamais partagé la nostalgie de Léo, éprouvait néanmoins des émotions inhabituelles depuis son retour sur la rue Marquette, dans le quartier où il avait grandi. Émotions que la présence de Prudence exacerbait. Pour lui, le passé et le présent se confondaient maintenant de façon quasi onirique.

Léo rejoignit Antoine au sous-sol. Il le surprit, assis à sa table de travail, penché sur un document, en train de se bidonner.

— Et qu'est-ce qui t'amuse tant ?

— Toi ! Je ne te savais pas aussi fou… dans le bon sens du terme. C'est vraiment génial.

— Mais de quoi parles-tu ?

— De ton roman à la con… dans le bon sens du terme toujours. Ton Évariste Maillet…

Léo parut stupéfait.

— Et tu trouves ça drôle ?

Le doute de Léo confondit Antoine.

— Tu as écrit ce petit chef-d'œuvre d'humour absurde et tu ne te rends même pas compte à quel point c'est hilarant ?

— Je me suis tout simplement amusé à donner des prétentions d'enquêteur à ce postillon qui ne saurait pas faire la différence entre une lime à ongles et une arme de destruction massive. Cette histoire est invraisemblable.

— C'est précisément ce qui est pissant. Tu dois faire publier ce truc-là !

— Jamais de la vie ! J'ai quand même encore d'autres ambitions littéraires.

— Du genre roman intello qui n'aboutit jamais ?

— Plutôt du genre roman qui raconte une histoire.

— C'est déjà ça de gagné, mais je t'assure que ton Évariste ferait un carton.

— Un « carton »… Je reconnais bien là mon francophile, trancha Léo en allumant son ordinateur.

Antoine lui céda sa place et se dirigea vers le bar.

— Antoine, un courriel de Prudence…

— Enfin ! s'exclama-t-il en revenant sur ses pas.

Léo se leva puis il se dirigea à son tour vers le bar.

Mon très cher papa Antoine,

Désolée de ne pas t'avoir écrit plus tôt. Nous avons fait bon vol et je me sens très bien. Tu n'as pas à t'inquiéter. TOUT VA TRÈS BIEN!!! Vu?

Margaux et moi étions folles de joie de nous retrouver. Nous avons fait des projets dont je te parlerai à mon retour. Elle t'embrasse.

Bon, ne t'impatiente pas. J'y arrive. Oui, Marc-André...

Papa, je te jure qu'il est adorable. Il a bien sûr été surpris lorsque je lui ai finalement annoncé la grande nouvelle, mais, je dois préciser... AGRÉABLEMENT surpris. Ta puce, cher papa, est très heureuse. Ta petite-fille (oui, oui, ce sera une fille) aura un père aussi extraordinaire que le mien et un papy qui la bichonnera, j'en suis convaincue.

Plus de détails à mon retour.

Je t'embrasse...

Prudence (ta fille heureuse qui t'aime).

Bisous à tonton Léo.

P.S.: Écris-moi!!!

Léo paniqua en apercevant son ami larmoyer.

— Antoine, que se passe-t-il? La petite...

Le père rassuré et touché s'empressa d'éponger ses larmes du revers de la main, puis il sourit.

— Tout va, mon bon Léo. Tout va très bien. Tout semble indiquer que j'aurai un gendre... ou quelque chose du genre.

— Quelle bonne nouvelle! Prudence doit être aux anges...

— Je dirais même aux archanges. Mais bon, j'ai quand même hâte d'en apprendre davantage.

Antoine retrouva Léo au bar.

— Tout ça est tellement extraordinaire…

— Je sais. C'est irréel. Léo, je ne comprends plus très bien ce qui m'arrive.

— Ce qui t'arrive ? Antoine, tu es tout simplement ravi, heureux… Voilà ce qui t'arrive… mon vieux.

— Je ne sais pas, Léo. J'ignore de quoi est fait et comment fonctionne le bonheur. Je m'en méfie.

— Arrête ! Peux-tu, une fois dans ta vie, sans poudre blanche dans les narines pour te *booster,* te dire que oui, tu es heureux ?

— Et toi, mon ami, l'es-tu ?

— Avec toi et Prudence ici, sous mon toit, oui je le suis. Vous êtes ma famille.

— Tu vois, le bonheur est éphémère. C'est la raison pour laquelle je m'en méfie. Prudence et moi, nous repartirons, Léo.

— Je sais…

35

Le jeudi 15 juin 2000

Le chauffeur de la Mercedes n'eut pas le temps de descendre pour aller ouvrir la portière à sa passagère que Prudence avait déjà bondi sur le trottoir. Elle accourut vers Antoine qui s'était précipité à sa rencontre dès qu'il avait aperçu, de la fenêtre du salon, la luxueuse automobile noire s'immobiliser devant la maison de Léo.

— Papa, papa… Me revoici ! s'écria-t-elle en s'élançant entre ses bras.

— Ma p'tite fille…

Souriant, le chauffeur la suivit avec ses minces bagages. Prudence lui demanda de les déposer là, près d'elle, puis elle le remercia en lui tendant la main.

— Marc-André n'est pas avec toi ?

— Il voulait rencontrer son père dès notre arrivée.

Teint hâlé, Prudence était resplendissante. Son sourire des beaux jours ne la quittait plus.

— Tonton est chez lui ?

— Il fait des courses. En l'honneur de ton retour parmi nous, il a décidé de nous concocter une paella pour le dîner.

— Chouette ! Cher tonton…

Prudence déposa ses sacs dans sa chambre, puis Antoine l'invita à le suivre au salon. Amusée et poseuse, elle prit place sur le récamier de Laura.

— Ho ! Monsieur est cérémonieux avec dame Prudence. On croirait qu'il lui tarde d'apprendre les développements dans la vie tumultueuse de sa fille adorée…

— *You bet !* Mais Monsieur prendra d'abord le temps de servir un cocktail de jus à dame Prudence.

Revenant au salon, Antoine trouva Prudence assise bien droite, pensive. Il lui tendit un verre de jus.

— Papa, peut-on être heureuse et inquiète à la fois ?

Antoine, que les questions « à la Léo » agaçaient toujours un peu, répondit néanmoins au mieux de sa connaissance.

— Ben… Je crois, oui… Oui, sûrement, comme j'ai été inquiet lorsque je me suis installé à Paris avec Emmanuelle et toi. Même auprès de vous, les deux personnes que j'aimais le plus au monde, ça n'allait pas de soi que je m'adapte à un nouveau mode de vie… à mon âge.

La réponse d'Antoine avait satisfait Prudence puisque c'était ce type d'angoisse qu'elle avait commencé à éprouver lorsque le chauffeur avait déposé Marc-André au bureau de son père.

— J'ai l'impression de vivre en pleine tempête, mais, à la fois, sous un splendide arc-en-ciel. Ce n'est pas normal. J'ignore où m'entraîneront tous les changements qui se produisent actuellement dans ma vie.

— L'angoissant inconnu… Je pense qu'on ne peut s'y préparer qu'en écoutant son cœur, sans pour autant négliger sa raison. Je sais, ça fait cliché, mais j'ignore comment je pourrais t'exprimer ce que je ressens autrement. Je comprendrais peut-être mieux ton angoisse si tu me racontais d'abord comment les choses se sont déroulées en Guadeloupe.

Prudence en vint alors à l'essentiel.

— Le premier soir, Marc-André m'a confirmé son amour. J'ai alors risqué de refroidir ses ardeurs en lui annonçant qu'il serait bientôt père. Je n'avais pas le choix. Je voulais que ses véritables intentions à mon égard soient claires. Il est resté bouche bée… Il a souri, puis il m'a serrée dans ses bras, si fort… Mes doutes se sont alors dissipés. Papa, il veut venir vivre à Paris avec moi.

— Ha bon…

Après avoir été ému par le courriel de Prudence, Antoine avait des a priori. Ce Marc-André était tout de même un fils à papa gâté et probablement égocentrique qui s'amusait avec Prudence et qui finirait un jour ou l'autre par la blesser.

La réaction peu enthousiaste d'Antoine déconcerta Prudence.

— Ça ne semble pas te réjouir…

— Mais oui... Je suis heureux pour toi. Mais son travail, sa carrière, il y a pensé aussi ?

— Bien sûr ! Actuellement, il est probablement encore en train d'en discuter avec son père, qu'il a appelé avant notre départ de Guadeloupe pour s'assurer qu'il serait disponible pour une rencontre, dès notre arrivée.

— Et si son père s'objecte à votre… projet, que fera-t-il ?

Prudence n'appréciait pas particulièrement que son père joue à l'avocat du diable, mais, en même temps, elle comprenait que le développement de sa relation avec Marc-André le préoccupe.

— Papa, Marc-André n'est pas un enfant. Si son père ne veut rien entendre de notre « projet », comme tu dis, il emménagera quand même avec moi à Paris. Il est convaincu qu'il a encore sa place dans cette entreprise où il a fait un stage, mais il préférerait quand même que les choses se fassent en bonne et due forme, avec le consentement de son père.

Antoine et Prudence entendirent alors les pas de Léo qui montait chez lui.

— Il est discret, notre Léo. Il attendra que je l'appelle avant de venir te faire la bise.

Prudence ne réagit pas au commentaire d'Antoine.

— Qu'en penses-tu, papa ?

— Je ne sais pas, Prudence…

— Il a hâte de te rencontrer. Il m'appellera dès qu'il…

La sonnerie du portable de Prudence interrompit la conversation. Alors qu'Antoine allait se lever, elle lui fit signe de rester assis.

Prudence écoutait, tête inclinée. Antoine la regardait. L'air impassible de sa fille ne lui permettait même pas de présumer de la teneur des propos de son interlocuteur qui ne pouvait qu'être Marc-André. Antoine trouvait que son monologue s'éternisait. Il commençait à s'impatienter et à se faire du mouron.

— Oui, ce soir. À plus… Moi aussi, dit-elle finalement et elle déposa son portable dans son sac. Elle regarda Antoine, puis elle pouffa.

— C'est trop drôle.

Perplexe, Antoine haussa les épaules pour signifier à sa fille qu'il attendait une explication.

— Le père de Marc-André avait aussi une nouvelle à lui annoncer. Pendant l'absence de son fils, il s'est associé au propriétaire de l'entreprise française où Marc-André a travaillé et, avant même que son fils ne lui parle de notre « projet », son père lui a demandé de s'installer à Paris, où il occupera un poste important au sein de cette entreprise.

Antoine ne commenta pas la nouvelle.

— Et comment a-t-il réagi lorsqu'il a appris qu'il serait bientôt grand-père ?

— Il a dit à Marc-André que sa nouvelle responsabilité familiale ferait de lui un homme d'autant plus conséquent et que sa famille serait sa plus grande richesse. Pas mal, hein ?

— Oui... Et toi, dans tout ça, Prudence ?

— J'avais déjà tout planifié. Après la naissance de notre enfant, je retournerai aux études si possible et aussi à notre atelier à Montmartre.

— C'est bien, mais qui prendra soin de ton bébé lorsque tu seras à l'École ?

Prudence, qui arrivait maintenant à prévoir presque toutes les questions de son père, sourit.

— Papa, Margaux revient à Paris en permanence. Son jeune frère habitera chez l'une de ses tantes. Lorsqu'elle ne fera pas du baby-sitting pour moi, elle travaillera pour Maude, chez qui elle habitera.

— Ho ! Tu ne penses pas que tu devrais d'abord en parler à Maude ?

— C'est déjà fait. C'est d'ailleurs elle qui m'a proposé cet arrangement.

Dans la vie de sa fille, Antoine se sentit encore une fois comme un outsider.

— Bon... Que reste-t-il à ajouter alors ?

— Euh !

Antoine regarda Prudence sans mot dire.

— Je n'accoucherai pas ici. Je retournerai à Paris plus tôt que prévu puisque Marc-André doit débuter dans ses nouvelles fonctions dès la deuxième semaine du mois de juillet. Mais toi, Antoine, tu peux rester ici plus longtemps si tu le désires. Tu viendras nous retrouver quand bon te semblera.

Antoine se leva, puis il se dirigea lentement vers la porte du salon qui donnait sur le balcon. Prudence l'observa. Immobile, les mains dans les poches de son jean, il ruminait toutes les informations qu'elle lui avait servies en rafale. Elle le savait.

— Qu'en dis-tu, papa ? lui demanda-t-elle avec un filet de voix.

— J'en dis qu'un jeune couple a besoin de son intimité. Et c'est sans doute pour cette raison que Maude a proposé que Margaux habite chez elle plutôt que sur le boulevard Raspail.

— Qu'es-tu en train de me dire, Antoine ?

— Prudence, tout compte fait, je ne retournerai pas vivre à Paris, ni chez toi, ni ailleurs.

Stupéfaite, Prudence attendit quelques secondes avant de réagir.

— Mais Antoine, tu es mon père...

— Et je le serai toujours, précisa-t-il en se tournant vers elle. Je me rendrai à Paris pour accueillir ma petite-fille ou mon petit-fils à sa naissance. Je serai là pour célébrer nos anniversaires. Et aussi, bien sûr, pour aller me recueillir sur la tombe d'Emmanuelle. À Noël, si votre enfant est encore trop jeune pour que vous puissiez venir au Québec, j'irai vous voir. Puis vous viendrez pour les vacances. Nous communiquerons aussi souvent que tu le voudras. Au téléphone, tu pourras croire que je suis de l'autre côté du boulevard Raspail plutôt que de l'autre côté de l'Atlantique.

La décision d'Antoine bouleversa Prudence.

— Mais, je ne comprends pas. Tu voulais faire ta vie à Paris avec nous. Avec moi. Puis tu as ton travail là-bas, chez Maude…

— Je parlerai à Maude. C'est ici que je lui serai sans doute le plus serviable, en recrutant des artistes québécois pour sa galerie. Puis j'ai un autre projet qui se dessine…

— Mais papa, tu me manqueras tellement ! Je ne sais plus quoi penser.

— Pense que tu formeras bientôt un couple avec Marc-André. Pense que vous fonderez une famille, que vous aurez votre appartement bien à vous, votre cercle d'amis, vos occupations…

— Mais je n'aurai pas mon père…

Antoine prit place près de sa fille.

— Ne sois pas triste, Prudence. Votre bonheur fera le mien.

Antoine venait de prendre la décision la plus pénible de sa vie, mais celle qu'il croyait être la plus bénéfique pour sa fille et peut-être même aussi pour lui. En « père poule » qu'il reconnaissait être, il craignait de se sentir de trop auprès du nouveau couple. Et il n'aurait par ailleurs pas envie de retourner à l'appartement du boulevard Raspail comme simple visiteur.

— On appelle tonton Léo ? demanda-t-il à Prudence en posant un tendre baiser sur son front.

36

Le jeudi 22 juin 2000

Le lendemain de son retour à Montréal, Prudence, en marchant avec son père au parc-nature de l'Île-de-la-Visitation, lui rappela que Marc-André tenait à le rencontrer le plus tôt possible.

— Veut-il me demander ta main ? fit Antoine.

Ce qui fit rire Prudence.

— Crois-tu que cette tradition soit encore d'usage ?

— Pourquoi pas ! Au fait...

Cette fois, Prudence s'esclaffa.

— Antoine, tu es vraiment impayable. Attends, je vais le dire moi-même... « Au fait, ma puce, est-ce que Marc-André t'a demandée en mariage ? » dit-elle en tentant de donner un ton plus grave à sa voix aiguë.

Antoine pouffa.

— Puis-je répondre à « ta » question maintenant ? ajouta-t-elle.

— Je t'écoute.

— Oui, Marc-André veut m'épouser et ce n'est pas parce que son père lui a dit qu'il devait assumer ses responsabilités. Il veut m'épouser parce qu'il m'aime et parce qu'il veut donner un père légitime à Emmanuelle Filion-Rivard. Donc, oui, papa, je convolerai en justes noces… comme on dit.

L'expression d'étonnement d'Antoine amusa Prudence.

— J'ai toujours cru que ton Marc-André était un garçon bien, dit-il sur un ton révélant volontairement qu'il faisait là un pieux mensonge.

— Bien sûr ! Aucun doute ! acquiesça-t-elle, rieuse, en s'accrochant au bras de son père. Tu vois, papa, ta p'tite fille ne se lance pas dans une aventure sans lendemain. Je sais, je suis encore très jeune, naïve et je ne connais Marc-André que depuis peu, mais j'ai l'impression de le connaître depuis toujours. Comme disent souvent les acteurs en interview, il y a une bonne chimie entre nous.

— Pareil !

— Hein ?

— Ta mère et moi. Nous nous sommes rapidement reconnus, mais moi, je n'étais pas prêt.

— Moi, je suis plus que prête. Marc-André aussi.

— Alors je le rencontrerai à sa convenance.

— Il part ce week-end pour Toronto. Voyage d'affaires avec son père. Ce sera donc au cours de la semaine prochaine. Au fait, je ne t'avais pas encore dit…

Comme pour mieux absorber un éventuel choc, Antoine s'arrêta.

— Marc-André est ce jeune homme inconnu que j'avais abordé pour qu'il nous photographie devant la porte de Camille Claudel. C'est lui qui m'a reconnue chez Esther. Tu vois, il faisait partie de mon destin. Et c'est Camille qui l'a voulu.

Antoine soupira d'aise.

— Sainte Camille Claudel, priez pour nous !

Bras dessus, bras dessous, père et fille retournèrent vers l'auto de Léo en rigolant.

***

Marc-André Rivard sonna chez Antoine vers les 18 heures 30. Coquette dans une robe d'été fuchsia qu'elle étrennait, Prudence lui ouvrit. Les amoureux s'étreignirent un bref moment.

— Ce que tu es belle ! C'est la première fois que je te vois en robe.

— Alors fais un vœu. Je n'ai pas l'habitude de me costumer en demoiselle de bonne famille.

Au salon, Prudence présenta Marc-André à Antoine. Souriant, basané, élégant dans son costume d'un beige clair, le jeune homme de carrure athlétique paraissait un peu plus vieux que son âge. Il fit aussitôt bonne impression à Antoine.

Prudence les quitta rapidement pour aller retrouver Léo au sous-sol. Elle prit place devant sa table de travail.

— Tonton, Marc-André est là avec Antoine, murmura-t-elle. J'espère que tout se passera bien.

Léo lui sourit.

— Ton père n'a pas l'intention de le passer au crible, tu sais.

— Mais il a eu ses doutes.

— Quel père n'en aurait pas eu ? Confier sa fille adorée à un autre homme, ce n'est sûrement pas chose facile ! Prudence, tu me manqueras. Mon bonheur de retrouver cette maison aurait été incomplet sans ta présence ici. Tu y laisseras ton aura.

— Ça me touche, tonton. Merci ! Vous me manquerez tous les deux.

— Ne t'en fais pas, petite, je te prédis que tu retrouveras souvent ton père au cours de la présente année et des années à venir. Il ne pourra pas vivre longtemps sans ta présence.

— Je l'espère de tout cœur. Que serais-je devenue sans lui ! Je ne l'ai pas connu lorsque j'étais enfant, mais je sais maintenant qu'il n'aurait pu choisir un meilleur moment pour apparaître dans ma vie et pour réapparaître dans celle de maman.

Au rez-de-chaussée, Antoine et Marc-André, en ce jour ensoleillé de début d'été, en étaient rapidement venus à parler… hockey. De commerce agréable, le jeune homme, qui avait été gardien de but dans les ligues collégiale et universitaire, semblait très à l'aise en compagnie du père de sa jeune amoureuse.

— Monsieur Filion, bien que le sujet soit intéressant, je doute fort que Prudence serait ravie de nous surprendre en train de parler des déboires du Canadien.

— Oh que non ! reconnut Antoine. Alors parlons d'un sujet qui lui conviendrait, c'est-à-dire de vous deux.

Antoine attendit que le jeune homme entame la conversation à ce sujet.

— Je veux d'abord vous assurer que j'aime sincèrement Prudence.

— Puisque tu as choisi de vivre avec ma fille et votre enfant, je l'espère bien.

— Monsieur Filion, je reconnais que la relation entre Prudence et moi n'est peut-être pas des plus conventionnelles mais, sans vous manquer de respect, je sais que vous pouvez comprendre ces choses-là.

Antoine se crispa.

— Prudence a beaucoup parlé…

— Ne vous offusquez pas, monsieur Filion. L'histoire qu'elle m'a racontée est très belle et Prudence est très fière d'être votre fille. Elle vous vénère et sa mère lui manque terriblement. J'espère que l'amour filial de notre petite Manu, comme l'appelle déjà Prudence, sera aussi fort que celui de votre fille.

Antoine se détendit.

— Marc-André, tu as toute la repartie nécessaire pour devenir un bon homme d'affaires.

— J'aurai besoin de plus que de repartie pour relever le défi professionnel qui m'attend à Paris. Mon père m'accorde sa confiance et je ne veux pas nous décevoir, ni lui, ni moi.

— Tu auras aussi un défi de couple à relever. Dans un couple, les humeurs, les différends…

— Je sais. Je ferai tout en mon possible pour ne décevoir ni Prudence, ni vous. M'accordez-vous votre confiance, monsieur Filion ?

Antoine regarda Marc-André quelques instants, se leva et lui tendit la main.

— Tu l'as, mon garçon. Je suis persuadé que tu seras un bon mari pour ma chère fille et un bon père pour votre enfant.

— Merci ! J'apprécie énormément.

Marc-André signala à Antoine que Prudence dînerait avec lui chez ses parents le lendemain et qu'il avait l'impression que ça l'angoissait un peu.

— Prudence ? J'en doute. Je connais ma fille. Elle s'en tirera très bien. Disons qu'elle a son… franc-parler !

Ce qui amusa Marc-André puisqu'il avait déjà eu l'occasion de s'en rendre compte.

— Puis rassurez-vous, mes parents ne la feront quand même pas auditionner. Ils savent très bien que son rôle dans ma vie lui est déjà acquis. Au fait, mes parents se feraient une joie de vous rencontrer, vous et votre ami, monsieur Provencher, que Prudence considère, me dit-elle, comme son oncle. Samedi prochain, pour un dîner décontracté sur la terrasse, ça vous conviendrait ?

— Remercie tes parents de ma part. Invitation acceptée. Maintenant, allons retrouver la future maman et son tonton au sous-sol.

En sortant du salon, Antoine posa une main sur l'épaule de son futur gendre.

— Je suis de ton avis, Marc-André. La saison prochaine, le Canadien sera encore exclu des séries…

En début de soirée, Antoine et Léo se retrouvèrent au sous-sol. Ils se sentaient bien dans cette grande pièce aux murs recouverts de panneaux décoratifs en contreplaqué. Léo joua au barman et Antoine, prenant place sur un tabouret, au client.

— Un petit digestif pour monsieur ?

— Amaretto sur glace, je vous prie, mon brave…

Léo rigola.

— Ouais… J'espère que notre « brave » fait bonne vie à Paris.

— Ne t'inquiète pas pour Alain. Lorsque j'ai parlé à Bébert, ce matin, il m'a dit que notre Marseillais préféré lui avait justement rendu visite la veille. Tu ne me croiras peut-être pas, mais il a annoncé à Bébert qu'il est amoureux et que cette fois c'est du sérieux.

— Tant mieux pour lui !

— Et tant pis pour elle ! lança Antoine, rieur.

Antoine avait aussi parlé à Maude qui, apprit-il alors, avait tout su bien avant lui au sujet du désir de Prudence de séjourner à Montréal, de sa relation avec Marc-André et de sa grossesse. Antoine ne s'en était pas offusqué. Il comprenait que sa fille ait eut besoin de se confier à une femme en qui elle avait confiance. Et ça le rassurait de penser que Maude serait là pour veiller sur Prudence et pour la conseiller lors de son retour à Paris.

Antoine écrasa sa cigarette dans le grand cendrier que Léo avait acheté pour lui. Puis il devint pensif. Léo devina que quelque chose le troublait.

— De quoi s'agit-il, Antoine ?

— J'avais promis à Emmanuelle que je ne laisserais jamais Prudence à elle-même.

— Oui, mais dans les circonstances, je pense qu'elle comprendrait. Ta fille aura maintenant un conjoint en qui tu as confiance pour la protéger, pour l'aimer. Puis Maude et Bébert seront là pour elle eux aussi.

— Je veux tout simplement que Prudence apprenne à voler de ses propres ailes. Moi, je ne vivrai pas éternellement.

— J'avais compris, Antoine. Et ta décision de ne pas retourner là-bas ne déçoit pas trop Maude ?

— Pas vraiment puisqu'elle ira prochainement de l'avant avec ses expositions d'art québécois. Elle m'a donc demandé, compte tenu de ma décision, d'être son représentant ici.

— Et j'imagine que tu devras te rendre souvent à Paris pour les expositions de tes artistes, ajouta Léo en faisant un clin d'œil à Antoine.

— Eh oui ! Faudra bien ! reconnut-il, souriant.

Léo se réjouit de constater que la prédiction faite à Prudence qu'elle reverrait son père plus souvent qu'elle ne le croyait, s'avérerait juste. Puis il révéla à Antoine qu'il avait, pour sa part, ce matin-là aussi, parlé à la cliente de *L'Attrait* qui appelait Alain « mon brave ».

— Elle a changé. Je veux dire qu'elle va très bien maintenant. Un autre amaretto ?

— T'es sérieux ?

— Pour l'amaretto ou pour Laura ?

Antoine sourit. Léo versa la liqueur dans son verre.

— J'ignore si elle reviendra vivre à Montréal, mais nous nous verrons sporadiquement. Et ça me convient ainsi. J'ai l'habitude de vivre seul.

— Terminées les histoires d'amour ?

— Je crois que je préfère maintenant en écrire. Beaucoup moins compliqué…

Antoine n'en crut rien, mais il préféra ne pas contredire Léo.

— Parlant d'écriture… J'ai eu une idée…

— Catastrophe !

— Ton histoire d'Évariste… Je la verrais très bien en bandes dessinées. Toi, tu écris. Moi, je dessine. Des heures, des jours et des semaines de plaisir…

Perplexe, Léo regarda Antoine.

— Malgré ton sourire idiot, tu me sembles sérieux.

— Mais je le suis, mon vieux. Et je te signale que mon futur gendre sera désormais imprimeur, éditeur, distributeur… Donc, en plus du roman original, une version d'Évariste, *the* BD, pour le Québec et une autre pour l'Europe.

— J'y penserai…

— C'est ça ! Mais pas trop longtemps quand même !

Le projet d'Antoine n'intéressait vraiment pas Léo. Un autre projet d'écriture, encore au stade embryonnaire, le captivait depuis le retour d'Antoine à Montréal.

Léo sortit de derrière son bar et prit place sur le tabouret voisin de celui d'Antoine.

— On se croirait tu sais où… lui dit Antoine.

— Mais c'est déjà de l'histoire ancienne tout ça.

— N'empêche qu'elle fut le prologue à celle que nous vivons actuellement. Ma fille… enceinte… Qui l'aurait cru, hein, Léo ? Tu as raison… Je suis heureux. Mais elle partira bientôt et je me retrouverai seul encore une fois.

— Seul avec moi quand même !

— Ouais… *The Odd Couple*…

— *Drôle de couple* dans sa version française, précisa Léo.

— Maudit péquiste !

— Ho ! C'est toi l'indépendantiste.

— Vraiment ? Ben oui, c'est vrai. J'avais oublié…

Les balivernes et facéties d'Antoine ne trompaient pas Léo. La déclaration de bonheur de son ami lui semblait davantage de l'autosuggestion qu'une affirmation.

37

Le jeudi 29 juin 2000

La gorge sèche, Prudence s'éveilla vers les 3 heures du matin. Dans la pénombre, elle se dirigea vers la cuisine pour boire un verre d'eau. En passant devant le salon, elle aperçut la lueur du feu d'une cigarette.

— Papa ?

— Oui, je suis là. Que fais-tu ?

— J'ai soif. Je reviens.

De la fenêtre de la cuisine, Prudence regarda le collège que son père avait vu construire lorsqu'il était enfant. De nombreux souvenirs d'Antoine et de Léo étaient liés à Ahuntsic, ce quartier dont elle avait découvert les petits secrets au cours de son séjour. Elle pensa à chez elle, à cet appartement du boulevard Raspail où elle avait grandi et où elle espérait que sa petite Manu grandisse aussi. Elle pensa à Emmanuelle qui avait, comme disait Léo, laissé son « aura » dans cet appartement. Une aura qu'elle chérirait jusqu'à la fin de ses jours.

Prudence prit place près de son père, puis elle appuya la tête sur son épaule.

— Tu pleures, papa ?

— Un peu, oui.

— Alors je vais pleurer un peu moi aussi.

— Je suis ému.

— Moi aussi.

— Tu reviendras à Paris bientôt, n'est-ce pas ?

— Oui, ma puce.

— C'est loin, novembre.

— Alors j'irai quelque temps en septembre.

— Oui… Et un peu avant la naissance de Manu ? J'aurai besoin que tu sois là, près de moi.

— Promis !

Antoine mit un bras autour des épaules de sa fille et la serra contre lui.

— Si jamais je donne un petit frère à Manu, je l'appellerai Antoine.

— Et il sera beau et intelligent comme moi.

— Ou plutôt comme Marc-André.

Antoine sourit.

— Tu es bien la fille de ton père, ma Prudence.

— Et tu ne peux maintenant rien y faire. Tu dois m'accepter telle que je suis.

— Je t'accepte telle que tu es et je te garderai toujours dans mon cœur. Tu devrais aller dormir maintenant. Tes bagages sont prêts ?

— Presque ! Papa, j'aimerais qu'on aille marcher, toi et moi, cet avant-midi.

— Bien sûr ! Où veux-tu aller ?

— Au cimetière.

— Hein ?

— Oui. Je n'ai pas connu mes grands-parents Filion. Je veux aller les saluer. Ils me porteront chance, j'en suis certaine.

— Va vite dormir avant de me faire pleurer encore.

— Ah !... Ce que tu es pleurnichard à la fin ! dit-elle d'une voix tremblotante.

Prudence embrassa tendrement son père, puis elle retourna à sa chambre en reniflant.

Antoine resta là. Il alluma une autre cigarette. Le film de sa vie, comme celui que l'on dit voir à l'article de la mort, défila devant lui. Deux images se fixèrent dans son esprit : le petit visage blême de Prudence dans son lit d'hôpital, puis celui d'Emmanuelle.

Au lever du soleil, Prudence trouva son père endormi sur le divan. Elle prit place dans un fauteuil. Elle l'observa comme pour se rappeler les premiers instants où elle avait découvert son visage de père ému.

Antoine s'éveilla, toussota, se redressa.

— Prudence, que fais-tu là ?

— Rien, je viens de me lever.

— Quelle heure est-il ?

— Très tôt ! On petit déjeune ?

— Je me douche d'abord.

Prudence retourna à sa chambre. De sa fenêtre, elle vit une mère sur le balcon arrière d'une maison de la rue Fabre, déjà en train de bercer son jeune enfant. Elle ignorait que Léo, adolescent, était tombé amoureux d'une jeune fille qu'il avait aperçue, un matin d'été, sur ce même balcon. Prudence n'avait pas envie de se doucher, de s'habiller avant d'avoir bu son café. Elle voulait faire durer sa dernière matinée à Montréal en compagnie de son père. Elle voulait en conserver toutes les images en mémoire. Depuis le décès de sa mère, elle avait pris conscience que ses proches, peu importe leur âge, pouvaient disparaître rapidement. Cette réalité l'obsédait, surtout par rapport à Antoine.

— Prudence ?

— J'arrive, papa.

Entrant dans la cuisine, elle demanda à son père de s'asseoir.

— Ce matin, c'est moi qui préparerai le p'tit déj. Œufs et saucisses, ça te va ?

— Parfaitement ! répondit Antoine en prenant place à table.

— Papa, tu sais ce que je ferai en arrivant à Paris ?

— Tu m'appelleras ?

— Oui, mais après… J'irai à la galerie et je rapatrierai ton tableau si Maude ne l'a pas encore vendu.

— *Au verger de la vierge Valonée* ?

— Oui… Je lui ferai une place d'honneur dans le hall de l'appartement. Il est beau et c'est le mien. Il doit rester dans la famille, toujours. Bon, le café arrive… Ou je l'accrocherai plutôt dans ma chambre. Je le verrai tous les matins en m'éveillant et je penserai à toi…

Antoine eut soudain un doute.

— Prudence, de quelle chambre parles-tu ?

La question de son père l'étonna.

— Ben de celle qui a toujours été la mienne, bien sûr.

Prudence déposa deux tasses de café sur la table puis elle s'assit.

— Ma puce, cet appartement est maintenant le tien. Tu peux en faire ce que tu veux. Marc-André et toi, vous seriez plus à l'aise dans la grande chambre.

— Dans la vôtre, à maman et à toi ? Jamais ! Je ne pourrais pas.

— Comptes-tu en faire un musée ? Prudence, cette chambre est maintenant la tienne. Tu peux même l'aménager autrement si tu veux. Dans la vie, rien n'est immuable. Tu commences une nouvelle vie, ma fille. Ne t'accroche pas au passé. C'est un trop lourd boulet à traîner.

— Et tonton Léo avec cette maison alors ?

Antoine hésita un instant avant de répondre.

— Justement ! Peut-être pas une sage décision de sa part... puis Emmanuelle serait heureuse de savoir que sa fille occupera désormais sa chambre. Ce serait une espèce de continuité dans la nouveauté.

Prudence se mit à rire.

— Dis donc, tu ratisses large, toi, ce matin, avec ta « continuité dans la nouveauté » ! Je ne sais pas. Peut-être... Je verrai...

Vers les 10 heures, Antoine emmena Prudence au cimetière Notre-Dame-des-Neiges.

— Ils étaient comment mes grands-parents Filion ? demanda-t-elle avant de descendre de voiture.

— Tu les aurais aimés et ils t'auraient aimée.

La petite-fille des Filion s'avança vers leur pierre tombale et elle y déposa une gerbe de fleurs.

— J'aurais aimé les connaître...

— Oui, mais la vie...

— Je sais... Et je sais de plus en plus.

Sans parler, père et fille marchèrent lentement dans une allée ensoleillée du cimetière, en direction d'une autre pierre tombale.

Antoine et Prudence rentrèrent vers les 13 heures. Léo les attendait. Il voulait aussi passer un peu de temps avec Prudence avant son départ.

— Tonton, je me suis recueillie sur la tombe de Catherine avec Antoine. Papa m'a raconté. Je suis sincèrement très peinée.

Léo la serra très fort dans ses bras. Touché, il se sentit encore plus près de Prudence qui, tout comme Catherine, portait un enfant en elle.

— Prudence, Léo et moi, nous t'accompagnerons à l'aéroport.

— Euh !... Je ne sais pas... Il est peut-être préférable que nous nous quittions ici. Le chauffeur des Rivard viendra me prendre...

Antoine, lui, y tenait. Il voulait profiter jusqu'à la dernière seconde du temps qu'il lui restait avec Prudence avant son départ.

— Bien ! Mais je ne voudrais pas que notre séparation soit trop émotive.

— Promis !

Vers les 17 heures 30, Prudence, Antoine et Léo retrouvèrent Marc-André et ses parents à l'aéroport. Antoine était dans ses petits souliers. Léo le surveillait. Prudence et Marc-André déposèrent leurs bagages au comptoir d'Air Canada. Il restait encore du temps avant l'heure de l'embarquement. Le petit groupe se dirigea vers un resto. Aucune conversation avant que le père de Marc-André ne lui demande s'il avait parlé, au cours de la journée, au président de *Litho Edito France*.

— Oui, une limousine nous attendra à Charles-de-Gaulle.

— Bien ! Tu m'appelles dès ton arrivée à l'appartement de Prudence...

Antoine serra les dents. Un jeune homme le remplaçait déjà auprès de sa fille sur le boulevard Raspail, où il ne serait plus jamais chez lui. Prudence le regarda. Elle devina ce qu'il ressentait.

— Papa, moi aussi je t'appellerai, l'assura-t-elle.

Cœur battant, Antoine, tenant le bras de Prudence, se dirigea vers la porte des embarquements internationaux. Les autres suivirent, quelques pas derrière eux.

— Ma très chère Prudence, je te souhaite tout le bonheur que tu mérites et plus. Tu me manqueras, mais je te reverrai bientôt, je te le promets.

Père et fille s'étreignirent longuement.

— Va, ma puce, ta vie t'attend.

— Papa, je t'aime, et promets-moi de faire attention à ta santé. Ma petite Manu aura besoin d'un papy au mieux de sa forme.

Les au revoir faits, Marc-André prit le bras de Prudence, qui se tourna une dernière fois pour sourire à son père, puis il l'entraîna derrière les portes des douanes.

38

Le jeudi 6 juillet 2000

Assis à sa table à dessin, Antoine faisait des croquis. À sa table de travail, Léo, l'air renfrogné, lisait des passages de son roman absurde.

— Antoine, je serais incapable de résumer des paragraphes en quelques mots qui seront contenus dans des bulles de bande dessinée.

— Mais si, mais si… Oublie les descriptions. Pense « dialogues ». Les images feront le reste. Lorsque nous ferons la mise en scène de ton histoire, tout tombera en place. Léo, je pense avoir trouvé la bouille d'Évariste. Viens voir…

Léo se pencha au-dessus de l'épaule de l'artiste.

— C'est lui ! C'est Évariste. C'est comme ça que je l'aurais imaginé si j'avais voulu en faire un personnage de BD.

— *Yes !* C'est parti mon Léo…

— D'autres nouvelles de Paris ? demanda Léo en réintégrant sa place.

— Oui, encore ce matin. Prudence a vu son médecin. Tout va bien. Hier, notre petit couple a dîné chez Maude et

Bébert. Prudence m'a rappelé que ce sera l'anniversaire de Bébert, le 25 août prochain.

— Vraiment ?

— Maude lui organise une fête…

— Vraiment ?

Léo se mit à rire.

— Quoi ?

— Ta valise est bouclée ?

Antoine affecta la surprise.

— On y va ? demanda-t-il aussitôt, souriant.

— Pourquoi pas !

Permission accordée, le grand enfant se réjouit.

— Parfait ! On leur fera la surprise. Je vois déjà leurs têtes… surtout celle de Prudence.

— Et nous logerons où ?

— Détails tout ça !

L'air innocent, Léo lui tendit la perche.

— Et nous y resterons combien de temps, Antoine ?

— Je ne sais pas. Une petite semaine ou peut-être un peu plus…

— Plutôt deux semaines alors ?

— Avec le décalage et tout… oui, ça me semble plus raisonnable. Bon ! Au boulot maintenant !

Léo fit semblant de lire son texte – comme il avait déjà feint de se pencher sur ses bilans financiers – tout en rêvassant. Quelques minutes plus tard, Antoine déposa son crayon puis croisa les bras en regardant fixement Léo qui s'en rendit presque aussitôt compte.

— Ça ne va pas, Antoine ?

— Je ne sais pas.

Léo repoussa son manuscrit puis, sur sa chaise à roulettes, s'éloigna de son bureau.

— Moi je sais. Ça ne va pas du tout. Ni pour toi, ni pour moi. Antoine, nous sommes en train de nous raconter des histoires.

Bras toujours croisés, Antoine haussa les épaules.

— Quel genre d'histoires ?

— Du genre que nous ne devrions pas être en train de vivre, ni moi en tentant de scénariser de la BD, ni toi en l'illustrant. Ni moi dans cette maison, ni toi dans cette ville. En revenant vivre sur la rue Marquette, j'ai voulu m'offrir la plus grandiose fête de nostalgie de ma vie. Je ne regrette rien et je suis heureux de l'avoir partagée avec toi et avec Prudence. Mais je dois maintenant passer à autre chose.

Antoine en fut étonné.

— Tu veux déjà revendre cette maison ?

Léo regarda Antoine quelques instants avant de répondre.

— J'ai parlé à Laura. Elle veut se réinstaller à Montréal. Dans trois mois, six mois... Je ne sais pas encore. Elle veut acheter... En fait, elle me propose d'acheter, avec elle, un grand condo que nous partagerions.

Antoine décroisa les bras.

— Tu ne m'as pas dit que tu t'accommodais très bien de ta vie de célibataire ?

— Je l'ai dit, oui, mais j'improvisais mal. Nous improvisons mal. Te souviens-tu de mon histoire de Jos Destin ?

— Plus ou moins.

— Je t'avais dit que nous étions tous les vedettes de notre propre film, mais que nous devions improviser parce que nous n'en connaissions pas le scénario... Ben nous n'avons plus de raisons de mal improviser. Les grandes lignes des synopsis de nos films respectifs sont maintenant écrites.

— En plus clair...

— En plus clair, Jos Destin a fait en sorte que Laura se retrouve un jour sur ma route…

— Tout un cadeau !

— Oui, Antoine, ça peut t'étonner, mais c'en fut un. L'arrivée de Laura dans ma vie fut déroutante, j'en conviens, mais ça m'a permis d'en reprendre le contrôle… partiellement jusqu'à maintenant. Nous nous sommes aidés mutuellement. À travers sa maladie, j'ai mieux compris la mienne et j'ai pris conscience que je me laissais diriger par mes craintes et mes angoisses. Aujourd'hui, grâce à Lennon, Laura va bien. Antoine, j'aime cette femme-là et elle m'aime aussi. Alors, pour quelle raison devrais-je tourner le dos à ma chance d'être heureux avec elle ? Ce serait mal improviser !

Antoine ne fit qu'un vague signe de tête.

— Et moi, Léo, puisque tu sembles croire que j'improvise mal aussi ?

— J'y arrivais. Je pense que nous sommes allés, toi et moi, au bout de nos velléités…

— J'allais le dire ! fit Antoine, narquois.

— Ce qui veut dire… On veut ou on ne veut pas ? On le fait ou on ne le fait pas ? Antoine, nos vœux pieux ont assez duré. Combien de temps écrirons-nous et peindrons-nous encore en dilettantes ? Pour quelle raison n'écrirais-je pas dans un genre qui me vient naturellement ? Pour quelle raison ne peindrais-tu pas dans le genre qui te convient, sans te soucier du regard des gens qui n'y comprennent rien ? Et, dans les deux cas, de façon soutenue. Pour de vrai, désormais. Pour de vrai… Nous ne sommes pas faits pour Évariste. Antoine, combien d'années nous reste-t-il à vivre avant que le mot FIN n'apparaisse pour nous ?

Antoine resta sans mots.

— Autre chose, Antoine. J'ai bien compris la raison pour laquelle tu as choisi de ne pas retourner vivre à Paris, mais était-ce vraiment la bonne décision à prendre ? Ta vie n'est plus à Montréal. Comme disait Bébert, pour « éclore », tu dois retourner à Paris. Là-bas, toutes les possibilités s'offrent à toi. De plus, tu es déjà malheureux loin de Prudence. Pas vrai ?

— Vrai !

— Crois-tu que Jos Destin n'avait pas prévu tout ce que nous avons toujours appelé des hasards ? Ta rencontre avec Emmanuelle en 1980… La naissance de Prudence… Ta fille qui, dans son inconscient, te cherchait… Ton retour à Paris pour aider Prudence à trouver la force de vivre… Ton retour à Paris avant la mort d'Emmanuelle que tu as rendue heureuse… Et ce ne fut pas facile pour toi non plus, je le sais. Tu as remporté de belles victoires, Antoine, et c'est maintenant que tu abdiques, sous prétexte que tu veux que Prudence apprenne à voler de ses propres ailes ? Antoine, pourquoi voudrais-tu bouder ton bonheur auprès de Prudence et de l'enfant qui naîtra bientôt ?

Les deux hommes restèrent muets durant quelques minutes, puis Antoine se leva.

— Léo, est-ce que ça t'ennuierait si j'allais marcher un peu ?

— Pas du tout. Moi, je vais écrire un peu.

Antoine s'avança vers Léo.

— Lorsque nous irons à Paris pour l'anniversaire de Bébert, est-ce que ça te dérangerait de revenir… seul ?

Léo se leva puis, posant une main sur l'épaule d'Antoine, le guida vers la sortie.

— Bonne marche, mon ami !

Bonne écriture, mon ami !

Léo retourna à sa table de travail. Il alluma son ordinateur. Il cliqua sur « Fichier » puis sur « Nouveau document ». Il l'enregistra sous le titre *L'Attrait ou la vie,* puis il écrit les premières phrases qui lui vinrent à l'esprit.

Un après-midi de novembre, l'avocat Gilbert Moran, qui avait connu un avant-midi pénible à la cour, décida de rentrer chez lui plus tôt qu'à l'accoutumée. Déambulant sur la rue Sainte-Catherine, les mains dans les poches de sa canadienne, il rencontra son bon ami Jean Turcot qu'il n'avait pas vu depuis quelques mois. Les deux hommes décidèrent alors de prendre l'apéro dans un petit bar qui leur était étranger…

Notre distributeur :
Messageries de presse Benjamin
101, rue Henry-Bessemer,
Bois-des-Filion (Québec)
J6Z 4S9
Tél. : 450 621-8167

Achevé d'imprimer au Canada par
Marquis Imprimeur Inc.